윤 의섭

악판 사랑해주셔서
고압습니다.

최정기

재명

윤우성 작가님!
감사합니다.

진영 (김가든)

-박규영-

악마판사

오리지널 대본집 1

악마판사

오리지널 대본집 1

문유석 지음

문학동네

차례

작가의 말_007

주요 등장인물_010

용어 설명_021

1부 스타 판사_023

2부 사냥감과 사냥꾼_103

3부 비밀의 방_169

4부 요한의 십자가_245

5부 가위손_303

6부 아킬레스건_369

7부 꿈은 이루어진다_429

8부 레지스탕스_487

손쉬운 정의란 존재하는가에 관한 질문

사람들의 갑갑증이 심각해지고 있다. 불신과 혐오가 판을 친다.

트럼프 현상, 브렉시트, 거리에서 마약상을 즉결 처형하는 필리핀 두테르테 체제에 대한 열광…… 우리 사회의 모습도 정도만 다를 뿐 끓어오르는 에너지의 방향은 비슷하지 않을까.

이유는 기존의 법치주의 시스템이 더이상 사람들을 만족시키지 못하기 때문이다. 사람들은 더이상 인권, 소수자 보호, 다양성 존중, 민주주의, 법치주의를 믿지 않는다. 냉소한다. 강력한 힘으로 이 답답한 세상을 누군가 쓸어버리길 바라는 목소리가 커져간다.

그럴 만도 하다.

기존의 시스템은 아름다운 이름과 달리 실제로는 부패, 무능, 엘리트주의, 관료주의로 오작동을 일삼아왔기 때문이다. 사법 시스템에 대한 국민의 불만과 분노는 이미 위험 수위를 넘어섰다. 제대로 정의가 실현되기를 바라는 분노의 목소리가 드높다. 사람들은 '사이다'에 대한 갈증으로 목이 타들어간다.

여기서 일종의 사고실험을 해보자.

정체불명의 역병이 휩쓸고 가버린 가상의 디스토피아 대한민국에 사람들이 원하는 정의를 효율적으로 제공하는 히어로가 나타난다면 어떨까. 그의 무기는 대중의 지지다. 미디어를 효과적으로 활용하여 법정을 리얼리티 쇼로 만들어낸다. 국민의 관심과 열광을 동력으로 낡은 사법 시스템을 국민이 바라는 모습으로 신속하게 바꾸는 혁명적 실험을 시도한다.

완전히 새로운 재판이 벌어지는 법정을 무대로,
사람들이 욕망하는 '정의'가 '사이다'처럼 쏟아진다면?
'다수의 뜻' 그대로 재판이 이루어진다면?
그렇다면 진짜로 정의가 실현되는 것일까?

이런 질문을 던져보고자 한다.
이는 재판뿐 아니라 정치, 사회가 앞으로 어떤 방향으로 흘러갈지에 관한 상상이기도 하다.

낡은 시스템은 분명히 고장나 있다.
사람들의 분노에 공감하지 못하는 차가운 시스템은 기계에 불과하다.
바뀌어야 한다. 하지만 분노 또한 선을 넘으면 또다른 괴물이 된다. 정의를 실현하기 위한 과정에서 가장 중요한 것은 정의감이 아니다.
오류 가능성에 대한 두려움이다.
자신이 믿는 정의 때문에 분노하여 목소리를 높이고 있는 이들은 스스로에게 질문해보아야 한다.

나는 나 스스로가 틀렸을 가능성을 생각해본 적이 있는가.

생각해본 적이 없다면, 또는 틀렸어도 대의를 위해 어쩔 수 없다고 생각한 다면, 당신은 당신이 분노하고 있는 대상보다 더 위험한 존재다.

희망은 어디에 있을까.

저마다 아름다운 말로 사람들을 현혹하는 거짓 선지자들이 성마른 분노를 전파하는 세상에서.

…답답하고 힘들어도, 지름길은 없지 않을까.

망설이고, 돌아보고, 휩쓸리기보다 의심하고,

지나치다 싶을 때는 멈출 줄 알고, 후회하고, 반성하고,

그러면서도 이웃들에 대한 최소한의 선의를 포기하지 않는, 그런 평범한 사람들이 세상의 중심을 든든히 지키는 것 아닐까.

그래서 요한이 아니라 가온이 이 디스토피아 세상의 희망이다. 가온은 이 〈악마판사〉라는 이야기를 끝까지 지켜봐주신 수많은 시청자들을 대변하는 인물이기 때문이다.

의심하고, 분노하고, 연민하고, 오해하고, 후회하는,

하지만 끝끝내 선의를 포기하지 않는, 그런 사람들을.

2021년 8월

문유석

주요 등장인물

강요한 | 시범재판부 재판장(40세*)

수수께끼 같은 스타 판사. 귀족적인 외모와 사람을 사로잡는 미소를 가졌다. 언제나 몸 선을 따라 흐르는 최고급 슈트를 입으며, 취미든 물건이든 모든 것에 가장 우아한 취향과 안목을 가졌다. 그가 대부호의 비극적인 상속자라는 사실도 그에 대한 신비감을 대중 속에 심어준다. 하지만 숨겨진 진짜 그의 모습은 아무도 알지 못한다.

강요한은 인간을 평등하게 혐오한다. 부자든 가난한 자든, 강자든 약자든, 인간들은 놀라울 만큼 이기적이고 뻔뻔하고 자기와 다른 존재에게 가혹하다. 남들만 문제고 나는 피해자일 뿐이라며 위선과 자기합리화를 일삼는 인간들, 신물이 난다. 그것이 강요한이 겪어온 세상이다. 강요한에게 세상은 언제나 지옥이었다. 쓰레기처럼 버림받은 채 태어난 그 순간부터.

하지만 비참한 어린 시절, 강요한은 깨달았다. 자신에게는 되갚아줄 수 있는 힘이 있다는 것을. 인간들의 어리석음을 이용해서 그들을 마음대로 움직일 수 있다는 것을. 그에겐 타고난 포식자의 피가 끓는다. 어리석고 탐욕스러운 인간들을 사냥하고 싶다. 십 년간 본능을 억누르며 성실하고 우수한 판사의 가면을 쓰고 살아온 끝에 드디어 전 국민에게 생중계되는 국민참여재판 쇼라는 무대가 완성되고 강요한은 마음껏 한바탕 판을 벌이기 시작한다.

『이솝 우화』에 나오는 개구리들은 자신들의 왕이 나약하다며 신에게 강력한, 더 강력한 왕을 보내달라고 울어대던 끝에, 원하던 대로 강력한 황새를 왕으로 맞는다. 그러고는 남김없이 잡아먹힌다. 강요한은 '강력한 왕'이 기꺼이 되어주기로 한다.

그런데, 이 모든 것이 시작되는 순간에 김가온을 만나고 만다. 강요한에게는 무거운

---

* 극중 배경인 2025년을 기준으로 한 나이다. 애초에는 2027년으로 설정했다가, 제작상 핸드폰 등 생활소품의 변화가 최대한 없도록 더 가까운 시점으로 변경해달라는 요구가 있어 2025년으로 설정을 변경했다. 이 과정에서 일부 오류(2027년 기준 사건번호 노출 등)가 발생했다.

십자가와도 같은 얼굴이 있다. 지옥 같던 어린 시절 유일하게 강요한을 붙잡아주었던 얼굴. 하지만 지금은 고통과 죄책감으로 밤마다 악몽에 시달리게 만드는 얼굴. 형 강이삭의 얼굴이다. 외면은 물론 내면까지도 형과 너무나 닮은 김가온은, 강요한과 정면으로 부딪히며 그가 벌이는 일들을 막으려 한다.

…이 아이를 어떻게 하지?

가까운 이들에게는 의외의 모습을 보이기도 한다. 조카 엘리야와 김가온만 아는 모습들이다.
―자신의 아름다움에 대한 자부심 때문인지 나이 먹었다는 얘기에 민감하다.
―자신도 의식 못하고 있는 것 같지만, 버려진 것들을 주워 오는 취미가 있다. 강요한의 저택에서 키우는 고양이도 유기묘다.
―결국 강요한은, 애써 부인하지만 이 별에서 늘 외로웠는지도 모르겠다.

정선아 | 사회적책임재단 상임이사 (40세)

강요한의 유일한 최대 숙적. '사회적책임재단' 상임이사이자, 악마판사 강요한을 곤경에 몰아넣고 사냥감 취급하는 유일한 존재. 치밀하고, 유능하고, 가차없다. 우아하고 화려한 외모, 현란한 언변, 사람 다루는 능수능란한 기술을 지녔다. 무엇보다 위선 뒤에 가려진 인간들의 진짜 욕망을 정확히 꿰뚫어보고 그것을 이용할 줄 아는 능력은 그녀의 최대 무기다.
보통 선아라는 이름은 선녀같이 아름답다는 의미의 한자로 짓는데, 정선아의 이름은 특이하다. 그저, 착한 아이다. 착할 선, 아이 아. 善. 兒. 아이 이름을 이렇게 짓는 사람은 흔치 않을 거다. 엄마가 지어주셨다. 무책임한 남자에게 버림받고 험한 세상을 악다구니 쓰며 힘들게 살던 엄마는 딸이 그저 평범하게, 착한 아이로 살 수 있길 바랐다. 하지만 험악한 빈민촌에서 자란 어린 정선아에게, 세상은 욕설, 구타, 증오, 성폭력이 자연법칙같이 당연한 곳이었다. 정선아는 자연스럽게 새끼 야생동물처럼 으르렁거리고 되받아치며 사납게 자랐다. 그게 당연했다.
그녀는 아이처럼 천진난만하다. 그녀는 오직 '오늘'만을 살아간다. 하루하루가 신나서 미치겠다. 인간의 속내를 꿰뚫어보고 이들을 조종한다는 점에서는 마치 강요한과 영혼의 쌍둥이 같지만, 그녀에게는 인간의 위선, 탐욕, 어리석음에 대한 분노 따위는 없다는 점에서 강요한과 다르다. 오히려 눈을 휘둥그레 뜨며 의아해한다. 그게 먹잇 감인데 왜? 아유, 안 그러면 어쩔 뻔했어. 감사하며 살아야지. Why so serious? 진정한 쾌락주의자인 그녀는 이 세상의 조커이자, 할리퀸이다.

반짝반짝 빛나는 아름답고 비싼 물건들을 보면 언제나 가슴이 뛴다. 인간들 따위는 어리석고 추할 뿐이지만 세상에는 빛나고 아름다운 물건들이 너무나 많다. 그것들을 자기만의 비밀스러운 공간에 모아 예쁘게 진열하는 것이 그녀의 취미다.

문제는 그녀가 꼭 수집하고 싶은 아름다운 것들 중에는, 강요한도 있다는 것. 강요한은 그녀의 욕망의 근원이자, 파멸의 근원이 되고야 만다.

…불행하게도 세상에 태어나 한번도 누군가가 착하게 대해준 적이 없었던 정선아는, 엄마가 이름을 지어주며 바랐던 것이 무엇인지도, 자기가 얼마나 망가지고 상처받으며 살아온지도 모른 채 살아갈 것이다. 그저 본능에 따라 먹이를 쫓으며, 야생동물처럼. 채워지지 않는 공허함과 허기에 시달리며.

김가온 | 시범재판부 좌배석판사 (29세)

단 1회 방송 만에 시범재판부 '입덕 멤버'로 스타덤에 등극하는 젊은 판사로, 팬클럽까지 결성된다. 강요한을 노려보는 김가온의 얼굴로 만든 브로마이드에 팬들이 써넣은 문구는 '나는 반대한다온!'이다. 선이 가는 미소년이지만 질풍노도의 비행청소년 출신다운 숨겨진 거친 면들이 있어서 실전 주먹이 강하고 유사시엔 오토바이 폭주 본능도 있다.

이유가 있다. 그가 열여섯 살 때, 사회사업가 행세하는 다단계 사기꾼 때문에 부모가 전 재산을 잃고 자살했다. 그래서인지 정의, 국민 등 거창하고 아름다운 이야기를 하며 세상을 속이는 힘있는 자들에 대한 본능적인 거부감과 불신이 있다. 강요한에 대해서도.

김가온은 아버지의 친구이자 스승인 민정호 대법관의 부름으로 시범재판부에 들어간다. 강요한을 감시하고 추적하기 위한 첩자나 다름없는 역할이지만 김가온은 군말 없이 민정호의 말에 따른다. 아버지 같은 은인이기 때문이기도 하지만, 진심으로 존경하는 '어른'이기 때문이다. 부모를 잃고 복수심과 절망으로 폭주하던 김가온을 붙잡아준 것은 세상에 단 두 사람, 소꿉친구 윤수현과 스승 민정호뿐이었다.

그런 민정호의 기대에 부응하기 위해 김가온은 판사답지 않게 강요한을 도청하고, 미행하고, 과거를 조사한다. 그러다가 뜻밖의 사고로 강요한의 저택에 머물게 되며 숨겨진 그의 진짜 모습을 더 깊게 파헤칠 수 있게 된다.

그런데, 강요한에게 접근하면 할수록 김가온은 혼란스럽다. 처음에는 강요한을 재판을 발판으로 정치적 야심을 꿈꾸는 포퓰리스트로, 다음에는 재판을 도구로 사람을 사냥하며 쾌락을 추구하는 소시오패스로 보았는데, 이상하게도 자꾸만 강요한의 처절한 외로움이 느껴진다.

그래서 김가온은 아프다. 강요한이 자기도 모르게 김가온에게 의지하는 걸, 속내를 드러내 보이는 걸 알기에, 그런 강요한을 속이고 배신하는 자신의 입장이 고통스럽다. 이건 너무 잔인한 짓인 것 같다.

게다가 강요한이 행하는 일들이 정말 잘못된 것인지도 갈수록 모르겠다. 방법이 어떻든 강요한은 벌받아 마땅한 악인들, 그것도 법을 가지고 놀던 강자들을 단호하게 처단하고 있지 않은가. 뭐가 옳은 것이고 뭐가 틀린 것일까. 이런 썩어빠진 세상에는 강요한 같은 극약처방이라도 필요한 것이 아닐까.

윤수현 | 광역수사대 형사 (29세)

김가온의 불알친구(?)이자 소꿉친구. 워낙 어렸을 때부터 김가온과 친남매처럼, 동성 친구처럼 토닥대며 지내온 사이다. 속으론 김가온을 좋아하지만 겉으론 일부러 더 장난처럼 대하거나 누나 행세를 하며 보호하려들기도 한다. 비참하게 부모를 잃고 울부짖던 김가온의 순간순간을 모두 기억한다. 그 어떤 때에도 무조건 김가온의 편에 서고 그를 지키려 했다. 윤수현은 지금도 김가온이 물가에 내놓은 애 같고, 이 험한 세상에서 지켜주고 싶은 존재다.

경찰대를 나와 광수대 에이스로 잘나가는 형사님이지만, 시원시원한 미모로 어딜 가도 인기 폭발이다. 이 답답한 김가온 녀석만 그걸 몰라본다. 너무 보호자로 굴었던 게 문제일까. 김가온을 볼 때마다 장난처럼 "이 자식, 사랑한다!"를 외쳐대지만, 그 말이 장난만은 아니라는 걸 이 자식은 아는 걸까.

김가온을 도와 강요한의 뒤를 좇고, 강요한의 숨겨진 이면에 접근할수록 경악하게 된다. 윤수현은 원칙에 충실한 경찰이기 때문이다. 아무리 결과적으로는 악인들을 심판하고 있다고 해도, 그 과정이 반칙인 것은 용납할 수 없다. 그건 또다른 범죄다.

문제는 김가온이 점점 강요한의 세계로 휘말려들어가고 있다는 것. 김가온이 수렁으로 빠져드는 것 같아 그를 빼내려 발버둥치지만 김가온은 점점 멀어져만 가고, 주변엔 알 수 없는 죽음과 미친 일들만이 이어진다.

윤수현은 강요한을 멈추기 위해 모든 것을 걸 각오를 하는데……

오진주 | 시범재판부 우배석판사

화려한 외모, 친근한 미소가 미디어 재판에 딱 맞는, '카메라가 사랑하는 판사'. 본인 스스로 실력이 아니라 외모 때문에 발탁되었다고 말할 정도다. 그런데 알고 보면 대책 없는 푼수에 호들갑 대마왕이기도 하다. 항상 필기시험 성적은 그저 그런데 탁월한 면접시험 능력으로 로스쿨도 붙고, 판사도 되었다. 성적은 거의 꼴찌여서 지방근무를 전전하다가 일약 온 국민의 주목을 받는 시범재판부의 일원으로 당당히 대법원에 입성한다. 이 일생일대의 기회를 살리고 말겠다는 의욕이 하늘을 찌른다.

정도 많고 눈물도 많고 애교도 많지만 욕심도 많은, 미워할 수 없는 속물. 사람들은 겉모습만 보며 편견을 갖지만, 실은 시골에서 농사일을 도우며 자랐고, 서울 변두리 원룸에서 낯선 이의 발걸음 소리를 두려워하며 살던 흙수저다. 그래서 같은 흙수저 김가온을 한눈에 알아본다. 레이더처럼.

문제는 너무 큰 무대에서 온 국민의 사랑을 받는 스타로 갑자기 뜨면서 사람들의 시선에 중독되어버렸다는 점이다. 처음에는 '매력도 실력이다'라는 생각으로 일도 열심히 하며 자신의 매력을 살려 출세하겠다는 정도였는데, 대중의 열광이 지속될수록 점점 욕심이 생긴다. 흔들린다.

그 흔들림을 놓치지 않고 막후의 권력자 정선아가 접근해온다.

"욕심내봐요. 제가 본 시범재판에서는, 오판사님이 제일 빛났어요. 반짝반짝."

그 치명적인 유혹의 목소리에, '나라고 '정의의 신전' 대법원에 흉상을 남기는 역사적인 인물이 되지 말란 법이 있을까?' 야망이 커져만 간다.

엘리야 | 강요한의 조카

긴 머리에 사람인지 구체관절인형인지 알 수 없는 미모, 그리고 아무 감정이 없는 듯한 차가운 눈을 가졌다. 불행한 사고로 전동 휠체어에 앉아 있는 소녀. 강요한의 형, 강이삭 부부의 사랑을 듬뿍 받던 딸이었지만, 모든 비극의 시작인 성당 화재 사건 이후 부모를 잃고 걷지 못하게 된다. 불붙은 십자가로부터 자신의 생명을 지켜준 것이 삼촌 강요한인 것도 모른 채 아버지를 죽인 원흉으로 강요한을 의심한다. 아버지가 전재산을 기부하기로 한 직후 사고가 발생했고, 사고 후 강요한이 기부약정을 취소시켰다는 사실을 알아냈기 때문이다. 강요한을 노려보며 내 다리로 걸을 수 있게 되면 내 손으로 널 죽여버릴 거라고 내뱉는 엘리야. 하지만 겉으로 보이는 격렬한 증오심 뒤에는 유일한 혈육인 강요한에게 의지하고 응석부리고 싶은 어린아이가 웅크리고 앉아 있다. 일부러 못되게 구는 삼촌 강요한이 실은 자신을 지키기 위해 뭐든 한다는 사실 또한 알고 있기 때문이다. 강요한이 아버지를 죽였다고 의심하면서도 마음 한쪽에서는 절대 그랬을 리 없다고 이를 부정하기도 한다. 그런 그녀의 세계에 젊은 날의 아버지를 꼭 닮은 김가온이 나타나고, 처음에는 그게 싫어서 더 김가온에게 못되게 굴지만, 점점 김가온의 온기와 미소에 끌리고 만다. 김가온이 저택에 있으면 사람 사는 곳 같은 온기가 느껴진다.

강씨 집안의 냉정함과 천재적인 두뇌는 강지상으로부터 강이삭을 건너뛰고 바로 엘리야에게로 유전된 듯하다. 강요한과 엘리야는 그런 점에서 비슷하다. 사고 이후 집에만 있지만 독학으로 스탠퍼드대 컴퓨터공학과에 재학중인 천재 소녀.
원격수업을 조건으로 입학 허가를 받아내기 위해 강요한은 스탠퍼드대학에 엘리야의 이름을 붙인 홀을 지어 기부했다.

차경희 | 법무부장관

여당 차기 대권 후보 선두주자. 정통 엘리트 검사로서 권력자들의 지시를 한 치 오차 없이 유능하게 수행해온 능력을 인정받아 출세가도를 달려온 개천용. 문제는 그의 능력이란 주로 정치적 반대파 제거를 위한 함정수사, 강압수사, 여론 조작이라는 점이다.

초임 검사 때부터 청와대 입성을 최종 목표로 평생 플랜을 세워둔 야심만만한 인물. 역병이라는 대재난과 혼란 와중에 엉뚱하게도 딴따라 출신의 허중세란 놈이 '갑툭튀' 하여 자기에게 예약되어 있다고 생각한 권력의 정점을 차지하자 분통이 터져 죽을 지경이지만 겉으로는 예우해주는 척하면서 무시한다. 어차피 광대는 잠깐이고 미래 권력은 자신이라고 확신하기 때문이다.

강력한 법질서를 슬로건으로 사법개혁을 추진하면서 각종 엄벌주의 입법안을 법무부 안으로 국회에 제출하여 통과시키고, 강요한의 아이디어인 시범재판을 실현시키는 데 적극 후원한 것도 모두 이 업적을 토대로 국민의 지지를 얻어 차기 대권을 차지하기 위함이다.

평생 목표인 권력을 위해서는 무엇이든 희생할 수 있는 강한 인물이지만 자기 새끼 피 흘리게 했다고 원한에 불타면서도 평생 자기 야망 때문에 남의 새끼들 피눈물 나게 한 것은 기억하지 못한다. 그중에는 강요한을 돕는 조력자 K가 있다는 것은 더더욱 모른다.

허중세 | 대통령

주연을 못해본 것이 한으로 남아 있는 감초 조연배우 출신. 정치 유튜버로 활동하며 선 넘는 사이다 막말과 모두까기, 음모이론 설파로 욕먹던 중, 일생일대의 기회를 만났다.

나라를 휩쓴 역병과 이에 따른 경제 붕괴, 사회 불만이 극에 달한 시기, 광화문에서 약탈과 폭동이 벌어질 정도로 상황이 극심해지자, '강력한 법질서, 강력한 대한민국'을 외쳐대며 마구 던지는 그의 막말은 폭발적인 인기를 끌며 구독자 600만 명을 돌파했다.

기존 주요 정당의 인기가 바닥을 치는 사이, 위기의 대한민국을 뒤에서 실제로 움직이는 힘인 사회적책임재단이 허중세를 지금 시대에 맞는 대권 후보로 보고 픽업해준 것이다. 재단의 막대한 돈을 선거자금으로 미디어를 무기로, 대중을 공략, 집권에 성공한다. 집권 후에도 유튜버 본능을 잃지 않고 청와대 라이프를 직접 유튜브 생중계하는 등 국민과의 직접 소통에 전력한다. 공약대로 초강력 사법개혁 법안들을 통과시킨 후로마시대 콜로세움에서 벌어진 검투사 경기처럼 국민들의 불만을 해소할 무대로 화려한 쇼, 전 국민 참여 시범재판을 시작한다.

집권은 했지만 정통 엘리트 출신이 아닌 취약함을 늘 의식해서 불안에 시달린다. 특히 남의 약점을 잡아 파멸시키는 것이 전문인 엘리트 검사 출신 법무부장관 차경희가 자신을 운종은 광대로 낮춰본다는 걸 너무나 잘 알고 있기에 늘 긴장하고 있다. 자기는 사회적책임재단이 내세운 허수아비에 불과하고, 실세는 미래 권력인 차경희라는 것이 그를 초조하게 만든다.

그의 불안과 열등감은 반대로 과도한 자기과시와 요란함, 예측하지 못한 순간에 터져 나오는 광기의 공격성으로 표출되곤 한다. 결국 미래에 대한 불안을 핑계 삼아 뒷구멍으로는 거대한 돈벌이에만 집착하는 그. 돈만이 영원한 권력이고, 퇴임 후에도 그를 지켜줄 성벽이기 때문이다. 국가를 자신의 '수익 모델'로 운영하는 것이다.

민정호 | 대법관

김가온의 스승이자, 방황하던 김가온을 올곧은 길로 이끌어준 어른. 중년의 나이임에도 운동으로 단련된 탄탄한 몸의 소유자다. 젊은 시절부터 소외된 이들을 위한 '거리의 변호사'로 살았고, 나중에는 로스쿨 교수도 겸하면서 제자들을 키워냈다. 거리의 변호사 시절에는 탈선한 아이들이 민정호가 떴다 하면 줄행랑을 칠 정도로 산전수전 공중전을 다 겪은, 말보다는 주먹이 먼저 나가는 다혈질이기도 했다. 그랬던 그가 국민들에게 보여주기 위한 장식물처럼 대법관에 임명됐다. 꽉 조이는 법복보다 반팔 티셔츠가 편했지만, 참았다. 무너져내린 이 사회의 정의를 위해서라면 언제라도 그 자신이 밀알이 될 수 있다고 생각해왔던 참이다. 그런 그에게 강요한의 등장은 본능적으로 경계의 종을 울리는 사건이었다. 강요한은 결코 선이 아니다. 강요한이 하려는 일은 세상의 정의를 위한 게 아니다. 이 모든 건 강요한의 의도에 맞춰 제작된 완벽한 쇼에 불과하다. 민정호는 강요한의 실체를 밝히기 위해 그를 추적하기 시작한다.

광대 같은 대통령, 꼭두각시 같은 대법원장, 미쳐 돌아가는 세상 속에서 강요한을 저지할 수 있는 사람은 자신밖에 없다는 초조함이 민정호를 갉아먹는다. 아들처럼 아끼는 김가온을 강요한 곁으로 보내며 그의 뒤를 파헤쳐달라 부탁하지만, 김가온의 한마디, "저보고 가룟 유다가 되라는 말씀입니까?"가 못내 아프고 미안하다.

K | 강요한의 조력자

그림자처럼 강요한을 돕는 강요한의 숨은 조력자. 19년 전, 유망한 젊은 정치인이었던 그의 아버지는 권력자들의 하청을 받은 정치검사 차경희의 강압수사로 인해 뇌물수수 누명을 뒤집어쓰고 모든 것을 잃은 후 자살했다. 고등학생이었던 그는 무슨 짓을 해도 처벌받지 않는, 법을 기득권 보호의 도구로 가지고 노는 자들에 대한 복수에 인생을 걸었다. K는 강요한이 이를 이루어줄 유일한 희망이라 믿기에 그에게 어떠한 의문도 제기하지 아니한 채 묵묵히 그의 지시를 이행하고, 사회 곳곳에 있는 억울한 범죄 피해자의 가족, 유족들을 연결하여 강요한을 위한 조력자 네트워크를 만들어낸다. 그런 그에게 김가온은, 자칫 강요한의 약점이 될 수도 있기에 위험 요소다. 하지만 동시에 김가온이 지닌 가족사의 아픔은 자신의 것과도 같기에 연민과 동지애를 느끼기도 한다. 김가온과 만난 후 강요한이 미묘하게 조금씩 변해가고, 정선아의 파상 공격에 의해 혼란과 갈등이 최고조에 달할 때, 그에게 비극적인 운명이 닥친다.

재희 | 정선아의 심복

정선아의 심복으로 암살이든, 도청이든, 폭파든 정선아의 지시를 유능하게 수행한다. 겉으로는 재단 상임이사 정선아의 비서 정도로 알려져 있고, 남들 앞에서는 정선아를 깍듯이 모신다. 하지만, 둘만 있는 자리에서는 철없는 친언니 대하듯 핀잔을 주고, 제발 일 좀 요란하게 벌이지 말자고 불평하지만, 뭐든 화려한 게 재밌다며 눈을 반짝이는 정선아의 고집에 한숨만 쉴 뿐이다. 정선아와 미운 정이 들 것 같을 때마다 "언니, 우린 비즈니스 관계야. 난 돈 충분히 벌면 이거 때려치울 거야" 대놓고 얘기하곤 한다. 하지만 그놈의 미운 정에 발목 잡히는 게 또 사람이다.

지영옥 | 강요한 집안의 유모

강지상 시절부터 강이삭을 거쳐 강요한에 이르기까지 강요한가家의 살림을 도맡고 있는 유모. 그녀가 오랜 시간 강요한 집안에서 살아남을 수 있었던 건 눈과 귀와 입을 모두 닫은 채 제 할 일만 충실했기 때문이다. 차가워 보이고, 경우에 따라서 냉혹해 보이기도 하다. 하지만 젖먹이 때부터 키우다시피 한 강요한을 바라보는 시선에는 이따금

연민과 안타까움이 스며 있다.

도연정 | 영부인

미스코리아 출신으로 허중세가 신인배우이던 시절 그의 현란한 말솜씨에 넘어가 사고 치고는 울며 겨자 먹기로 허중세와 결혼했다. 모델 활동 등으로 남편보다 잘나가던 셀럽에 외모 격차도 심하여 평생 손해 막심하다가 못난이 남편의 인생역전 한 방에 로또 맞은 느낌이다. 술만 마시면 울분에 남편을 쥐 잡듯 잡던 버릇이 아직도 남아 있다.

강이삭
강요한의 형. 김가온과 빼닮은 외모에 바보 같을 정도로 착한 성품을 지녔다. 이복형 제인 강요한을 진심으로 걱정하고 사랑한다.

서정학
사회적책임재단 이사장. 고매한 인품의 빈민운동가로 추앙받지만 실상은 추악한 욕 망으로 가득찬 위선자다.

박두만
사람미디어그룹 회장. 시범재판을 전국에 송출하는 방송국의 오너다. 라이벌 민용식 과 마찬가지로 돈 앞에서는 사족을 못 쓴다.

민용식
민보그룹 회장. 박두만과 티격태격하는 라이벌 사이다. 자신의 이익을 위해서라면 그 어떤 일도 거리낌없이 저지르는 추악한 장사꾼이다.

고인국
변호사. 악마판사 강요한이 설계한 재판에서 핵심적인 역할인 '악마의 변호인'을 맡 고 있다.

한소윤
배우 지망생. 뛰어난 연기력으로 강요한 재판에 도움을 준다. 김가온 팬클럽 회원이다.

도영춘
8천억대 다단계 사기범. 자신이 저지른 범죄에 대해 반성하는 기색을 전혀 보이지 않으며, 돈 앞에서는 이성을 잃는다. 김가온의 원수이자 차경희와 연결되는 카드.

죽창
정치 유튜버. 청년들을 선동해 애국이라는 명분으로 혐오 범죄를 일삼는다. 배후에 허중세를 두고 있다.

이영민
차경희의 아들. 자신의 권력을 이용해 서민들을 괴롭히는 '갑질'이 취미인 부잣집 도련님이다.

용어 설명

Cut to   한 신 안에서 다른 장소나 주제로 전환이 될 때의 용어.

E   effect. 효과음. 주로 화면 밖에서의 소리를 장면에 넣을 때 사용한다.

F   filter. 전화 수화기를 통해서 들려오는 소리.

N   내레이션. 등장인물이 화면 밖에서 상황을 해설하거나 극의 전개를 설명할 때 사용한다.

O.L.   overlap. 장면이 흐릿하게 사라지면서 다음 장면이 서서히 등장해 겹치게 하는 기법. 소리나 장면이 맞물린다. 앞사람 대사가 끝나기 전에 뒷사람 대사가 치고 들어갈 때 주로 사용한다.

V.O.   voice-over. 영상에서 등장인물이나 해설자 등이 화면 속에 나타나지 않고 대사, 해설, 생각 등 목소리만 나올 때 쓴다.

신   scene. 장면이라는 의미로, 동일 시간 동일 장소에서 이뤄지는 행동, 대사가 하나의 신으로 구성된다.

인서트   insert. 화면 삽입. 무언가에 집중시키거나 자세히 설명하기 위한 장면을 삽입하는 것으로, 특정 부분을 확대하는 클로즈업을 통해 이뤄지는 경우가 많다.

F.O.   fade-out. 화면이 서서히 어두워지거나 효과음 등이 서서히 줄어들 때 쓴다.

플래시백   flash back. 과거에 나왔던 신을 불러오는 용어. 주로 회상 장면이나 인과를 설명하기 위해 넣는다.

1부

스타 판사

S#1. 서울, 멀지 않은 미래 (밤)

2025년 가을 무렵의 서울. 굉음을 울리며 스포츠카 한 대가 터널 속을 달리고 있다. 차가 터널을 빠져나오자 서울의 밤 풍경이 펼쳐진다. 예전만큼 북적이지 않는 도로와 거리, 빌딩 전광판과 버스 광고 등이 현재의 서울과는 묘하게 다른 이질감을 준다. 안내문이 흐르는 LED전광판이 세워진 버스 정류장 앞을 지나는 차. 고급 슈트를 입은 남성이 운전 중이다. 그뒤로 빌딩 벽면을 꽉 채운 '사회적책임재단' 마크가 언뜻 보인다.

허중세(E)　3년, 3년입니다, 여러분!

S#2. 동대문디자인플라자DDP 재단 연회장 (밤)

중계 카메라와 기자들 앞, 단상 위에서 연설중인 허중세 대통령. 곳곳에는 '사회적책임재단 후원' '국난 극복' '시범재판 출범' 등이 쓰인 플래카드가 걸려 있다.

허중세   생각하기도 싫은 이 끔찍한 3년.

행사장 곳곳에 설치된 전광판 패널에는 마치 증권시장이나 경매장처럼 고액 기부자 성명과 금액이 쉴새없이 흐른다.

허중세   듣도 보도 못한 역병이 전국을 휩쓰는 동안 기업은 무너지고 사람들은 길바닥에 나앉았습니다. 가진 자에 대한 증오를 선동하는 무리들 때문에 방화에, 테러. 결국은.

대형 스크린에 불타오르는 광화문 일대의 스틸 사진이 펼쳐진다. 깨진 보도 블록과 불타는 타이어, 뒤집힌 차량들. 빌딩의 유리창은 깨져나갔고 일부는 화염에 휩싸여 있다. 그런 참상을 이순신 장군 동상이 비통한 듯 내려다보고 있다.

허중세   (침통한 표정으로) 광화문 폭, 동.

참석자들, 스크린을 보며 생각만 해도 끔찍하다는 듯 혀를 차거나 몸서리를 친다.

S#3. 서울 도심/재단 연회장 (밤)

황폐한 도시를 유영하듯 운전하며 가로지르는 강요한과 거리의 풍경,
연회장의 화려한 순간들이 빠르게 교차된다.
- '일자리 구합니다. 뭐든 하겠습니다'라고 쓰인 팻말을 목에 건 청년
의 모습.
- 미래적인 DDP의 외경.
- '점포 임대 반값' '문의 환영'이라는 문안이 나란히 붙은 텅 빈 빌딩.
- 부딪히는 샴페인잔들과 고급스러운 음식들.
- 연이어 도착하는 고급 세단, 스포츠카에서 내리는 상류사회 인사들.
- 가축 소독하듯 소독약이 살포되는 직원용 출입구.
- 차에서 내려 행사장 건물로 들어가는 강요한.

S#4. 재단 연회장 (밤)

허중세   (다시 의기양양하게) 이제 다 잊으십쇼! 지긋지긋한 그놈의 역병,
드디어 잡았습니다! (환호와 갈채가 쏟아진다) 일자리, (단상을 쾅
치며) 제가 다시 만들어냅니다! (다시 환호와 갈채가 쏟아진다) 여
러분이 선택한 바로 이 남자, 허, 중, 세, 가! (두 주먹을 불끈 쥐어
올리며) 이 나라 대한민국, 다시 일으켜세웁니다! 목숨걸고!

기립박수와 환호가 요란하게 이어진다. 사람들 사이에서 우아하게 미
소 지으며 박수 치는 정선아와 그 옆에 무표정한 얼굴로 서 있는 서정학
이 보인다.

정선아 (웃는 얼굴로) 슛 들어가면 오버하는 버릇, 저건 영 고쳐지지가 않네요, 선생님?

서정학 (차갑게 피식 웃는다) 광대 출신이 어디 가겠나.

최고급 슈트 차림의 남자(강요한)가 연회장 안으로 천천히 뚜벅뚜벅 걸어들어간다. 강요한의 발걸음을 따라 사람들의 이목이 집중되고, 강요한은 허중세가 연설중인 무대 뒤편 계단을 밟고 올라간다.

허중세 이 나라를 다시 일으키려면, 법질서부터 바로 세워야 합니다. 제가 통과시킨 강력한 사법개혁! 이제 시작됩니다. 사상 최초로 전국민이 배심원으로 참여하는 재판입니다. 죄인에게 가차없기로 유명한 21세기 포청천, 여기. (강요한을 가리킨다)

강요한, 미소 지으며 허중세 곁에 선다. 터지는 플래시.

허중세 강요한 판사가 여러분이 그토록 원하던 제대로 된 재판, 보여드릴 겁니다! 제가 해냈습니다! (주먹을 불끈 쥔다)

허중세, 강요한에게 박수를 쳐 보이며 뒤로 물러나 의자에 앉는다. 무대 중앙에 서는 강요한. 카메라 플래시가 마구 터지고 기자들, 앞다퉈 손을 든다.
- 강판사님! 판사님!
강요한이 앞자리의 기자들을 쳐다보자, 기자들이 질문을 시작한다.

기자1 이번 시범재판, 위헌 논란이 있습니다! 어떻게 생각하십니까!

기자2	반인권적이다, 보여주기에 불과하다, 이런 비판은요?
기자1	강판사님 역시 지나친 엄벌주의다, 사회적 약자에 대한 배려기 부족하다는 우려를 받고 있는데요.
강요한	누가 사회적 약잡니까?
기자1	네?
강요한	제가 재판한 피고인 중 누가 사회적 약자입니까?
기자1	어…… (열심히 생각하며) 우선 소년범이 있었고요, 노숙생활 하는 극빈층, 정신질환자……
강요한	(기자를 똑바로 쳐다보며 O.L.) 동급생 강간범, 퍽치기 강도, 그리고 마지막은 묻지마 살인범.
기자1	(기세에 눌려 멈칫한다)
강요한	(조용해진 좌중을 천천히 둘러보며) 이들이 약잡니까?
기자1	(당황한 기색으로) 어, 그래도 사회적 약자에 대해서는 어느 정도.
강요한	(O.L.) 피고인일 뿐입니다. 전 약자, 강자 따위에는 관심 없습니다.
기자1	(머쓱해한다)
기자2	(삐딱하게) 그럼, 이번 시범재판 피고인도 엄벌하실 수 있겠습니까?
강요한	(천천히 기자2를 바라본다)
기자2	주일도 회장 인맥, 막강하기로 유명하지 않습니까. (허중세 등을 힐끗 보며 강요한을 비웃듯) 저~ 구름 위 권력층에서 압력이라도 내려오면.
강요한	(O.L. 순간 몸을 앞으로 내밀고 연설대를 두 손으로 꽉 잡으며) 제가, 권력입니다!

순간, 좌중 압도되어 정적이 흐른다. 멍하니 입을 벌리고 있는 허중세.

인서트 >

"제가, 권력입니다!" 빌딩 벽 가득한 강요한 얼굴을 바라보는 거리 시민들.

강요한   (TV 카메라를 당당하게 응시하며) 저는 주권자인 이 나라 대한민국
         온 국민으로부터 위임받은 사법권을 행사합니다. 누가 국민 위에
         있습니까!

기자2   (압도되어 뒷걸음치듯 자리에 앉는다)

강요한   (TV 카메라를 향해) 국민 여러분이 권력입니다. (잠시 말을 멈추고
         씩 매력적인 미소를 짓는다) 법정에서 뵙겠습니다.

         카메라 플래시가 사방에서 전쟁난 듯 터져댄다. 펑, 펑. 기자들 앞다투
         어 손을 든다.
         – 판사님! 판사님! 여기 좀 봐주십쇼! 판사님!

허중세   (입맛을 쩝 다시며 강요한을 흘겨본다) ···잘하네. 새끼.

         강요한이 단상에서 내려오자, 차경희, 박두만, 민용식 등 재단 인사들
         이 박수를 치며 맞는다. 정선아, 미소 지으며 샴페인잔을 강요한에게
         내민다.

정선아   축하드려요, 판사님. (주위를 둘러보며) 건배 한번 할까요?

         샴페인잔을 드는 사람들의 시선이 강요한과 정선아에게 집중된다.

정선아　　자, 우리 (자기 잔을 강요한의 잔에 챙 부딪히며) 섹시한, 권력을 위
　　　　　해. (찡긋, 장난스럽게 웃는나)

　　　　　웃으며 건배하는 사람들. 피식, 차갑게 웃더니 천천히 잔을 들어 마시
　　　　　는 강요한.

S#5. 지하철 안 (낮)

지하철 벽과 광고 위에 스프레이 낙서가 보이고 객실 바닥에는 쓰레기
가 뒹군다. 안내 전광판에서는 '당신이 직접 심판한다. 디케 앱을 다운
받으세요'라는 문구가 스쳐지나가고, 스크린에는 어젯밤 재단 행사 뉴
스 화면이 뜬다. "제가, 권력입니다!" 선언하는 강요한의 얼굴을 무표
정하게 힐끗 보는 김가온. 어느새 지하철은 지하를 빠져나오고 창밖 가
득 시원스레 한강이 펼쳐진다.

S#6. 대법원 정문 앞 (낮)

김가온이 대법원을 향해 걸어가는데, 1인시위하는 사람들이 늘어서 있
다. 재판에 불만을 품은 시위자들이 각자의 사연을 피켓에 적어서, 또
는 자기 몸에 벽보를 덕지덕지 붙인 채 한 명씩 벽 쪽에 붙어 서 있다. 정
문 앞은 경비가 삼엄하고 출입을 통제하는 철제 구조물이 쌓여 있다. 총
을 앞으로 멘 무장 경비대원이 김가온에게 다가간다.

경비대원   무슨 일로 오셨습니까?

김가온   (신분증을 보여주며) 오늘부로 여기 파견근무 나왔습니다.

경비대원   아, 시범재판부 판사님이시군요. (경례를 한 후 비켜선다)

S#7. 대법원 외경 (낮)

높다란 대법원 건물 계단을 오르는 김가온의 뒷모습.

S#8. 민정호 대법관실 (낮)

소매를 걷어붙인 와이셔츠 차림으로 휘파람을 불며 사건기록을 넘기고 있는 민정호 대법관. 오십대 후반의 나이에도 탄탄한 몸매와 캐주얼한 차림이 젊다.

김가온(E)   (밝게) 교수님!

민정호   (고개를 들며) 어?

김가온   (머리를 긁적이며 안으로 걸어 들어온다) 죄송합니다, 대법관님. 아직도 입에 붙질 않네요.

민정호   (씩 웃으며) 대법관은 얼어죽을. 집어치워.

민정호, 자리에서 일어나 소파 쪽으로 향하며 김가온에게도 자리를 권한다.

김가온	그래도 이제 한참 되셨잖아요.
민정호	학교에 그냥 있을걸 그랬어. 체질에 안 맞어.
김가온	(미소를 띠며) 여전하시네요.
민정호	너야말로 갑갑하겠다. 꼰대들만 가득한 곳에 파견근무라니.
김가온	남의 말 하듯 하시네요?
민정호	(시치미 떼며) 무슨 소리?
김가온	…제가 여기 불려온 거, 아무리 생각해봐도, (민정호를 응시하며) 대법관님과 관계가 있을 것 같은데요?
민정호	(씩 웃으며) 아직 청사가 낯설지? 따라와. 구경이나 시켜줄게.

자리에서 일어서는 두 사람.

S#9. 대법정 앞 로비 (낮)

역대 대법원장 초상화가 양쪽으로 죽 늘어선 로비를 걷는 김가온과 민정호. 로비 끝에는 웅장한 대법정 문이 보인다.

김가온	…신전 같군요.
민정호	신전이지. 정의의, 신전.
김가온	…제가 이런 곳에 어울릴까요?
민정호	(김가온을 힐끗 보더니 씩 웃으며) 짜식. 난 어울리냐?
김가온	(씩 웃으며) 그렇긴 하죠.

민정호, 힘껏 밀어 대법정 문을 연다.

S#10. 대법정 안 (낮)

마치 공연장인 듯 거대한 규모의 대법정. 법대를 원형경기장처럼 둘러싼 관중석이 시선을 압도한다.

김가온	이게 법정이라고요!
민정호	생중계하겠다잖나. 재판을.
김가온	강요한 판사…… 대체 왜 이렇게 판을 키우는 걸까요.
민정호	(냉소적으로) 판사? 그분을 어디 일개 판사라고 할 수 있겠나.
김가온	(민정호를 바라본다)
민정호	(혼잣말하듯) 썩어빠진 사법부를 바꿔놓을 개혁의 기수, 망해가는 헬조선에 나타난 희망.
김가온	…인기가 대단하던데요.
민정호	난세에는 괴물이 나타나기 마련이지. 그자가 통과시킨 그 말도 안 되는 법들, 그건 법률가의 발상이 아니야. 정치꾼의 발상이지.
김가온	…그렇게 싫어하시면서 그 재판부에 굳이 저를 집어넣으신 거군요.
민정호	(천천히 김가온을 돌아보며) 누군가는 있어야 되지 않겠나.
김가온	(민정호를 응시한다)
민정호	미친 바람 속에서도, 눈 부릅뜨고 똑똑히 지켜볼 사람. 여기엔 이 바람을 거스르려는 사람이 없어.
김가온	…대법원장님도?
민정호	(침통한 표정으로 고개를 흔든다)
김가온	저에게 가롯 유다 역할을 시키시는 겁니까?
민정호	(김가온의 어깨에 손을 올리며) 부탁하네. …김판사, 내가 수업시간

마다 입버릇처럼 하던 말, 기억하나?

김가온 …기억합니다.

민정호 (미소를 짓더니, 결연한 표정으로 정의의 여신상 쪽을 바라보며) 인간 세상에 손쉬운 정의 따위는 없어.

정의의 여신상을 바라보는 두 사람.

S#11. 대법원 복도 (낮)

고성古城같이 장중한 느낌의 대법원 구내 복도. 정장 차림의 김가온이 복도 멀리에서 뚜벅뚜벅 걸어오다 '시범재판부 부장판사실' 표지판을 힐끗 본다.

S#12. 강요한 부장판사실 (낮)

강요한의 방 앞에 선 김가온. 결의에 찬 표정으로 입술을 굳게 다문다. 묵직한 방문을 끼이익 열고 들어가, 도전적인 눈빛으로 정면을 당당히 본다.

김가온 처음 뵙겠습니다.

고풍스럽게 꾸며진 판사실. 방안이 어둡다. 묵직한 커튼이 드리워진 어두운 창가로 뭔가 생각에 빠진 듯 뒤돌아서 있던 강요한이 문 쪽으로 몸을 돌린다. 어두운 방안의 강요한과 대비되듯 문을 활짝 열고 들어온 김가온 뒤로 복도 건너편 창에서 흘러든 빛이 김가온을 환하게 비춘다. 눈이 부신 듯 살짝 찡그렸던 강요한, 김가온의 얼굴이 서서히 눈에 들어오자 순간 흠칫, 놀란다. 잠시 흐르는 정적.

김가온   (의아해하며) 왜 그러십니까?
강요한   (표정을 얼른 감추며) 아니야, 미안. 김가온 판사지?
김가온   잘 부탁드립니다, 부장님. (허리를 굽혀 정중하게 인사한다)
강요한   (천천히 손을 내밀며) 환영해. …전쟁터에 온 걸.

강요한이 내민 손을 잡는 김가온. 지지 않으려는 듯 애써 당당하게 강요한을 쳐다본다. 알 수 없는 미소를 짓는 강요한. 강요한이 손을 놓자 김가온, 가볍게 목례하고는 돌아 나간다. 강요한, 김가온이 나가자 자리에 앉아 책상 아래쪽 서랍을 열더니 파일을 하나 꺼내 펼친다. 한쪽에는 김가온의 사진이 붙은 인사기록 카드가 있고, 다른 쪽에는 낡은 신문기사가 있다.
'서민 위한 사회적기업 내세운 다단계 사기범에 속아 전 재산 날린 식당 주인 자살. 충격으로 병석에 누운 부인도 16세 아들을 남긴 채……'

강요한   (생각에 잠긴 채) 닮았어. …생각보다 더.

S#13. 배석판사실 (낮)

배석판사실로 들어오던 김가온, 살짝 놀란다. '보낸 사람: 창원지방법원 밀양지원 오진주 판사실'이라고 쓰인 이삿짐 박스가 쌓여 있고, 오진주 책상 근처 여기저기에 박스에서 꺼낸 짐들이 널려 있다. 오진주, 영차, 힘을 주며 야전침대를 펴다가 김가온을 본다.

오진주   김가온 판사? (활짝 웃으며 손을 내민다) 반가워. 나 오진주.

김가온   (손을 살짝 마주 잡는데 아직 딱딱한 표정이다) 반갑습니다. 오판사님.

오진주   (어수선한 자기 자리 쪽을 돌아보더니) 정신없지? 내가 좀 멀리서 와서 짐이 많아.

김가온   …아닙니다. (야전침대를 보며) 여기서 주무시게요?

오진주   에이, 매일은 아니고. (야전침대를 툭툭 치더니 찡긋하며) 직장생활의 기본. 초반에 열심히 해서 눈도장을 찍어라.

김가온   ('뭐지, 좀 속물인가?' 생각하며) 아, 네……

오진주   (씩 웃더니 속내 털어놓듯) 김판사는 서울 초임이지? 난 판사 되고 지방만 돌다가 처음 서울 근무야. 솔직히, 자주 오는 건 아니잖아? 이런 기회. (널찍한 사무실을 눈이 부신 듯 둘러본다)

김가온   (오진주의 솔직함에 마음이 조금 열린다)

오진주   근데…… 낯 좀 가리는 성격?

김가온   아닙니다. (미소를 지으며) 잘 부탁드립니다.

오진주   어머, 웃으니까 더 느낌 좋다. (팔짱을 끼며 피식 웃는다) 이번 시범재판부 선발 기준을 알겠네.

김가온   선발 기준…… 이라시면?

오진주   (뭘 굳이 묻느냐는 듯 웃더니) 글쎄. 뭐, 굳이 말하자면, 이미지?

김가온   …그게 판사 업무와 상관이 있을까요?

오진주   우린 전 국민 앞에 서는 시범재판부잖아. 사람들이란 옳은 말보다 마음에 드는 사람 말을 믿게 돼 있어. (눈빛 진지하게 변하며 혼잣말하듯) 매력이 권력이지.

김가온   (달라진 오진주의 표정에 살짝 놀라며) 권력……?

오진주   (김가온을 보더니 속내를 감추듯 장난스럽게 웃으며) 어머머, 뭐래니
        나? 너무 오버다, 그지? 내가 좀 들떠서 그래. 나, 강요한 부장님
        완전 팬이거든. (씩 웃으며) 여기 온 것만도 영광이야, 진짜.

김가온   (속내를 숨기는 듯한 오진주를 가만히 본다)

S#14. 대법원장실 (낮)

대법원장 지윤식, 강요한과 마주앉아 있다.

지윤식   JU케미컬 주일도 회장 사건을 첫 사건으로 하는 거, 재고해봤습
        니까?

강요한   그 사건이 제일 적절합니다.

지윤식   좀더 단순하고 쉬운 사건들도 있을 텐데 굳이.

강요한   복잡할 것 없습니다. 법대로만 하면 됩니다.

지윤식   대한민국 최고 로펌들을 동원할 텐데?

강요한   (미소를 지으며) 그렇겠죠.

지윤식   사법 신뢰도가 십 퍼센트대까지 떨어진 거 알고 있죠?

강요한   네.

지윤식   국민 감정과 법적 결론이 동떨어지기 쉬운, 그런 어려운 사건을
        굳이 공개적으로?

강요한   대법원장님, 시범재판은 인민재판이 아닙니다.

지윤식   (허를 찔린 듯한 표정을 짓는다)

강요한   투명한 재판일 뿐이죠. 온 국민 앞에. 그거면 족합니다. (미소를
          짓는다)

지윤식   ……

S#15. 대법원 앞마당 (낮)

삼삼오오 퇴근중인 사람들. 김가온도 골똘히 생각에 잠긴 채 정문을 향
해 걷고 있다. 갑자기 정문 옆 경비소에서 경비대원들이 당황하여 뛰어
나온다. 도로에서 들려오는 빵~ 빵~ 요란한 경적 소리와 행인들의 비
명소리가 요란하다. 김가온이 놀라 소리 나는 쪽을 바라보니 낡은 소형
스쿨버스 하나가 대법원 정문으로 돌진하고 있다!

S#16. 스쿨버스 운전석 (낮)

술에 취했는지 얼굴이 시뻘건 러닝셔츠 차림 중년 사내의 옆좌석에는
JU케미컬 사건 관련 전단지가 놓여 있다. 사내, 대법원을 바라보며 이
를 악문다.

운전자   개새끼들! 다 죽었어. (액셀을 밟는다)

S#17. 대법원 앞마당 (낮)

경비대원들 멈춰! 멈춰!

경비대원들은 당황하여 손을 흔들며 스쿨버스를 제지하려 한다. 정문을 나서던 사람들, 행인 및 시위대들은 겁에 질려 이리저리 피하는데, 바리케이드를 부수며 버스가 돌진한다. 횡단보도를 건너던 유치원생 중 한 명이 쓰러진다. 김가온, 깜짝 놀라 앞뒤 가릴 것 없이 쓰러진 아이에게 달려간다. 경비대장, 소총을 든 채 어쩔 줄 몰라 하는데, 누군가 다짜고짜 총을 빼앗더니 망설임 없이 전방에 있는 아이와 김가온 너머 운전자의 머리를 향해 총을 겨눈다. 강요한이다. 경악한 김가온, 얼른 아이의 귀를 가린 채 바닥으로 웅크리며 외친다.

김가온   안 돼!

강요한, 차가운 눈으로 김가온과 스쿨버스를 힐끗 본다. 급박한 상황에서도 마치 기계처럼 순간적으로 경우의 수를 계산하는 강요한. 총탄이 운전자를 명중시켜 즉사해도 버스는 계속 직진하게 됨을 알아챘다. 강요한, 겨눈 위치를 미세하게 옆으로 옮기며 망설임 없이 방아쇠를 당긴다. 탕! 아이를 감싼 김가온 바로 위를 스치는 총탄.

S#18. 스쿨버스 운전석 (낮)

엄청난 소음과 함께 운전석 유리를 부수고 날아든 총탄, 피융, 소름 끼치는 소리를 내며 운전자 귀를 스치듯 지나간다.

운전자   히익!

겁에 질린 운전자의 눈에 자신을 향해 다시 총을 겨누는 위협적인 강요
한의 모습이 보인다. 운전자는 자기도 모르게 본능적으로 핸들을 급격
히 옆으로 꺾고 버스는 쓰러진다. 옆으로 쓰러진 버스는 김가온과 아이
를 아슬아슬하게 스쳐지나간다.

S#19. 대법원 앞마당 (낮)

강요한   (계산대로 상황 종료되었다고 판단한 강요한, 멍하게 서 있는 경비대장
         에게 총을 돌려주며, 차갑게) 총은, 쏘라고 지급된 겁니다.
경비대장   (기가 질린 채) 죄, 죄송합니다. 판사님.
경비대(E) (황급히) 저기, 저기!

강요한, 버스 쪽을 힐끗 본다. 펑 하는 소리와 함께 뒤집힌 버스에서 연
기가 피어오른다.

김가온   (소리친다) 모두 피해요!

벌떡 일어서더니 망설임 없이 버스로 뛰어가는 김가온. 강요한, 그런 김
가온을 보며 놀라지만 내색 않은 채 보고 있다. 김가온, 뒤집힌 버스 안으
로 들어가 힘겹게 운전자를 끌어내더니, 같이 뛰다가 도로에 엎드린다.

강요한	(팔짱을 낀 채 흥미롭다는 표정으로 김가온을 본다. '아무 상관도 없는 인간을 위해 아무 망설임 없이 불나방처럼 달려든다. 재미있는 녀석이네? 형하고 얼굴만 닮은 게 아닌 건가……' 싶어지다가 그런 말도 안 되는 생각을 하고야 마는 자신이 우스워서 픽 웃는다)
김가온	(강요한과 시선이 마주친다. 마치 재미있는 구경거리 보듯 피식 웃고 있는 강요한을 보자 소름이 끼친다)

그 순간 버스가 쾅! 소리와 함께 폭발하며 화염이 솟아오르고, 공중으로 전단지가 흩날린다. 불길을 바라보던 김가온, 고개를 돌려 경비소 쪽을 본다. 어느새 강요한은 자취를 감췄다. 김가온, 멍하니 강요한이 있던 자리를 쳐다본다. 도대체 이 사람은 뭘까.

S#20. 청와대 대통령 직무실 (저녁)

심각한 표정의 허중세, 차경희, 서정학, 정선아, 박두만, 민용식, 모여 앉아 집무실 벽 스크린에 비친 화면을 보고 있다. 대법원 정문 옆을 들이받은 채 연기를 뿜고 있는 스쿨버스가 보인다.

허중세	(짜증스럽게) 벌써 세번짼가? 재판에 대한 불만?
차경희	(차갑게) 공권력 자체에 대한 도전이겠지요.
정선아	외람됩니다만, (차경희, 정선아를 돌아본다) 도전이라기보다, 비명 아닐까요?
차경희	비명?
정선아	쥐도 좁은 데 가둬놓고 굶기면, 머리를 벽에 찧으며 발악합니다.

사람이라고 다를까요?

좌중, 무거운 분위기.

허중세	(서정학에게) 서선생님.
서정학	(허중세를 바라본다)
허중세	결국 먹고사는 게 문젭니다. 재단에서 도와주셔야 됩니다. 병은 다 잡았지만 백수 천지라 세금 걷힐 데도 없고, 있는 분들이 베풀어주셔야 나라가 돌아갑니다.
서정학	가뭄이 길면 민란이 나는 법이지. …곳간도 채워주고 출구도 열어줘야 하네.
허중세	쥐떼가 고양이한테 달려들지 않도록 말이죠…… (박두만을 향해) 박회장.
박두만	예.
허중세	시범재판 생중계 준비, 잘되어가지?
박두만	예, 걱정 마십쇼. 대박 날 겁니다.
허중세	잘해야 돼. (묘한 웃음을 지으며) 여기 차경희 법무부장관께서 각별히 관심이 많은 사건이거든.
차경희	(허중세를 매섭게 노려본다)
허중세	(씩 웃는다)

S#21. 김가온의 동네 골목길 (밤)

김가온, 으리으리한 저택들이 연이어 있는 오르막길을 지친 표정으로 걷는다. 먼지 하나 없이 깨끗해 보이는 부촌. 깔끔한 제복을 입은 사설 청소업체 직원들이 저택 가정부들이 내놓는 쓰레기봉투를 치우고 있다. 저택 앞에 서 있는 청소업체 차량에는 '품격 있는 동네에는 Mr. 클린'이라는 광고 문안이 쓰여 있다. 계단이 많은 서민 동네로 접어들자, 쓰레기통마다 치워 가지 않아 산더미같이 쌓인 쓰레기들이 보인다. 김가온, 쓰레기 더미에 버려진 반쯤 깨진 화분을 줍는다. 화분을 소중히 들고 계단을 오르는 김가온.

S#22. 김가온의 옥탑방 집 (밤)

낡은 집 옥탑방이지만 도시의 불빛과 한강이 내려다보이는 뷰 하나는 예술이다. 옥상 가득히 김가온이 주워 온 화분들이 가득하다. 마치 도심 속 작은 숲처럼 아름답고 신비한 분위기까지 감도는 김가온의 옥상 정원. 김가온, 페트병을 반으로 잘라 방금 주워 온 화분의 꽃과 흙을 옮긴다.

윤수현(E)	무슨 정글 만들 일 있냐? 잘도 키웠다.
김가온	(날아오는 맥주 캔을 툭 받으며) 재능을 어쩌겠냐.
윤수현	…대법원 정문에서 테러 사건 있었다며.
김가온	(흠칫 놀라며) 벌써 알았어? 역시 광수대 윤수현 경위님.
윤수현	(걱정스레) 넌 다친 데 없어? 너 혹시 또 앞뒤 안 가리고……
김가온	(윤수현이 걱정할까봐 짐짓 씩 웃으며) 걱정 마. 난 무서워서 한~참 뒤쪽에 숨어 있었다. 완전 남자답게.
윤수현	(어이없는 듯 픽 웃더니) 잘했네. 이제야 철들었네. (안심이 되는지 옥

상 난간에 걸터앉으며 한 손으로 난간을 툭툭 친다) 이리 와서 한잔해.

김가온　요놈만 마무리하고.

윤수현　(정성스레 화분을 갈무리하고 있는 김가온을 보다가) 밥 안 사니?

김가온　(윤수현 옆에 걸터앉으며) 내가 왜?

윤수현　너 TV 나온다매. 뭔 재판을 매번 생중계한대니?

김가온　(씩 웃으며) 미모를 또 어쩌겠냐.

윤수현　(쓸쓸한 표정으로 맥주를 들이키다가 김가온을 슬쩍 훔쳐본다) 너, 강요한처럼 스타 되면, 뵙기 힘들어지겠다?

김가온　(시니컬하게) 스타 좋아하네.

윤수현　(김가온의 표정을 살피며) 왜 그리 삐딱해?

김가온　술이나 마셔.

윤수현　(씁쓸한 표정의 김가온을 잠시 보다가, 달래듯) 그런 스타하고 같이 있으면 너도 손해볼 건 없어. 사람 자체가 스토리가 있잖아. 막대한 자산의 상속자이자 비극적 사고의 생존자. 사람들은 그런 데 미친다구.

김가온　(맥주를 한입 들이키며) 그래. 나랑은 많이 다른 스토리지.

윤수현　니가 뭐…… (옥탑방을 보더니 짜증난다는 듯) 야, 고생해서 판사씩이나 됐으면 너두 번듯한 데 좀 살아.

김가온　(미소 지으며) 여기가 어때서.

윤수현　시내에 어디 원룸이라도……

김가온　(O.L.) 이제 이것뿐이잖아.

윤수현　뭐가?

김가온　(밤 풍경을 바라보며) 엄마 아버지를 기억할 게.

윤수현　(가만히 김가온을 바라본다)

김가온　(일어나 방으로 가면서) 밥해줄게. 먹고 가.

윤수현	밥?
김가온	저녁 굶은 얼굴이야, 너.
윤수현	야! 너 이럼 나 또 고백하는 수가 있어!
김가온	얼씨구?
윤수현	비록 유치원 때부터 다섯 번이나 까였지만, 끝날 때까진 끝난 게 아니라구!
김가온	(사양한다는 듯 손사래를 치며 돌아선다) 불알친구를 잃고 싶지 않다. 밥이나 먹고 가.
윤수현	(픽 웃으며) 무정한 새끼. (장난스럽게 버럭하며) 사랑한다!
김가온	(뒤돌아선 채 흔들던 손을 멈추더니, 가운뎃손가락을 올린다)

S#22-1. 강요한의 저택 외경/내경 (밤)

작지만 온기가 느껴지는 김가온의 집과 대조되는 강요한의 저택. 어딘지 어두컴컴한데다 냉기가 감돌고 쓸쓸한 느낌이다. 강요한의 차가 천천히 저택 안으로 들어와 멈춘다. 강요한이 차에서 내려 저택 문을 열고 들어간다. 저택 안은 널찍해서 더 텅 빈 느낌이다.

그때, 엘리야가 휠체어를 탄 채 주방 쪽에서 밖으로 나온다. 강요한이 자기도 모르게 희미한 미소를 지으며 말을 걸려는데, 엘리야가 강요한 쪽은 쳐다보지도 않은 채 휙 사라져버린다. 강요한, 엘리야가 사라진 쪽을 힐끗 보더니 다시 무표정한 얼굴을 하고 서재로 걸어간다. 고풍스러운 서가를 지나 책상 앞 의자에 깊숙이 몸을 묻고, 손깍지를 턱 밑에 낀 채 생각에 잠긴다.

플래시백 >

김가온, 망설임 없이 뒤집힌 버스로 뛰어들어가고, 그 모습을 보고 있는 강요한은 피식, 알 수 없는 미소를 짓는다.

S#22-2. 병원 (낮)

이른 아침 출근하기 전, 대법원으로 돌진했던 스쿨버스 기사가 마음에 걸려 기사가 입원해 있는 병실을 찾은 김가온. 병실 입구는 경찰관이 지키고 있다.

김가온   저, 어제 대법원 정문 사건 피의자, 여기 계시죠?
경찰   누구십니까? (신분증을 보여주자 문을 열어준다)

병실 안으로 들어가는 김가온. 병실에는 붕대를 감고 누워 있는 스쿨버스 기사와 그의 부인, 그리고 1부 83신 엔딩의 할머니가 있다.

김가온   저…… 좀 어떠신가요?
부인   누구세요?
기사   (김가온을 알아보고 아픈데도 억지로 몸을 일으켜 인사하며) 아이고!
         여보, 이분이 어제 그분이셔! (김가온이 판사인 건 모른다)
부인   (놀라며 연신 허리를 굽힌다) 저희 남편 목숨을 구해준 분이시군요!
         고맙습니다, 고맙습니다…… (옆에서 할머니도 연신 김가온에게 고개 숙여 인사한다)

김가온	아닙니다! 편찮으신데 얼른 누우세요, 얼른요!

Cut to

김가온	(어제 현장에서 주운 전단지를 내밀며) 솔직히, 궁금해서 왔습니다. 이 사건과 무슨 관계가 있으시길래 그러신 건지, 하구요.
기사	하아…… (깊이 탄식한다)
부인	(비통한 표정을 지은 채 한숨을 깊이 쉬더니 핸드폰을 열어 세 살 정도 되어 보이는 어린이 사진을 김가온에게 보여준다) 저희 딸아이예요. 소영이. 세 살이구요.
김가온	…이쁜 아이네요.
부인	(눈물 맺히며) 우리 소영이, 한 달 전에 하늘나라 갔습니다. (옆에서 할머니 흐느끼기 시작한다)
김가온	(흠칫 놀라며) 혹시…… JU케미컬 사건으로?
부인	네…… 이 어린 것을 친정 엄마한테 맡겨놓고, 서울에서 먹고살 아보겠다고 이러구 있는데…… (분노하며) 주일도! 이 죽일 놈이 사람 먹는 하천 물에 폐수를 콸콸 막 쏟아낸 겁니다!
김가온	(놀랐지만 첫 시범재판이 그 사건임을 알고 있기에 말을 아낀다)
부인	이 어린 것이 피를 토하고 얼마나 괴로워했는지…… (흐느낀다)
김가온	(침통한 표정이다)
부인	(한 맺힌 표정으로) 소영이 하늘나라 간 날, 우리 엄마는 목을 매셨어요. 저 볼 면목이 없다고.
김가온	(충격받는다)
할머니	(눈물 흘리며) 목을 맨 김순자가 제 동생입니다. 흐흐흑.
김가온	세상에, 어떻게…… (목이 메지만 애써 눈물을 참는다)

기사	하아······ (한 맺힌 한숨을 내쉬더니) 근데 그 재판을 굳이 시범재판인가 뭔가 그걸로 돌린다고 실질 끌고, 영장은 기각되고, 제가 화병이 나서 대법원 앞에 버스 세워놓고 기다렸습니다. 그저께 겨우 퇴근하는 강요한 판사를 만나서 제발 재판 빨리 좀 해달라고 했더니 공무집행 방해하지 말라고 매몰차게 뿌리치는데······ 하아, 그만 제가 눈이 뒤집혀서, 이런 죽을죄를······
김가온	(놀라며) 그럼 그 스쿨버스, 강요한 판사가 본 적 있다는 말씀이네요?
기사	네에······
김가온	(표정이 굳는다)

S#23. 강요한 부장판사실 (낮)

똑똑, 노크하고 들어오는 김가온.

김가온	어제는 감사했습니다. 구해주셔서. (고개를 숙인다)
강요한	(대수롭지 않다는 듯) 아, 그거?
김가온	···주저 없이 쏘시던데요.
강요한	(피식 웃으며) 그랬나?
김가온	(조심스레) 운전자를 죽일 생각이셨습니까?
강요한	필요했다면.
김가온	필요······ 라고요?
강요한	운전자가 즉사해도, 버스는 그대로 직진할 가능성이 많았어.
김가온	(흠칫 놀라며) 총을 쏴서, 본능적으로 핸들을 돌리게 한 거군요.

벽을 들이받고 죽더라도, 혼자 죽도록.

강요한   (너무나 당연하다는 듯) 그게 산수 아닌가? 2보다는 1이 작은 수잖아.

김가온   (태연한 강요한의 태도에 왠지 소름이 끼친다) 그렇군요. (굳은 표정으로) 덕분에 살았습니다.

강요한   천만에.

김가온   (뼈 있는 말을 슬쩍 던지며) 작은 수가 되지 말아야겠군요. 부장님 앞에서는.

강요한   (피식 웃더니) 그러든지.

김가온   (굳은 표정으로 강요한을 응시한다)

S#23-1. 대법원장실 (낮)

지윤식, 강요한, 김가온, 오진주, 앉아 있다.

지윤식   강부장, 어제 그 스쿨버스 기사 말이야, 일단 불구속으로 해놓고 나중에 재판에 돌리면 어떨까.

강요한   왜 그렇게 생각하십니까.

지윤식   시범재판이 얼마 안 남았는데 불미스러운 일로 주목받을 필요가 있나 싶네. 첫인상이라는 게 중요하지 않나.

강요한   테러리스트한테 온정을 베풀라, 그 말씀입니까.

지윤식   온정이 아니라! 모양새를 말하는 거야.

강요한   (피식 웃으며) 모양이라면 나쁠 거 없습니다. 시끄러울수록 관심은 올라가겠죠. 노이즈 마케팅도 하는 판인데. 이 정도 사건이면

구속하는 게 형평에 맞습니다.

김가온   (분을 참으며 애써 조심스럽게) 서······ 한말씀드려도 되겠습니까?

강요한   (김가온을 쳐다본다)

김가온   그 버스기사의 세 살짜리 딸이 JU케미컬 사건 사망자 중 한 명입니다. 아이 외할머니는 그 일로 스스로 목숨을 끊으셨구요.

강요한   (무표정하게) 그래서?

김가온   주일도 회장은 영장 기각하고, 그 버스기사는 구속하는 게 형평에 맞을지, 좀 걱정됩니다.

오진주   (걱정스레 옆에서 말리며) 저기, 김판사.

강요한   주일도는 재판을 해봐야 유무죄를 가릴 수 있는 피고인이고, 버스기사는 현행범이야. 그 정도도 모르는 건가?

김가온   네. 하지만 동기에 어느 정도 참작할 점이······

강요한   (O.L.) 자기가 피해자면, 남 해칠 권리가 생기나.

김가온   (흠칫하며) 그건 아닙니다만, 현재 부상중이고······

강요한   (O.L.) 구치소에도 의사 있어. (지윤식을 보며) 원칙대로 하시죠.

김가온   (표정이 굳는다)

S#24. 민정호 대법관실 (낮)

민정호   (떠보듯) 그래, 강요한, 만나보니 어떻든?

김가온   (생각이 많지만 말을 아낀다) 글쎄요.

민정호   (물끄러미 김가온을 보더니) 강요한이 시범재판 첫 피고인을 왜 굳이 주일도 회장으로 잡았을지, 생각해봤나?

김가온   요즘 가장 국민적 관심이 높은 사건이라서, 아닌가요?

민정호   그야 그렇지, 그렇긴 한데…… 주일도 회장은 사회적책임재단
       최고액 기부자 중 한 명이야. 강요한표 사법개혁은 결국 차경희
       법무부장관하고 사회적책임재단이 밀어줘서 가능했던 거고.

김가온   (흠칫 놀라) 입장 곤란해서 일부러 피했을 만한 사건을, 굳이 하겠
       다고 한 거네요.

민정호   뭔가 딴 속셈이 있는 게 아닌지, 걱정이야.

김가온   (표정이 굳는다)

S#25. 배석판사실 (낮)

김가온, 심각한 표정으로 TV 뉴스를 보고 있다.

아나운서 JU케미컬 공장의 독성 폐수 유출 사고로 입원 치료를 받던 피해
       자 유모 어린이가 사망하자, 이를 비관한 외할머니 김모씨가 스
       스로 목숨을 끊는 비극이 발생했습니다. 이로써 이번 사고로 인
       한 사망자는 총 열한 명, 치료중인 분들을 포함한 피해자 수는 무
       려 마흔일곱 명에 이릅니다. (화면에는 공장에서 흘러나오는 폐수,
       울부짖는 유족들, 그리고 곱게 한복을 차려입고 3세 정도 되는 아이를
       안은 채 쑥스럽게 웃는 할머니 사진이 차례로 나온다)

김가온   (괴로운 표정으로 할머니 사진을 보는데, 삑 하는 소리가 나더니 TV가
       갑자기 꺼진다. 김가온, 놀라 오진주 쪽을 돌아본다)

오진주   (리모컨을 내려놓으며) 미안. 보기가 좀 힘드네.

김가온   오판사님?

오진주   (별거 아니라는 듯) 나 살던 데가 생각나서 말야. 나 촌년이야. 보

기와 달리.

김가온   (잠시 바라보다 일부러 기볍게) 전 서울 남잡니다. 보기와 같이.

오진주   (픽 웃으며) 달동네?

김가온   티나요?

오진주   흙수저 눈엔 흙수저가 보이는 법이야. 레이더 같은 거지.

김가온   (미소 짓다가 툭 던지듯) 그럼, 강부장님한테는 뭐가 보이죠?

오진주   …그러게. 아무것도 안 보여.

김가온   (오진주를 바라본다)

오진주   (생각에 잠기다가 씩 웃더니) 직장생활의 기본, 상사에 대한 쓸데없
         는 관심은 금물. 일이나 하자. 시행법령 거기 있으니 읽어봐.

김가온   시행법령이요?

오진주   (사건기록을 넘기며 무심하게) 응. 우리 시범재판 시행법령. 쫌 짜
         증날 거야.

김가온, PC 화면을 스크롤하며 넘겨보다 어이없고 화나는 표정을 짓는다.

S#26. 대법원 (낮)

퇴근길의 강요한, 복도를 걷는데, 김가온이 강요한을 따라붙는다.

김가온   …부장님.

강요한   어, 김판사.

김가온   외람됩니다만, 숫자놀이를 너무 좋아하시는 건 아닙니까? 시청
         자들이 스마트폰 앱을 눌러대면, 그 숫자 보고 판결하자.

강요한   (계속 걸으며) 자넨 그걸 숫자놀이라고 부르나? 난 민주주의라고
        부르는데 말야.

김가온   그렇게 민주적인 재판 하실 거면, 저희는 왜 필요한 겁니까?

강요한   (피식 웃으며) 읽어봤나보네. 시행법령. (신분증으로 삑, 게이트를
        열고는 건물 문으로 향한다)

김가온   (강요한 뒤를 따라가며) 그게 재판입니까? 배석판사들이 아무리
        의견을 내도, 결국 최종 결정은 부장님이 투표 숫자 보고 하고,
        그럼 저희는 왜 필요한 겁니까?

강요한   (경비원의 경례를 미소로 받으며 문을 열고 건물 밖으로 나간다) 비상
        시기에는 비상수단이 필요하기 마련이지. 그리고, (딱 걸음을 멈
        추더니 뒤로 돌아 김가온을 보며) 그림이 안 나오잖아.

김가온   그림?

강요한   (두 손을 좌우로 펼치며) 내 좌우에 뭐가 없으면, 그림이 허전해서
        말야. 방송인데.

        김가온, 발끈해서 강요한을 잡아먹을 듯 노려본다. 강요한, 싱긋 미소
        짓는데 고급 세단이 스르르 강요한 뒤로 와서 멈추더니 운전원이 얼른
        내려 문을 열어준다. 매너 있게 목례하며 차에 오르는 강요한. 유유히
        사라지는 강요한의 차를 보며 분한 표정으로 서 있는 김가온.

S#26-1. 형산동 빈민 집단거주지 (낮)

        폐건물이 즐비한 황량한 형산동 빈민 집단거주지에 강요한의 차가 와서
        선다. 뒷자리에서 내리는 강요한, 차가운 시선으로 동네를 둘러본다.

Cut to

버려진 창고같이 어두침침한 폐건물 내부. 초췌한 마약중독자 대여섯 명이 거적때기를 깔고 누워 있다. 강요한, 마약중독자들 사이를 걸으며 누군가를 찾듯 유심히 얼굴을 살핀다. 침을 질질 흘리며 옆으로 누운 중독자의 얼굴을 들어 작은 플래시를 비추고는 내려놓는다. 그러다가 뭔가 눈에 띈 듯 눈빛이 번쩍하는 강요한, 그 옆의 널브러진 다른 중독자 소매를 걷어올려 손목시계를 확인하고 실망한 눈초리로 내려놓는다. 성당 화재 사건 이후 계속 좀도둑을 추적했던 강요한. 마약중독자인 좀도둑이 화재 현장에서 재단 인사들이 흘린 보석 등 값나가는 물건들을 주워 갔다는 걸 알고 계속 추적하다가 형산동 빈민 집단거주지에 있는 것 같다는 정보를 입수하고 온 것이다. 좀도둑이 손목시계를 이미 처분했을 거라고 보고 얼굴로라도 찾으려 하고 있었는데 무심코 노숙자에게 어울리지 않는 고급 손목시계가 눈에 띄자 혹시나 싶어 확인한 상황이다. 차가운 표정으로 폐건물 밖으로 나가려는 강요한, 그런데 뒤에서 가냘픈 목소리가 들려온다.

중독자(E) 안 돼, 안 돼……

강요한, 소리가 들리는 쪽을 눈을 가늘게 뜨며 유심히 본다. 좀전에 강요한이 손목시계를 확인했던 그 중독자다. 그런데, 다른 노숙자 한 명이 중독자의 손목시계를 손목에서 벗겨 빼앗으려 실랑이를 벌이고 있다. 화재 사건 당시 좀도둑이 쓰러진 강이삭의 손목시계를 벗기던 상황을 연상시키는 모습이다. 노숙자, 중독자가 반항하자 올라타고 목을 조르기 시작한다. 눈빛이 욕심으로 희번덕거리는데, 갑자기 누군가 뒤에서 팔을 휙 잡아 뒤로 꺾는다! 우두둑, 소리가 나며 꺾이는 팔! 노숙자, 놀라 올려다보는데, 얼음장같이 차갑고 냉혹한 눈빛의 강요한이 노숙자의 얼굴을 퍽퍽 망설임 없이 강타한다.

노숙자 　　사⋯⋯ 살려줘⋯⋯

아랑곳 않고 잔혹하게 계속 내리치는 강요한!

S#27. 버스 안 (밤)

김가온, 전화기를 꺼내 버튼을 누른다.

김가온 　　저예요. 해주실 게 좀 있습니다.

민정호(F) 　뭔데?

김가온 　　대법원 기록창고 스페어 키요.

민정호(F) 　야 인마, 그게 쉬운 줄⋯⋯

김가온 　　(O.L.) 그 정도도 못하면 대법관 때려치우시든가요.

민정호(F) 　⋯⋯

김가온 　　여보세요? 아이, 또 안 들리는 척한다.

민정호(F) 　(버럭 화내며) 야, 이 버릇없는 노무 시키⋯⋯

김가온 　　(O.L.) 어허, 신성한 대법원에서.

민정호(F) 　⋯⋯

김가온 　　(핸드폰을 톡톡 두드리며) 여보세요?

민정호(F) 　⋯사건기록 훼손하면 징역이다.

| 김가온 | (씩 웃으며) 공범은 안 불겠습니다, 대법관님. |

S#28. JU케미컬 회의실/복도 (낮)

JU케미컬 법무팀과 로펌의 주니어 변호사들이 변론 전략을 논의하는 중이다. 가득 쌓인 서류와 자료들 사이에 놓인 노트북 모니터에는 '무죄' '불가항력' 등의 단어가 보인다. 그들을 바라보며 지나가는 베테랑 변호사 고인국.

S#29. JU케미컬 회장실 (낮)

주일도가 신문을 읽고 있는데, 고인국이 들어온다.

주일도	어, 고변, 이거 여론이 너무 시끄러운 거 아냐? (분한 듯) 배은망덕한 것들. 내 덕에 벌어먹고 사는 떨거지들이 몇만 명인데!
고인국	그렇다고 법과 증거를 넘어설 순 없죠. 이 나라, 법치국갑니다, 회장님.
주일도	(반색하며) 그래, 그렇지? 내가 법치 하나 믿고 사업하지 않나.
고인국	어차피 이런 환경 사건, 명백한 증거가 나올 게 없습니다. 기업주가 어떻게 공장 폐수 성분까지 알겠습니까. 무죄로 밀어붙일 거구요. 만에 하나 잘못되어봤자, 업무상 과실치삽니다.
주일도	업무상 과실치사…… 그건 형이 얼만데.
고인국	법정 최고형이 5년입니다. 뭐, 이번에 특별법이 이것저것 생기긴

했는데, 법원이라는 데가 보수적이에요. 갑자기 형량을 팍 올리
진 못합니다.

주일도   (벌컥 화내며) 5년? 난 허리 제대로 받쳐주는 침대 아니면 잠도 못
자는 거 몰라!

고인국   하이고, 회장님, 한 1년 독서하고 명상하시면, 가석방으로 빼드
리겠습니다. 더 건강해져서 나오십니다.

주일도   (불안해하며) 틀림없겠지?

고인국   정 불안하시면, (목소리를 낮추며) 그분이 계시지 않습니까.

주일도   그래. 그렇지…… (씩 웃는다)

S#30. 대법원 기록창고 (밤)

완결 사건기록들이 가득한 창고 구석, 헤드램프를 조명 삼아 두꺼운 사
건기록을 넘기며 메모중인 김가온. 오래된 기록을 넘기다 먼지가 풀썩
하자 필사적으로 입을 막고 재채기를 참는다. 기록을 휙휙 넘기던 김가
온, 회심의 미소를 짓는다.

김가온   찾았다. 술래.

헤드램프 불빛이 비추는 낡은 사건기록 페이지, 클로즈업.

> 사건명: 뇌물 공여, 건축법 위반
>
> 피의자: 주일도
>
> 처리결과: 무혐의

S#31. 서울 변두리 동네 거리 (밤)

윤수현, 무심한 표정으로 운전하다가 뭔가 눈에 띈 듯 힐끗 차창 밖을 보더니 얼굴 표정이 확 바뀐다. 차를 급히 세우고 뛰어내리듯 내려 골목 안으로 뛰어간다.

S#32. 골목 안 (밤)

윤수현　(권총을 겨누고 언성을 높이며) 일어서!

폐가구와 쓰레기 더미에 몸이 반쯤 가려진 사내 두 명이 바닥에 무릎을 대고 뭔가 하다가 힐끗 윤수현 쪽을 보며 천천히 손을 들고 일어선다. 사내들, 손든 채 슬금슬금 벽 쪽으로 물러선다. 수거함에 가려져 있던 피해자의 모습이 발부터 조금씩 드러난다. 흰 운동화에 교복 차림, 겁에 질린 여중생이다. 여중생 머리 위쪽 벽에 붙은 홍보 포스터가 너덜거린다.

윤수현　괜찮니?
여중생　(울먹이며) 네에……

윤수현, 어린 피해자를 보고는 피가 거꾸로 솟아 이를 악문다.

사내1	그건 내려놓고 얘기하지? (손을 든 채 조금씩 윤수현 쪽으로 나온다)
윤수현	물러서.
사내1	(싱글거리며) 에이, 그러지 말고. (조금씩 앞으로 나오며 위협한다)
윤수현	물러서!
사내1	어우, 무서. 알았어, 알았어. (뒤로 물러서는 척하다가 갑자기 사내2를 윤수현 쪽으로 세게 민다)

윤수현, 총구를 하늘로 향한 채 사내2에 부딪혀 쓰레기 수거함에 쾅하고 부딪힌다. 사내1, 그 틈을 놓치지 않고 바닥에 굴러다니던 의자 다리를 집어들어 윤수현의 팔을 내리친다. 권총은 허공에 뜨고 여중생은 비명을 지른다. 도망가는 사내2. 사내1, 총을 향해 달려가려는데 윤수현이 필사적으로 다리를 걸어 사내1을 쓰러뜨리고는 폐가구 의자 다리를 집어들고 달려든다. 사내1의 발길질에 복부를 맞고 훅, 고통스럽지만 필사적으로 이를 악문 채 의자 다리를 몇 번이고 내리쳐서 사내1을 기절시키고는 수갑을 채운다.

윤수현	괜찮아…… 이제 다 괜찮아……

힘겹게 숨을 몰아쉬며 여중생을 안아주는 윤수현의 눈에 '안전한 대한민국, 이제 실현됩니다'라는 포스터 문구가 들어온다. 그때, 윤수현 품에서 휴대전화 벨이 울린다.

| 윤수현 | (숨을 몰아쉬면서도 아무렇지 않은 척 전화를 받는다) 응, 가온아. 아니. 괜찮아. 괜찮대두. 뭔 일? 응? (놀라며) 니가 그게 왜 필요한데! |

S#33. 국밥집 (낮)

후루룩 쩝쩝, 국밥을 흡입중인 민정호와 김가온.

민정호   (우적우적 깍두기를 씹으며) 징허다, 20년 전 기록을 뒤진 거냐.

김가온   (국물을 원샷할 기세로 들이키고는) 어, 좋다. 원래 사랑도 첫사랑이
         애틋한 거 아니겠어요?

민정호   첫사랑?

김가온   주일도 회장. 사업을 처음 확장하다 사고 쳤을 때 봐준 게 서울서
         내려온 엘리트 검사, 차경희였어요.

민정호   …그리고?

김가온   잊을 만하면 한 번씩. 세 번을 봐줬더라고요. 표 안 나게. 물론 공
         짜는 아니었겠죠. 차경희가 처음 국회의원 출마했을 때, 후원회
         장이 누구였을까요?

민정호   …주일도?

김가온   (끄덕인다)

민정호   흐음…… 역시 스폰서도 첫번째 스폰서가 남다르구만. 정리해보
         면, 주일도는 차경희 법무부장관의 검사 시절 스폰서다. 차경희
         는 정권 실세이자, 그동안 강요한을 밀어준 사람이다. 그런데 강
         요한은 굳이 주일도를 재판하겠다고 나섰다. 그리고, 차경희는
         아무 반대 없이 지켜보고 있다……

김가온   …죄를 밝히기 위한 재판일까요, 아니면, 그 반댈까요.

민정호   (심각한 표정으로) 문제는 이게 다 추측에 불과하다는 건데.

김가온   …캐봐야죠. 어떻게든.

민정호   (김가온을 바라본다)

김가온	제 앞길 제 손으로 막는 거 같긴 한데, (후욱 심호흡을 하더니) 돌아가기엔 늦은 거 같네요.
민정호	(대견함과 안타까움이 교차하는 눈빛으로 김가온을 잠시 보다가 무심히 다시 국밥을 듬뿍 퍼서 입에 넣는다)
김가온	(다시 식사를 시작한다)
민정호	(국밥을 먹으며 무심히) 애틋한 첫사랑이라…… 근데 수현이는 잘 있지?
김가온	(사레들려서) 콜록, 콜록. (물을 마시며 민정호를 쨰려본다)
민정호	(능청맞게 깍두기를 또 우적거린다)

S#34. 법무부장관실 (낮)

비서	장관님, 사회적책임재단 정선아 이사가 찾아왔습니다.
차경희	(탐탁지 않은 표정으로) 들어오라고 해.
비서	네. (문을 열고 나가자 정선아가 들어온다)
정선아	안녕하세요, 장관님. 서선생님 심부름으로 왔습니다. (차경희에게 인사한다)
차경희	(자리에 앉은 채 쳐다보지도 않으며) 용건이 뭔가.
정선아	죄송하지만, 앉아서 좀 말씀드려도 될까요? (생긋 웃는다)
차경희	(차가운 표정. 턱짓으로 소파를 가리킨다)
정선아	고맙습니다. (소파에 앉아서는) 서선생님도 그렇고, 저희 재단 후원자분들도 그렇고, 이번 재판에 대해 우려가 많으신 것 같아요.
차경희	…뭐가 걱정이지.
정선아	죄송하지만 직설적으로 말씀드리겠습니다. 잡범들 때려잡아서

대중들 분풀이나 시키자, 이게 시범재판 만든 취지잖습니까?

차경희 …그래서?

정선아 그런데 군이 기업인 사건을 올릴 필요가 있나, 그랬다가 혹시 중형이라도 나오면 기업인 전체에 대한 나쁜 선례가 될 텐데……이렇게 걱정들 하십니다.

차경희 …강요한이 실수하는 거 본 적 있나?

정선아 그렇긴 합니다만, 1호 재판은 좀더 무난한 사건으로 시작해도 좋을 것 같은데, (차경희를 보며) 장관님께서 왜 이리 그 사건을 고집하시는지.

차경희 (눈매 날카로워지며) 고집, 이라고 했나.

정선아 (미소 지으며) 죄송합니다, 전 그냥 말씀을 있는 그대로 전하느라……

차경희 (차갑게 미소 지으며 의자 깊숙이 기댄다) 재밌네. 사회복지 사업하는 재단분들이, 아니, 정확히 말하자면 재벌 연합회분들이.

정선아 (차경희를 바라본다)

차경희 …왜 이리 나랏일에 시시콜콜 관심이 많으실까. 분명 내가 알아서 한다고 했을 텐데. (경멸하듯 정선아를 보며) 건방지게!

정선아 (가만히 있다가 천천히 일어서서는) 죄송합니다, 장관님. 제가 주제넘었습니다. (허리를 깊숙이 숙여 인사하고, 문 쪽으로 향하다가 멈칫하더니 미소 띤 채 차경희를 보며) 감히, 주제넘은 말씀 한마디만 더 드려도 될까요?

차경희 (정선아를 쳐다본다)

정선아 장관님이 앉아 계신 그 의자, 책상, (벽을 보며) 이 벽에 걸린 그림에, 출퇴근 때 타시는 차량, (미소 지으며) 전부 저희 재단 지원금으로 마련된 거, 알고 계십니까? 올해 법무부 예산이 부족해서요.

차경희 (얼굴이 굳는다)

정선아 교도소도 부족해서 저희가 사설 교도소를 지어야 될 상황인데요.
궁금합니다, 장관님. (생긋 웃으며) 나랏일을 하고 있는 게 과연
누구일까요?

차경희 (정선아를 매섭게 노려본다)

S#35. 김가온의 집, 방 (밤)

활짝 웃는 아빠 엄마와 고등학교 교복 차림의 김가온이 함께 찍은 가족
사진이 책상 한가운데 놓여 있다. 옥상은 넓지만 김가온의 방은 작다.
방 하나와 부엌이 전부다.

윤수현 (초소형 도청기를 김가온의 손에 건네주며) 근데 판사가 도청이라니,
너 바람피우는 애인이라도 생긴 거냐.

김가온 그게 납득이 잘 되는 이유면 그걸로 하자.

윤수현 납득은 되는데 용서는 안 되지. 내 허락도 없이 언년을?

김가온 용서 안 돼도 그걸로 하자. 너 다친다. 많이 알려고 하면.

윤수현 (김가온을 바라보다가 한숨 쉬며) 그래, 니 똥고집은 익히 알지. 테
스트나 해보자. 옥상으로 나가봐.

김가온 옥상? (일어서려는데 윤수현이 붙잡는다)

윤수현 인간아. 이건 달고 가야지.

윤수현, 김가온의 귀에 조심스레 무선 이어폰을 달아준다. 두 사람의
얼굴이 가까워지고, 윤수현, 빤히 쳐다보는 김가온의 시선에 자기도 모

르게 살짝 얼굴이 달아오른다.

윤수현   (어색해서 괜히 김가온의 어깨를 퍽 치며) 뭐 하나 혼자 할 줄을 몰
         라! 빨리 가봐!

김가온   (어깨를 만지며 투덜거리며 일어선다) 유단자는 민간인 패는 거 아
         니다.

S#36. 김가온의 집, 방/옥상 (밤)

옥상으로 나온 김가온, 이어폰을 손으로 눌러보고 있다. 방에 남아 있
는 윤수현.

윤수현   (도청기에 대고 장난스럽게 혀 짧은 목소리로) 나랑 결혼할래? 사랑
         해!

김가온   (픽 웃으며 혼잣말로) 잘 들리네…… 역시 최신형 모델. (옥상 난간
         에 걸터앉아 미소 지으며 밤 풍경을 내려다본다)

윤수현   (밖으로 나오며) 잘 들렸어?

김가온   엄청.

윤수현   (장난스럽게) 대답은?

김가온   원래 도청은 들은 척하면 안 되는 거 아냐?

윤수현   그래서 대답을 안 하시겠다?

김가온   (피식 웃는다)

윤수현   (김가온 옆에 털썩 걸터앉는다) 그래, 바람피운 애인부터 잡으쇼.

이때, 갑자기 윤수현의 핸드폰으로 긴급 호출 문자가 온다.

윤수현   (핸드폰을 힐끗 보더니) 아, 이 밤에 무슨 호출이야…… 가온아,
         나 좀 가봐야 될 거 같다. 연락할게!

         윤수현, 후다닥 계단을 뛰어내려간다.

김가온   계단 조심하고! (옥상에서 아래쪽을 내려다본다)

         벌써 다 내려온 윤수현, 김가온을 향해 손을 휙휙 흔들더니 달려간다.
         김가온, 달려가는 윤수현의 뒷모습을 가만히 보다가 주머니 속 핸드폰
         을 만지작거리며 도청기 앱 되감기 버튼을 누른다. 이어폰에서 들려오
         는 장난기 어린 윤수현의 목소리. "나랑 결혼할래? 사랑해!" 못 이기
         겠다는 듯 작게 웃음을 터뜨리는 김가온, 작아져가는 윤수현의 뒷모습
         을 보면서, 계속 되감기 버튼을 누른다.
         -나랑 결혼할래? 사랑해!
         -나랑 결혼할래? 사랑해!
         시원스러운 밤 풍경. 달빛이 밝다.

S#37. 대법원 로비 (밤)

         게이트를 통과해 퇴근하는 강요한.

S#38. 강요한 부장판사실 (밤)

불 꺼진 강요한 판사실 문이 스르륵 열리더니, 김가온, 조심조심 소리 내지 않으려 애쓰며 들어온다. 어스름한 달빛만 비치는 판사실 안을 조심스레 살피다 강요한의 책상 옆으로 온 김가온, 망설이다가 바지주머니에서 조그마한 물건을 꺼낸다. 손가락 위에 얹어놓고 보는데, 도청기다. 설치할 곳을 찾는 김가온, 벽에 걸린 그림 뒤에 붙이려고 조심스레 액자 뒤를 더듬다가 맘에 안 드는 듯 바닥에 누워 책상 밑 공간에서 마땅한 곳을 찾는다.

S#39. 대법원 복도 (밤)

뭔가 놓고 왔는지 순간 걸음을 멈추고는 뒤로 돌아 뚜벅뚜벅 자신의 방으로 걸어가는 강요한. 무표정한데 무시무시한 느낌이다.

S#40. 강요한 부장판사실 (밤)

복도에서 저벅저벅 소리가 들리자 깜짝 놀라며 번개같이 일어나는 김가온, 열려 있는 문 쪽으로 달려가려다 멈칫하더니 아까 살피던 서가 앞으로 황급히 다가가면서 손으로는 엉덩이에 묻은 먼지를 털어낸다. 순간 번쩍, 환하게 불이 켜진다.

강요한　　김판사?

김가온	(서가 앞에 서서 책을 든 채 강요한 쪽으로 돌며) 퇴근 안 하셨나요?
강요한	놓고 간 게 있어서. 근데 무슨 일이지?
김가온	(긴장한 채 손에 든 『환경범죄론』을 들어 보인다) 도서실이 잠겨 있어서요.
강요한	(묘한 미소를 띠며) 불도 안 켜고?
김가온	…제가 밤눈이 밝아서요.
강요한	흐음……
김가온	(당황하여 얼버무리며) 죄송합니다. 그럼.

김가온, 꾸벅 목례를 하고는 후다닥 문으로 향해 가는데 문을 막고 옆으로 버티고 선 강요한이 길을 비켜주지 않아 옆으로 마주 몸을 돌린 채 가슴과 가슴이 스치듯 겨우 빠져나간다. 강요한, 눈도 깜빡이지 않은 채 김가온을 응시하고 있고 김가온은 눈을 피한다. 김가온, 나가려는데 어깨에 턱, 손이 놓인다. 순간 가슴이 쿵 내려앉지만 애써 태연하게 강요한을 돌아본다.

김가온	…네?
강요한	(무표정하게 김가온을 쳐다보다가 서서히 미소 짓더니 바닥에 누워 도청기를 붙이느라 구겨진 김가온의 와이셔츠 등판을 양손으로 잡아 죽 펴주며) 자취한다며? 힘들지? 셔츠가 많이 구겨졌네.
김가온	(당황하며) 아, 네…… 다림질할 시간이 없네요.
강요한	(어깨를 툭툭 쳐주며) 수고해.
김가온	(다시 살짝 목례하고는 사라진다)
강요한	(사라지는 김가온 쪽을 한참 응시하더니 묘한 웃음을 지으며) 재미있는 녀석이네?

S#41. 배석판사실/강요한 부장판사실 (낮)

사건기록을 넘기며 한참 메모하며 일하고 있던 김가온, 옆자리를 힐끗
본다. 열심히 일하고 있는 오진주. 김가온, 다시 사건기록으로 고개를
돌리다가 멈칫하며 이어폰이 꽂힌 한쪽 귀에 손을 갖다 댄다. 한 손으로
귓불을 누르며 유심히 듣는 김가온. 강요한은 자기 자리에 앉아 핸드폰
으로 통화를 하고 있다.

강요한   네. 장관님. 걱정 마십쇼. 법대로 될 겁니다. 국민이 그렇게 어리
         석진 않겠죠.

놀라며 귀에서 손을 떼는 김가온. 생각에 잠긴다. 그러다 다시 무슨 소
리가 들려 귀를 기울인다. 다른 통화를 하는 강요한의 목소리.

강요한   (낮은 목소리로) 나야. 준비는 다 됐지? 박사는 만났고? 그래. 수
         고했어. 변호사는 오늘 내가 만나지. (전화를 끊는다)

김가온, 생각에 잠겼다가 자리에서 일어난다.

S#42. 대법원 정문 앞 (저녁)

강요한의 차, 정문을 빠져나온다. 맞은편 골목에 있던 김가온, 헬멧을
쓰고 자전거로 강요한의 차를 뒤따른다.

S#43. 고급 일식집 앞 (저녁)

골목에 숨어 일식집으로 들어가는 차들을 살피고 있는 김가온. 강요한의 차가 주차되어 있다. 새로 도착한 검은 세단에서 고인국 변호사가 내리자, 김가온은 놀라며 핸드폰으로 사진을 찍는다.

김가온　주일도의 변호인?

S#44. 한강 시민공원 (밤)

민정호와 김가온이 강변에 서서 얘기를 나눈다. 김가온의 자전거가 두 사람 뒤에 세워져 있다.

민정호　(굳은 표정으로) 재판 직전에 재판장이 변호인과 만나고, 피고인 비호 세력으로 의심되는 장관과 통화했다…… 박사는 또 누구고……

김가온　…의심스럽긴 한데, 이것만으론 아무것도 증명 못해요. 변호인하고 만난 건 절차 협의라고 둘러대면 그만이고, 장관한테 한 말은 법대로 될 거란 소리뿐이에요.

민정호　흐음…… 재판이 바로 내일인데……

김가온　…법정에서 눈 부릅뜨고 지켜봐야죠. (수심이 가득한 표정을 지으며) 하아…… 시간이 너무 없네요.

S#45. 식당 (밤)

맛있게 음식을 먹고 있는 윤수현과 음식을 뒤적거리기만 하며 수심에 잠긴 김가온.

윤수현 먹어둬. 내일 데뷔잖아.

김가온 ……

윤수현 그 앱 나도 다운받아놨다. 우리 부모님도 깔았대. 노친네들이 그럴 정도면 일단 흥행은 성공이야.

김가온 끼지 말았어야 될 판에 들어온 느낌이야. 수상한 점이 한두 가지가 아니고……

윤수현 (포크를 내려놓으며) 이런 얘기는 안 하려고 했는데 말야.

김가온 ……?

윤수현 솔직히 너도 민교수님도 그냥 강요한이 싫은 거 아냐?

김가온 무슨 소리야?

윤수현 그 사람이 추진하는 방향이 싫으니까 자꾸 의심하는 거야. 법 공부한 엘리트들은 본능적으로 싫은 거지.

김가온 수현아.

윤수현 근데 말야, 난 솔직히 기대된다. 이제야 뭔가 제대로 된 재판 보게 되나 싶어. 그게 그 앱 다운받고 있는 사람들 심정일 거야. 알아?

김가온 ……

윤수현 (다시 고개를 숙이고 음식을 집으며) 내일 잘해라.

S#46. 대법정 (재판 당일, 낮)

조명이 켜지면, 법정이라기보다 공개방송용 대강당 느낌의 대법정 모습이 드러난다. 카메라가 무대와 방청석 곳곳에 여러 대 배치되어 있고, 분주히 움직이는 방송 스태프들과 법원 직원들로 가득하다. 줄지어 들어오는 방청객들의 모습도 보인다.

S#47. 배석판사 분장실 (낮)

김가온과 오진주, 나란히 앉아 스태프에게 메이크업을 받고 있다.

스태프1　(오진주 얼굴에 분장하며) 어머~ 판사님, 메이크업 안 하셔도 되겠어요. 꿀피부세요! 꿀피부!

오진주　(기분이 좋아 호들갑스럽게) 아유~ 놀리지 마. 나 곧 아줌마야. 카메라가 무서운 나이라구! 아, 왜 생방은 뽀샵이 안 되는 거니?

스태프1　겸손도 지나치면 재수가 없는 거예요, 판사님~

김가온　(어색해하며) 근데 이거 꼭 해야 되는 건가요?

스태프2　그럼요, 정말 최소한도만 한 거예요, 판사님.

김가온　(마뜩잖다)

오진주　근데 우리 부장님은 메이크업도 혼자 하시네. 신비주의시라니깐.

PD가 리시버를 꽂은 채 황급히 분장실로 들어온다.

PD　　생방 5분 전입니다!

S#48. 강요한 분장실 (낮)

어두운 분장실 한쪽 TV에서 뉴스 속 시민들의 인터뷰가 흘러나온다.

여대생(E)　일반 국민들도 재판에 참여할 수 있다는 거 자체가 되게 설레구……

직장인(E)　사람이 죄를 지었으면 벌을 받는 게 당연하잖아요. 그 사람이 재벌이든 뭐든 상관없이 공평하게 전 국민한테 투표를 받는 거니까……

캐스터(E)　OECD 국가 중 사법부 신뢰도 꼴찌인 대한민국, 오늘 출범하는 시범재판부가 이런 현실을 바꿀 수 있을까요? 만인이 법 앞에서 평등하기를 바라는 국민들이 두 손 모아 첫 재판을 기다리고 있는 가운데, 강요한 판사를 비롯한 시범재판부가 그 기대에 부응할지 귀추가 주목됩니다.

강요한이 의자에 앉아 어둠 속에서 빛나는 법복을 올려다보고 있다. 마치 사제복 같다. 법복 위로 여러 장면들이 스치듯 겹쳐진다. 성당의 십자가, 못박힌 예수 조각상, 미사를 집전하는 신부, 화염 속에서 무너지는 기둥, 불길 속에서 서로를 밀치고 밟으며 아비규환인 인간 군상. 그 뒤로 신부의 목소리가 내레이션으로 들려온다.

신부(E)　아버지 저들을 사하여 주옵소서. 자기들이 하는 것을 알지 못함이니이다.*

---

* 「누가복음」 23장 34절.

강요한이 질끈 감고 있던 눈을 번쩍 뜬다. 눈빛은 분노로 이글거리며 표정은 일그러져 있다. 마치 신부의 목소리를 부정하듯이. 하지만, 곧 차갑고 고요하게 가라앉은 표정으로 일어나 법복을 걸치고는 분장실 밖으로 성큼성큼 걸어나간다.

S#49. 대법정 뒤 대기 공간 (낮)

강요한이 걸어나오자 발걸음을 맞추어 그의 우측에 한껏 화사하게 꾸미고는 가슴이 설레는 듯 활짝 웃는 오진주, 그리고 좌측에 약간 굳은 표정의 김가온이 뒤따른다. 런웨이를 걷듯 당당하게 걷는 세 명의 판사들. 세 판사 앞에서 PD가 문을 활짝 열자, 환한 조명이 쏟아진다. 조명 사이로, 우르르 자리에서 일어서는 방청객들, 좌우 사방에서 판사들을 쫓는 카메라들이 보인다. 세 판사가 올라가는 무대는, 대법정.

S#50. 대법정 (낮)

높은 법대 한가운데. 사제복 같은 흰 법복을 걸친 채 자신에게 집중한 많은 카메라를 향해 매력적인 미소를 던지는 강요한, 설레는 표정의 오진주, 그리고 긴장된 표정의 김가온이 정의의 여신상 앞에 서 있다.

강요한 국민 여러분! (일제히 기립해 있는 방청석을 미소 띤 채 천천히 둘러본다. 카메라들이 그를 따라 움직이는 가운데 정면을 보며 힘있는 목소리로) 이제, 여러분의 법정이 시작됩니다.

순간 정적이 흘렀다가, 우레 같은 박수와 환호가 쏟아진다. 카메라, 강요한의 당당한 얼굴을 클로즈업한다.

S#51. 시내 도로 (낮)

윤수현, 순찰차 안에서 대형 전광판에 비친 김가온을 보며 주먹을 불끈 쥔다.

윤수현   가온아.

뒤차들 빵빵거리지만 윤수현, 아랑곳하지 않는다.

S#52. 시내 곳곳 (낮)

지하철 안 스마트폰 화면으로 재판 중계를 보는 승객들, 가정에서 TV로 시청하는 주부와 아이들, 6~8인실 병실 공용 TV를 지켜보는 환자들과 보호자들, 법무부장관실에서 미소 띤 채 중계를 지켜보는 차경희와 청와대 집무실의 허중세, 재단 이사장실의 회전의자에 다리를 꼬고 앉아 중계방송을 보고 있는 정선아.

아나운서   (흥분한 말투로) 역사적인 순간입니다! 사법사상 최초로, 온 국민이 참여하는 시범재판이 시작되었습니다!

S#53. 대법정 (낮) / TV 화면 교차

아나운서 정의의 여신 디케 앱, 다들 다운받으셨지요?

화면에 디케 앱 화면이 떠오른다. 초기 화면은 정의의 여신상이다.

아나운서 여신상을 클릭하시면.

화면에 떠 있는 여신상을 클릭하자 시범재판 생중계 화면이 뜬다. 화면 아래쪽에 화살표 아이콘 두 개가 큼직하게 있다. 하나는 원 안의 빨간색 ↑ 아이콘, 하나는 원 안의 파란색 ↓ 아이콘.

S#54. 고속버스터미널 대합실 (낮)

TV를 보다가 핸드폰을 꺼내드는 사람들. 아나운서 말대로 앱을 띄운 후, 화살표 아이콘이 뜨자 한번씩 눌러본다.

S#55. 대법정 (낮)

아나운서 어떻습니까? 화살표만 봐도 딱! 느낌이 오시죠? 재판을 보시다가 엄벌에 처해야 된다는 판단이 드시면 빨간 버튼을, 그 반대 의견이 드시면 파란 버튼을 누르시면 됩니다. 의견은 자동으로 취합되어 그래프로 표시됩니다. 국민 여러분의 여론을 재판부가 실시간으로 직접 보고, 판단하는 것입니다! 기대되지 않으십니까!

카메라는 다시 단상 위 법대에서 엄숙한 표정으로 서 있는 판사들을 잡는다. 무대 밑 PD가 오페라 지휘자처럼 극적인 몸짓으로 사인을 보낸다.

강요한   (엄숙하게 선언하듯) 더이상 국민의 상식을 외면하는, 그들만의 리그에서 벌어지는 재판은 없을 것입니다. 재판의 모든 과정을 투명하게 공개하고, 국민의 의견을 경청할 것입니다. 법에 따라 재판하되, 국민의 뜻을 외면하지 않을 것입니다. 이 법정의 주인은, 주권자인 여러분입니다!

다시 한번 환호하며 박수갈채를 보내는 방청객들.

강요한   (갈채가 잦아들기를 기다린 후) 자, 그럼 오늘 우리가 함께 다룰 사건을 보시겠습니다. 검찰측 설명해주시죠.

S#56. 대법정 (낮)

조명이 검사석을 비추자 검사 이도진, 자리에서 일어나 무대 중앙으로 나온다.

이도진   젊은이들이 모두 떠난 마을이 있습니다.

검사가 오른손을 스크린 쪽으로 뻗자 쇠락한 농촌 마을이 화면에 뜬다.

일하는 이들은 모두 노인이다. 힘겹게 농사짓는 허리 굽은 노인, 개울
가에서 빨래하는 할머니.

이도진   총인구 47명. 평균연령 72세.

화면에 주민들 사진이 스쳐지나간다. 대부분 노인이고 중년의 베트남
여성도 보인다. 모두 순박하게 웃고 있다.

이도진   이중 11명이 사망했고, 23명은 아직도 중환자실에 있고, (중환자
실에 누워 산소호흡기를 단 환자들이 오버랩된다) 13명은 겨우 퇴원
했지만 중증 호흡장애, 신경장애를 포함한 심각한 후유증에 시달
려야 합니다. (카메라가 방청석 맨 앞줄에 앉아 있는 병색이 완연한 노
인들을 잡는다. 휠체어에 탄 채 산소호흡기로 가쁜 숨을 쉬는 노인도 있
다) 사망자 중에 한 명은 이제 겨우 세 살 된 아이고, (해맑게 웃는
여자아이 사진이 오버랩된다) 또 한 명은 그 아이의 외할머니입니
다. (할머니 영정 사진 오버랩된다) 서울로 일하러 간 딸이 맡겨놓
은 금쪽같은 외손녀를 잃고 스스로 목을 맨 것입니다. 외손녀는
이 마을에 단 한 명 있던 어린이였습니다.

S#57. 고속버스터미널 대합실 (낮)

숨죽인 채 TV 화면을 뚫어져라 쳐다보는 사람들. 노인도 많고 아이를
안은 엄마들도 있다. 아무도 말은 하지 않지만 표정에 분노가 차오른
다. 아이 엄마 한 명이 입을 굳게 다문 채 눈가의 눈물을 닦아낸다.

S#58. 검사석 (낮)

이도진   (휙 피고인석 쪽으로 돌며 성난 눈초리로 주일도를 가리킨다) 이 비극의 주범이 저기 앉아 있습니다.

주일도는 검사 말에 움찔한다. 스크린에 JU케미컬 공장 건물이 뜬다. 공장 굴뚝에서는 연기가 뿜어져나오고, 공장 폐수는 파이프관을 통해 방류되고 있다.

이도진   피고인이 운영하는 JU케미컬 제4공장은 이 마을에서 겨우 5킬로미터 떨어져 있습니다. 그런 곳에서, 유독성 화합물을 제대로 정화하지도 않은 채 하천에 방류한 것입니다. 주민들이 마시고, 씻고, 빨래하고, 농사짓는 그 물에 말입니다. (카메라를 향해 단호하게) 여러분, 이것은, 살인입니다!

S#59. 대법정 무대 아래 (낮)

모니터를 보던 PD, 리시버를 통해 전달받은 내용에 놀란다.

PD   벌써? (차고 있는 마이크에 대고) 뭐해! 빨리 쏴!

순간, 무대 위 대형 스크린에 정의의 여신상 엠블럼이 뜨더니, 빨간색 그래프가 무서운 속도로 올라간다. 72%. 참여자 수도 뜨는데 빠른 속도로 늘어난다. 524,786명, 589,359명, 738,521명……

S#60. 피고인석 (낮)

주일도, 놀란 표정으로 그래프를 쳐다본다. 변호인 고인국, 자리에서
일어나 유유히 무대 중앙으로 나간다.

고인국　　검찰측의 변론 잘 봤습니다. 정확하게 말하자면, 변론이 아니라
　　　　　선동이더군요.

이도진　　(벌떡 일어나며) 말씀 조심하세요!

고인국　　우리는 방금 미디어 재판의 위험성을 똑똑히 보았습니다. 재판은
　　　　　영화가 아닙니다. 쇼는 더욱 아니죠. 재판은 오로지 객관적 증거
　　　　　에 의해 입증하는 절차입니다. (어이없다는 듯 피식 웃으며) 살인이
　　　　　라, 대체 어떤 기업가가 고의적으로 주민들을 살해합니까?

이도진　　사람이 죽을 수도 있다는 것을 알면서 독성 폐수를 방류한 이상,
　　　　　미필적고의에 의한 살인입니다!

고인국　　검찰은 무죄추정의 원칙을 무시하고 여론 재판을 시도하고 있습
　　　　　니다. 피고인에게 유리한 증거는 애써 외면하면서 말이죠. (변호
　　　　　인석의 태블릿 버튼을 누른다. 스크린에 공장 뒤쪽 축대가 무너져 정화
　　　　　시설 설비 쪽으로 토사가 쏟아진 사진이 뜬다) 공장 뒤쪽 야산 축대가
　　　　　무너져 정화시설이 손상된 모습입니다. (이도진을 돌아보며) 검사
　　　　　님, 제가 공부할 때는 이런 축대 관리는 지자체 책임인 걸로 배웠
　　　　　는데, 제 기억이 틀렸는지 모르겠습니다. (싱긋 웃는다)

이도진　　(고인국의 도발에 발끈하지만 할말이 없다)

고인국　　이 바람에 화학물질이 일부 유출된 건 사실이지만, 공장을 즉시
　　　　　멈추고 긴급 수리를 했기 때문에 유출된 시간은 채 한 시간도 되
　　　　　지 않습니다. (두 손을 벌리며) 저희가 이 이상 뭘 더 할 수 있었겠

습니까? 이건 불가항력입니다.

이도진 낡은 시설 때문에 그전부터 계속 누출이 있었던 것 아닙니까!

고인국 증거가 있습니까?

이도진 긴급 수리를 핑계로 문제 있는 부분을 전부 교체, 폐기해놓고는 증거가 있냐고 묻는 겁니까?

고인국 없다는 말씀이군요. 알겠습니다. 지금 입증된 것은 불가항력적인 사고로 인한 잠시 동안의 유출뿐입니다. 그전의 상황에 대해서는 아무런 입증이 없습니다.

이도진 감정기관의 추정에 따르면 한 시간 정도의 유출로는 이런 규모의 참사가 발생할 수가……

고인국 (O.L.) 추정? 방금 추정이라고 하셨습니까? 그게 객관적인 입증입니까?

이도진 (말문이 막힌다)

주일도 (상황이 유리한 듯하자 기세등등하게 벌떡 일어서서는) 맞습니다! 증거도 없이 애국하는 기업인을 살인자로 몰다니요! 이 경제 위기에, 저 때문에 먹고사는 사람이 몇 명인 줄 아십니까? 저희 JU케미컬 임직원만도 1만 7400명, 그 가족, 그리고 협력 업체까지 합하면 십만여 명의 생계가 달려 있습니다! 이런 여론 재판으로.

이도진 (벌떡 일어서며, O.L.) 말씀 조심하세요, 피고인!

주일도 저한테도 발언할 권리가 있습니다!

강요한 (날카롭게) 피고인!

소란스럽던 법정, 일제히 조용해지며 모두 강요한을 주목한다.

주일도 예! (긴장한다)

그런데 강요한, 아무 말도 하지 않은 채 무표정하게 앉아만 있다. 1초, 2초, 3초, 쥐죽은듯한 정적 속에 모두 얼어붙은 듯 강요한만 쳐다본다. 길거리 대형 전광판의 재판 생중계 화면은 마치 정지화면처럼 무표정한 강요한의 얼굴만 잡고 있다. 거리의 시민들조차 긴장한 채 멍하니 보고 있다.

PD   (잔뜩 긴장해서 시계를 보며) 6초, 7초…… 이거 방송사곤데! 아이씨, 어떡해!

주일도의 표정, 점점 공포로 얼어붙는다. 9초, 10초…… 잔뜩 긴장한 채 서 있는 고인국의 이마에서 땀이 흘러내려, 똑, 소리를 내며 밑으로 떨어진다.

강요한   (아무 일 없었다는 듯 미소를 지으며 부드럽게) 변호인측 모두진술, 다 하신 겁니까?

고인국   예, …이상입니다. (긴장한 채 자리에 앉는다. 옆에서 벌서듯 벌벌 떨며 서 있던 주일도, 다리가 풀린 듯 자리에 주저앉는다)

여전히, 쥐죽은듯 조용한 법정. 모두 강요한만 바라본다.

강요한   그럼, 잠깐 쉬었다 계속하죠. (넋이 나간 주일도 쪽을 내려다보며 싱긋 웃는다) 화장실도 다녀들 오시고. (자리에서 일어선다)

일제히 기립하는 사람들. 중계 화면에는 기다렸다는 듯 중간광고가 흐른다.

S#61. 대법정 (낮)

오진주   (강요한을 향해) 재판장님, 제가 한 가지 물어보겠습니다.

강요한   그러시죠.

오진주   (고인국을 향해) 말씀하신 축대 붕괴 사고는 사건 초기, 최초 사망자가 나온 바로 다음날 밤에 발생했네요. 맞지요?

고인국   네, 그렇습니다.

오진주   그거 참 대단한 우연이네요. 어떻게 사망자가 나오자마자 그런 사고가 생겨서 증거를 싹 쓸어가버릴 수가 있죠?

고인국   죄송합니다만 판사님, 최초 사망자의 사인은 불명확해서 이번 사건과 무관하다는 것이 저희 입장입니다.

오진주   진단서에 따르면 현기증, 두통, 경련, 의식상실. 다른 피해자들과 다르지 않은 증세들이 나타났는데요?

고인국   추정에 불과합니다. 그 사망자는 부검도 안 했지 않습니까. 독성 화합물이 검출되었다는 아무런 증거도 없습니다. 판사님.

오진주   (입술을 깨문다)

고인국   (강요한을 보며) 재판장님.

강요한   말씀하시죠.

고인국   보다 객관적인 의견을 듣기 위해 중금속 중독에 관한 최고 권위자, 유종백 박사를 증인으로 신청합니다.

김가온   (박사라는 말에 흠칫 놀란다)

강요한   (V.O.) 준비는 다 됐지? 박사는 만났고?

굳은 표정으로 강요한을 쳐다보는 김가온. 강요한은 부드러운 미소를 지은 채 표정에 변화가 없다.

S#62. 대법정 (낮)

무대 중앙의 증인석에 앉은 유종백 박사. 전문가다운 차분한 인상이다.

고인국   박사님, 바쁘실 텐데 이렇게 출석해주셔서 고맙습니다.

유종백   별말씀을요.

고인국   증거로 제출된 하천수 샘플, 아, 저기 있네요. (실무관을 가리키자 실무관이 '증제3호' 라벨이 붙은 작은 페트병을 들어 보인다) 분석해보셨지요? 전문가로서의 소견은 어떠십니까.

유종백   피해자 중에 중금속 중독 증세를 보이는 분들이 많긴 합니다만, 폐수 누출만이 원인인지에 대해서는 다소 유보적입니다.

김가온   (놀라 유종백을 뚫어져라 쳐다본다)

유종백   이 지역은 중금속 함유 미세먼지 영향을 제일 먼저 받는 곳입니다. 농촌이라 화학비료와 제초제 영향도 심각하고요. 그에 비하면 하천에 이 정도 농도의 오염 물질이 좀 섞였다? 글쎄요……

S#63. 판사석 (낮)

김가온, 굳은 표정으로 강요한을 쳐다본다. 강요한, 태연하게 고개를 살짝 끄덕거리며 듣고 있을 뿐이다. 김가온, 스크린을 보고 흠칫 놀란다. 빨간 그래프가 아까보다 훨씬 내려와 있다. 51%, 참여자 수는 1,235,780명에서 천천히 느는 중이다. 증인 신문하던 고인국, 곁눈으로 그래프를 보고는 슬쩍 미소를 짓는다. 차경희 역시 그래프를 보며 여유 있게 몸을 의자 깊숙이 기댄다. 다급해진 김가온, 갑자기 몸을 앞에 놓인 마이크 가까이 가져간다.

김가온   증인, 저도 한 가지 질문드리겠습니다.

강요한   (김가온을 힐끗 본다)

유종백   네, 그러시죠.

김가온   방금 '하천에 이 정도 농도의 오염 물질이 좀 섞였다?' 이렇게 말씀하셨는데, 그 오염 물질이 구체적으로 무엇이죠?

유종백   어, 네. 여러 가지 화합물이 혼재해 있었는데요……

김가온   (O.L.) 그중 가장 많이 검출된 게 뭔가요?

유종백   어, 그게 포타슘 시아나이드Potassium cyanide란 건데……

김가온   (O.L.) 알기 쉽게 말씀해주시죠. 시안화칼륨. 흔히 부르는 명칭으로는 뭐지요, 박사님?

유종백   (망설이다가) 청산가리라고들 합니다.

순간 웅성거리는 방청석!

유종백   (얼른 수습하며) 어, 그렇게 말하니 무시무시하게 들립니다만, 실은 시안화합물은 알고 보면 흔합니다. 아몬드에도 들어 있고, 사과씨, 살구씨에도 들어 있습니다. 무조건 위험한 게 아니라 농도가 문제죠.

김가온   바로 인근에 주민 대부분이 고령자인 마을이 있었습니다. 과연 검출된 농도가 별게 아니었을까요?

유종백   (여유롭게 미소 지으며) 죄송합니다만 판사님, 법은 판사님이 잘 아시겠습니다만 이 분야는 제가 조금이라도 더 잘 알지 않겠습니까? 과학은 팩트로 하는 거지 국민 정서로 하는 게 아니라서 말이죠……

김가온   (표정이 굳으며) 증인!

강요한   (O.L.) 김판사님?

김가온   (강요한을 쳐다본다)

강요한   (싱긋 미소 지으며) 그 정도 하시죠. 박사님, 수고하셨습니다.

김가온   (강요한을 노려본다) 부장님.

강요한   (아랑곳 않고) 장시간 증언하시느라 힘드셨을 텐데 물이라도 드시
         죠. 실무관, 갖다드리세요.

유종백   고맙습니다.

유종백, 실무관이 가져온 작은 페트병 생수를 마신다. 강요한, 그사이
잠시 자기 앞에 놓인 재판기록을 여유롭게 넘기다가 무심코 고개를 들
어 유종백이 들고 있는 페트병을 힐끗 보더니 깜짝 놀란다.

강요한   (다급하게) 박사님!

유종백   (놀라며) 네?

강요한   그거 혹시 아까 하천 물 샘플하고 바뀐 거 아닙니까?

유종백   네? (순간 경악하며 마시던 물을 뱉고 격렬하게 토악질을 한다) 커억!
         커억! (공포에 질리는 얼굴) <u>으으으으</u>……

놀라 웅성대는 방청객들. 고인국도 놀라 벌떡 일어선다.

실무관   (무대 밑에서 놀란 목소리로) 아닙니다! 증거물은 여기 보관돼 있습
         니다! (탁자 위에 증거서류와 증거물들이 놓여 있는데, 같은 사이즈의
         색깔만 다른 페트병에 '증제3호' 라벨이 붙어 있다)

강요한	아, 죄송합니다! 순간 얼핏 비슷해 보이길래 저도 모르게 실수를 했습니다. 제가 너무 긴장을 했나보네요. 민망합니다. (미소를 지으며 살짝 목례한다)
유종백	(굳은 표정으로 부르르 떤다)
강요한	돌아가셔도 좋습니다. 수고하셨습니다.
김가온	(강요한의 알 수 없는 행동에 의문이 가득해져 강요한을 본다)
고인국	(강요한을 흘깃 노려보더니, 한 발 앞으로 나선다) 재판장님! 다음 증인인 이 사건 공장의 현장관리자, 장기현 부장에 대한 신문을 진행하겠습니다.
강요한	네, 그러시지요. (미소 짓는다)

S#64. 증인석 (낮)

지치고 자신 없어 보이는 모습의 장기현, 증인석에 앉아 있다.

고인국	증인, 축대 붕괴 사고 전에는 폐수 정화시설에 아무런 문제가 없었지요?
장기현	(계속 망설이며 침묵한다)
고인국	(살짝 당황하여) 증인? 수사기관에서 이미 그렇게 진술하지 않았습니까? 왜 답변을 안 하시죠?
장기현	그게요…… 하아…… 제가 생각이 좀 많네요.
고인국	(놀라며) 증인?
주일도	(당황해서 자기도 모르게 벌떡 일어나며) 장부장!
강요한	(날카롭게) 피고인!

주일도   (놀라 강요한을 본다)

강요한   (부드럽게) 자리에 앉으시지요.

주일도   죄, 죄송합니다. (자리에 앉는다. 불안 초조한 표정이다)

강요한   (장기현을 보며) 계속하시죠. 증인.

장기현   (힐끗 강요한을 본 후 눈을 내리깔며) 네, 재판장님. (한참을 망설이더
니 결심한 듯 심호흡을 한 후) 말씀드리고 싶은 것이 있습니다.

고인국   증인? 지금 무슨 말씀을 하시려는……

장기현   (O.L.) 폐수는 전부터 누출되고 있었습니다.

놀라 웅성거리는 방청석! 경악하는 고인국과 주일도.

장기현   30년 동안 멀쩡하던 축대가 왜 그날 밤 갑자기 무너졌는지, 전 아
직도 이해가 안 갑니다만, 확실한 건 그전에 이미 누출이 되고 있
었다는 사실입니다. 워낙 중요 사안이라 회장님께 보고도 드렸습
니다.

고인국   (당황하며) 증인!

장기현   설비 노후가 심각하다, 즉시 조치를 취하지 않으면 큰일난다고
말씀드렸는데 회장님은 (주일도를 보며) 내년이면 동남아로 공장
이전할 건데 왜 헛돈을 쓰냐, 사소한 일로 호들갑 떤다……

주일도   장부장!

강요한   그래, 그 말을 듣고 증인은 뭐라고 얘기했습니까?

장기현   마을 노인들한테 무슨 일이라도 생기면 어떡하냐 그랬더니.

강요한   (눈을 번뜩이며) 그랬더니?

장기현   (주일도를 힐끗 보더니) 회장님이, 살 만큼 산 노인네들 뭐 좀 어떠
냐고……

주일도   (경악하며) 장부장! 내가 언제 그런 소릴!

강요한   (놀랍다는 표정으로) 저런, 살 만큼 살았는데 어쩌나…… 실마 그런 얘기를 했단 말입니까?

장기현   그때 제가 속으로, 야 이건 살인 아닌가, 사람의 탈을 쓰고 이래도 되나…… (고개를 떨구며 말끝을 흐린다)

주일도   (패닉 상태로) 아냐! 진짜 아냐! (벌떡 일어서서) 재판장님, 저 진짜 저런 말 한 적 없습니다!

강요한   (차가운 미소를 띤 채 나지막이 혼잣말로) 살인이라……

장기현   제가 별명이 '안전박사'입니다. 안전 매뉴얼대로 한 치 오차 없이 관리하며 평생 일했는데, 정말 죽고 싶습니다. 재판장님.

김가온, '안전박사'라는 말을 듣는 순간 소름이 끼친다.

강요한   (V.O.) 박사는 만났고?

멍하니 강요한을 응시하는 김가온. 주일도, 스크린을 보는데 빨간 그래프가 무서운 속도로 올라가고 있다. 82%, 86%, 91%, 참여자 수도 급증한다. 160만, 180만, 210만…… 경악하는 주일도.

S#65. 지하철 안 (낮)

성난 표정의 승객들, 디케 앱 빨간 화살표를 마구 눌러대고 있다. 그중 친구 사이로 보이는 이십대 초반 남성 세 명이 시끌시끌하다.

남성1	이 새끼 완전 쓰레기네.
남성2	더 볼 것도 없어! 완전 사형이야!
남성3	(화살표를 게임하듯 다다다다 눌러대며) 형량 최대로!

S#66. 피고인석 (낮)

패닉에 빠진 주일도, 벌떡 일어난다. 일제히 주일도를 클로즈업하는 카메라들.

주일도	(덜덜 떨며 버럭 소리친다) 재판장님! 억울합니다! 진짜 아닙니다! 저런 말은 한 적 없습니다! 살 만큼 산 노인네들이라뇨, 제가 왜 그런 소릴 하겠습니까!
고인국	(아차 싶어서 주일도의 옷자락을 잡으며 나지막이) 회장님!
강요한	(미묘한 미소를 지으며, 천천히) 저런 말은 한 적 없다…… 그럼 무슨 말을 했습니까?
주일도	네?
강요한	증인을 만난 거 자체는 부인하지 않는군요. 공장 현장관리자와 만나서, 그럼 무슨 말을 했습니까? (이제까지와 달리 매섭게 주일도를 응시하며) 피고인?
주일도	(당황해서 고인국을 쳐다보며 우물쭈물) 어, 그, 그게……
강요한	(날카롭게) 답변하세요! 온 국민이 지켜보고 있습니다.
김가온	(태도가 돌변한 강요한을 놀란 표정으로 쳐다본다. 머릿속이 혼란하다)
주일도	(집중된 카메라들을 보며 필사적으로 머리를 굴린다) 어, 제가 챙기는 업무가 워낙 많다보니 대화 내용까지 기억하지는 못합니다, 재판

장님.

강요한   (재판장석 태블릿을 클릭한다)

방금 전 주일도의 발언 영상이 스크린에 재생된다.
-진짜 아닙니다! 저런 말은 한 적 없습니다!

주일도   (말문이 막힌다)
강요한   (차갑게) 지금 국민을 바보 취급하는 겁니까?
주일도   그, 그게 아니라……
강요한   (무섭게 노려보며) 살 만큼 산 노인네들, 뭐 좀 어떠냐, 그게 무슨 뜻입니까, 피고인!
주일도   아닙니다……
강요한   (눈을 번뜩이며 법대를 붙잡고 몸을 점점 앞으로 내민다) 내 돈벌이에 눈이 멀어 남은 죽어도 상관없다! 그게 미, 필, 적, 고, 의, 에 의한 살인이라는 거 알고 있습니까, 피고인!

강요한 위 거대한 스크린 속 미친듯이 올라가는 빨간 그래프! 주일도, 공포에 질려 압도된 채 필사적으로 옆에 앉은 고인국을 본다. 고인국, 메모지에 조그맣게 '살인 X, 업무상 과실 O'라고 쓴 채 다급하게 밑줄을 좍좍 그으며 주일도를 올려다본다. 김가온, 이 모습을 지켜본다.

강요한   (송곳같이 매서운 표정으로 몰아친다) 피고인!
주일도   (어쩔 수 없다고 판단해) 죄송합니다. 보고를 받은 건 사실입니다. (고개를 푹 숙인다. 방청석, 술렁인다)
강요한   누출 사실을 보고받은 거, 인정하는 겁니까? 그러고도 인근 주민들이 죽어도 상관없다?

주일도   (O.L. 고개를 번쩍 들며) 그건 진짜 아닙니다!

강요한   …그러면?

주일도   그저 설마했던 겁니다. 그땐 누출량이 그렇게 많지도 않았고……
         설마 이렇게까지 될 줄은 정말 몰랐습니다. 살인이라뇨! 그건 정
         말 말도 안 됩니다.

강요한   미필적고의에 의한 살인은 부인하지만, 업무상 과실은 인정한
         다?

주일도   (고개를 떨구며) 죄송합니다. 제 불찰입니다. 제가 어리석었습니
         다. 설마하는 어리석은 마음에……

강요한   (싸늘한 표정으로) 어차피 곧 이전할 공장이었고, 그렇죠?

주일도   죽을죄를 지었습니다…… (낮게 흐느낀다)

김가온   (강요한을 멍하니 본다. 머리에 떠오르는 기억이 있다)

플래시백 >

망설임 없이 스쿨버스 운전자의 머리를 향해 총을 쏘는 강요한. 겁에 질
린 운전자가 핸들을 본능적으로 옆으로 꺾어 스쿨버스가 대법원 담장
에 부딪힌다.

김가온   (소름 끼친다. 망연자실 고개를 떨군 주일도와 옅은 미소를 짓고 있는 강
         요한을 번갈아 본다)

김가온의 머릿속에 불현듯 재판 전 민정호가 예측하던 이야기가 떠오
른다.

민정호(E) 대놓고 무죄를 때리진 않을 거야. 생색은 생색대로 낸 다음에 업무상 과실로 가볍게……

S#67. 유종백의 차 안 (낮)

증언을 마치고 운전하며 귀가중인 유종백, 불쾌한 표정이다.

유종백 에이씨, 안 할걸. 이게 무슨 개망신이야. 주회장 그 사람 땜에 참, 쿨럭! (가볍게 기침한다) 쿨럭, 쿨럭, (기침이 이어지자 의아해하며) 왜 이래 이거, 쿨럭! 쿨럭! 쿨럭! 쿨럭! (갑자기 발작하듯 심한 기침이 쏟아진다) 어어! 어! (공포로 커지는 눈동자, 흔들리는 시야)

순간 빠앙! 요란하게 경적을 울리며 반대 차선 차량이 정면에서 돌진하듯 지나간다. 겁에 질린 유종백, 핸들을 꽉 쥔다.

S#68. 대법정 (낮)

스크린의 빨간 그래프는 97%를 가리키고 있다. 참여자 수 250만 명.

고인국 증인의 거짓말 한두 마디로 살인죄를 인정한다면 이 재판은 웃음거리가 되고 말 겁니다. 철저히 법치주의에 입각한 판결을 부탁드립니다, 재판장님!

강요한 (미소 지으며) 명심하겠습니다. 잠시 휴식 후에 판결을 선고하겠

습니다. (자리에서 일어서서 퇴정한다)

S#69. 피고인석 (낮)

주일도, 고인국 쪽으로 몸을 숙여 나지막이 속삭인다.

주일도　5년이랬지? 업무상 과실.

고인국　걱정 마십쇼. 가석방은 저 판사가 아닌 법무부 권한입니다.

주일도　(분한 듯) 살인이라니, 장기현이, 그놈은 도대체 왜 그런 거짓말을……

S#70. 법무부장관실 (낮)

차경희　(흥분한 채 일어서서) 이게 뭐야! 강요한 이 자식, 지금 뭐하는 수작이야!

비서　(애써 차경희를 진정시키며) 고정하십시오, 장관님. 강판사도 뭔가 생각이 있을 겁니다.

차경희　생각은 무슨 생각!

비서　강판사도 야심이 있는 인물입니다. 카메라 앞에서 폼은 충분히 잡았으니, 법을 들먹이며 적당히 선고하겠지요. 판사들, 원래 그러지 않습니까?

차경희　(불만스럽지만 납득하는 듯) 흐음……

S#71. 대기실 앞 복도 (낮)

PD가 흥분한 채 달려온다. 손에는 각종 그래프와 숫자가 가득한 종이
가 들려 있다.

PD   대박입니다! 평균 시청률 11.4%에 분당 최고 14.7%까지 찍었
         어요! 2049 시청률도 6%가 넘습니다!

오진주   (반색하며) 그래요?

김가온   (PD를 쏘아보며) 재판이 예능입니까?

PD   그, 그게 아니고요. 국민적 관심이 그만큼 높다는 말씀입니다. 판
         사님. (PD를 지나쳐 대기실로 향해 가는 세 판사)

PD   (다른 스태프들에게 투덜댄다) 까칠하시긴. 이거 독점중계권 따내
         느라 투자를 얼마나 했는데…… (싱글거리며) 회장님 입이 찢어
         지시겠다!

S#72. 고속버스터미널 대합실 (낮)

TV 화면에서는 한창 중간광고중이고 '폐수 사건 생중계 곧 판결 선
고!'라는 자막이 떠 있다. TV를 보고 있는 여행객들.

여행객1   (투덜대며) 아따, 뭔 광고가 이리 길어!

S#73. 대법정 (낮)

다시 법대로 돌아오는 세 판사에게로 조명과 카메라 집중되고, 방청석도 초집중 상태다. 세 판사 모두 자리에 앉자 카메라는 모두 재판장 강요한을 향한다.

강요한   판결을 선고하겠습니다.

주일도, 일어서서 고개를 숙인다.

강요한   재판을 지켜보신 국민 여러분의 의견은 무겁게 받아들입니다. 고심했습니다만, 현재 제출된 증거만으로 살인의 고의를 인정하는 건 무리라는 결론에 도달했습니다.

방청석에서 한숨 소리와 불만 섞인 웅성거림이 들린다. 고개 숙인 주일도의 입가에는 안도의 미소가 번진다.

S#74. 고속버스터미널 대합실 (낮)

실망하는 여행객들.

여행객1   에이, 뭐야!
여행객2   그럼 그렇지, 대한민국 법이 어디 가겠어?

S#75. 대법정 (낮)

강요한   다만, 피고인이 자백한 대로 예비적 공소사실인 업무상 과실치사 및 치상은 유죄로 인정됩니다. 업무상 과실치사상의 법정 최대 형량은 5년이고요.

방청석에서 "5년?" 하며 실망하는 소리가 여기저기서 들린다.

김가온   (체념한 표정이다)
강요한   다만!
주일도   (흠칫하며 고개 숙인 채 강요한을 힐끗 본다)
강요한   작년에 통과된 사법개혁법안 중에는, 피해자별 형량을 합산한 범위 내에서 선고할 수 있다는 조항이 있습니다.

순간, 김가온, 경악하며 강요한을 뚫어져라 처다본다.

차경희   (벌떡 일어서서 경악하며) 설마?!

강요한, 안타까운 표정으로 잠시 말을 멈추었다가 결심한 듯 정면을 응시하면, 갑자기 대법정 안의 모든 스크린이 검게 변한다.

김가온   ……?
강요한   김순자씨, 박명순씨, 이정로씨, 배명재씨, 유소영 어린이.

강요한의 호명에 따라 검은 스크린에 피해자들의 이름과 흑백 사진이 마치 죽은 이들을 추모하듯 천천히 흐른다. 방청석의 피해자들과 유족들, 왈칵 눈물을 쏟는다.

강요한   정근화씨, 이갑근씨, 김동재씨.

마음에 새기듯 한 명 한 명 이름을 부르는 강요한의 목소리에도 얼굴에도 감출 수 없는 안타까움과 분노가 스며들고, 김가온, 피해자들을 보며 애써 눈물을 참는다. 옆의 오진주는 벌써 눈이 빨갛다. 고개를 숙이며 얼른 손수건을 꺼내 눈물을 닦는 오진주. 카메라, 놓치지 않고 오진주를 클로즈업한다.

S#76. 시내 곳곳 (낮)

길을 걷던 행인들도 발걸음을 멈추고 추모하듯 대형 전광판에 새겨지는 피해자들의 이름을 바라본다. 눈물을 닦는 사람들도 있다. 천천히 흘러가는 피해자들의 이름 중 김동재가 클로즈업된다.

S#77. 병실 (낮)

병상 발치의 환자 카드에 쓰인 이름, 김동재와 오버랩된다. 다른 환자들과 가족들은 TV 앞에 모여 있지만 의식을 잃은 남편 곁을 차마 떠나지 못해 병상 옆에서 핸드폰을 든 채 흐느끼며 울음을 삼키는 김동재의 부인.

S#78. 대법정 (낮)

이름을 모두 부른 후 맺힌 눈물을 감추느라 잠시 허공을 응시했다가 정면을 다시 보는 강요한.

강요한   어리석은 탐욕 때문에 죄 없는 이들의 생명을 앗아가고, 남은 이들도 평생 고통 속에서 살도록 만든 피고인에게.

주일도, 정신이 나간 듯 입을 벌린 채 벌벌 떨고 있다.

강요한   피해자 47명에 대한 형량을 합산한 범위 내에서 (주일도를 응시하며) 금고 235년을, 선고한다!

주일도, 충격으로 휘청하고, 방청객들은 열광, 환호한다!

S#79. 길거리/순찰차 (낮)

파트너 형사 박종훈과 함께 앉아 있던 윤수현, 창밖을 힐끗 본다.

윤수현   잠깐 세워봐.
박종훈   왜?
윤수현   아, 세우라고!

갓길에 멈춰 서는 순찰차. 윤수현, 문을 열고 뛰듯 내려서는 빌딩 위 대형 전광판을 본다. 거리엔 전광판을 보며 박수치고 환호하는 행인들이 있다. 강요한 얼굴 밑에 큼지막한 자막이 뜬다.

'사법사상 최장 형량 선고, 235년.'

윤수현, 전광판을 벅찬 표정으로 쳐다본다.

S#80. 청와대 대통령 집무실 (낮)

재판을 지켜보던 허중세. 어이없다는 표정으로 씩 웃고 있다.

S#81. 법무부장관실 (낮)

차경희, 망연자실해 자리에서 일어난다.

S#82. 대법정 (낮)

강요한   (주일도를 향해 묘한 미소를 지으며) 장수하십쇼. …부디.

교도관들, 무대 위로 올라와 주일도의 팔을 좌우에서 잡고 데리고 내려 간다. 넋이 나간 듯 휘청거리며 끌려가는 주일도. 자꾸만 고인국 쪽을 돌아본다. 그런데 고인국, 이상할 정도로 태연하다.

주일도   (넋이 나간 듯 되뇐다) 고변, 5년이랬잖아, 5년……

S#82-1. 재단 이사장실 (낮)

정선아가 묘한 미소를 띠고 TV 화면 속 강요한 얼굴을 바라본다.

정선아 재밌네. 우리 강판사님. 아주 깜찍해. (눈빛이 서서히 매서워진다)

S#83. 대법정 (낮)

재판부, 자리에서 일어서고 카메라가 꺼진다. 헤드셋을 벗고 정리하는 카메라맨. 방청객도 자리에서 일어나 나가고 있는데, 맨 앞줄, 흐느끼던 피해자 할머니 한 분이 일어선다. 나가려다가 멈추는 강요한. 두 판사에게 눈짓을 하더니 다시 앉는다.

할머니 (울음 섞인 목소리로 연신 고개를 조아리며) 판사님, 이 늙은이는 이제 죽어도 여한이 없습니다…… 금쪽같은 외손녀를 잃고 목을 맨 김순자가 제 동생입니다.

강요한, 살짝 눈물 맺힌 눈으로 고개를 끄덕이며 진지하게 경청한다. 김가온도 오진주도 안타까운 표정으로 귀를 기울인다.

할머니 저도 따라 죽으려고 몇 번을 해봤는데, 명줄이란 게 어찌나 질긴지 맘대로 안 되더라고요…… 저 나쁜 놈들 때문에 동생도 잃고, 이웃도 잃고…… (흐느낀다)

안타깝게 경청하던 김가온, 힐끗 옆을 보고는 경악한다. 강요한을 자세히 보니, 살짝 고개를 숙이고 두 손을 얼굴 앞에 맞잡아 침통한 표정을 짓는 것 같지만 입으로는 살짝 하품을 하고 있는 게 아닌가! 눈가에는 눈물이 맺혀 있다. 김가온, 순간 얼어붙는 듯한 느낌이 든다. 강요한을 응시한다.

플래시백 >

안전박사라고 말하는 장기현. '박사는 만났고?' 강요한의 통화 내용. 메모지에 밑줄을 좍좍 그으며 주일도를 쳐다보던 고인국. 강요한이 기다리는 일식집으로 들어가는 고인국. 강요한이 PD에게 무엇인가 전달하던 모습. 강요한이 준 메모리를 컴퓨터에 꽂는 PD의 모습. 갑자기 스크린에 흘렀던 피해자들의 이름과 사진. 눈물 맺힌 채 피해자들의 이름을 부르던 강요한의 모습.

김가온   (모든 퍼즐을 맞춘 듯한 표정이다)

시선이 느껴졌는지 김가온을 힐끗 보던 강요한, 멈칫하더니 천천히 묘하게 웃는다. 강요한과 김가온, 세상에 두 사람만 있는 양 서로를 응시한다. 서로의 속내를 꿰뚫어보려는 듯이. 그 위로 타이틀, **악. 마. 판. 사.**

2부

사냥감과 사냥꾼

S#1. 판사실 복도 (저녁)

재판을 마치고 판사실로 돌아오는 세 판사. 한발 앞서 걷는 강요한은 가볍게 미소를 띤 표정, 오진주는 아직도 가슴이 뛰는지 잔뜩 상기된 표정인데, 김가온은 의혹과 두려움, 분노가 뒤섞인 혼란한 표정이다. 김가온의 시선 가득, 앞서 걷는 강요한의 뒷모습이 점점 클로즈업된다.

플래시백 >

할머니의 호소를 안타깝게 경청하던 김가온, 힐끗 옆을 보고는 경악한다. 강요한을 자세히 보니, 살짝 고개를 숙이고 두 손을 얼굴 앞에 맞잡아 침통한 표정을 짓는 것 같지만 입으로는 살짝 하품을 하고 있는 게 아닌가! 눈가에는 눈물이 맺혀 있다. 시선이 느껴졌는지 김가온을 힐끗 보던 강요한, 멈칫하더니 천천히 묘하게 웃는다. 김가온, 소름이 끼친다. 옆에서 오진주가 뭐라 뭐라 수다를 떠는 것 같은데, 김가온의 귀에는 아무것도 들리지 않는다.

S#2. 강요한 부장판사실 앞 (저녁)

오진주(E)   (의아해하며) 김판사 뭐해?

김가온, 정신을 차리고 보니 어느새 강요한의 방문 앞이다. 손을 내밀고 있는 강요한.

강요한   수고 많았어. 김판사.

김가온   (어색하게 강요한의 손을 잡으며) 수고…… 많으셨습니다.

강요한   (오진주에게도 손을 내밀며) 수고 많았어요.

오진주   (두 손으로 강요한의 손을 꽉 잡으며) 아녜요! 제가 한 게 뭐 있나요! 오늘 정말 수고 많으셨어요!

강요한, 미소 지으며 살짝 목례하더니 방문을 연다. 오진주, 김가온도 목례하고 자기들 방으로 향한다.

강요한(E)   잠시만.

돌아보는 두 판사.

강요한   수고들 했는데, 오늘 저녁이나 할까?

오진주   좋아요! (김가온을 돌아본다)

김가온	……
강요한	물론 안 내키면 말고.
오진주	(뭐하냐는 듯 김가온을 향해 얼굴을 찌푸리며 답을 재촉한다)
김가온	…알겠습니다.
강요한	그럼. (방문을 열고 들어간다)

S#3. 배석판사실 (저녁)

방으로 들어온 오진주, 만세를 부르며 법복을 입은 채 소파에 아무렇게나 털썩 눕는다. 구불구불 물결치는 웨이브 진 머리카락이 소파에 휙 펼쳐진다.

오진주	아우~ 끝났다. 끝났어! 긴장돼서 쉬 마려워 죽는 줄 알았네! (부르르 떤다)
김가온	(그제야 긴장이 풀린 듯) 힘드셨겠어요.
오진주	응! 사방에서 조명이 비추고 카메라가 나만 쳐다보는데, 와, 이건, 길바닥에 발가벗고 서 있는 거 같더라구!
김가온	(살짝 미소 지었다가 다시 생각에 잠기며) 오판사님.
오진주	왜?
김가온	…사람이 눈물 흘리면서 하품할 수도 있나요?
오진주	응? (갸우뚱하며) 글쎄…… 난 하품할 때마다 눈물이 나긴 하는데. 그건 왜?
김가온	(쓴웃음 지으며) 아니에요.
오진주	(소파에서 벌떡 몸을 일으키며) 근데, 짜릿하더라. 온 국민이 날 쳐

다보는 느낌. (표정 조금씩 변하며 혼잣말하듯) 하긴, 내가 아니지. 부장님을 봤겠지. …내가 아니라.

김가온   …오판사님?

오진주   (언뜻 정신이 돌아온 듯 다시 호들갑 떨며) 어휴, 내가 아니라 얼마나 다행이야! 나 같으면 떨려서 틀림없이 사고 쳤을 거야! (자리에서 벌떡 일어나며) 맞다! 그보다 저녁 사주신댔지! 김판사 기대 안 돼?

김가온   기대…… 요?

오진주   (눈을 동그랗게 뜨며) 우리 부장님, 엄청난 집안의 상속자래매. 분명 엄청 미식가일 거야. 그런 사람들은 대체 뭘 먹는대니?

S#4. 고급 레스토랑 (저녁)

통유리창 너머 서울의 전경(또는 한강)이 내려다보이는 모던하고 우아한 공간. 갤러리 같은 느낌이다. 다른 손님은 아무도 없고 딱 한 테이블만 있다. 테이블 위에는 예술작품같이 아름다운 요리가 놓여 있다.

강요한   (뒤에 서 있는 웨이터에게) 셰프한테 메인 내오라고 하세요.

웨이터   네, 판사님. (주방으로 사라진다)

오진주   저기, 부장님은 취미가 뭐세요? 골프나 테니스나, 뭐 이런 거?

강요한   (요리를 먹으며) 사냥.

오진주   사냥? (손으로 총 쏘는 시늉하며) 탕! 토끼 잡고, 이런 거?

강요한   그런 놈은 재미없어요. (우적우적 음식을 씹으며) 센 놈이 재밌지.

이때, 웨이터 세 명이 덮개를 씌운 메인 요리를 가져와 세 판사 앞에 서 브한다. 웨이터들이 일세히 덮개를 열자 피가 뚝뚝 떨어지는 고기 요리 와 가니시가 보인다. 셰프도 나와서 강요한 옆에 서 있다.

오진주   (살짝 당황하지만 애써 태연하게) 맛있겠다~ 무슨 고기예요?

셰프   (미소 지으며) 야생 멧돼집니다. 아주 큰 놈이죠.

오진주   설마, (강요한을 보며) 직접?

강요한   (고기를 썰며) 유해 조수 수렵 허가가 있습니다. (미소 지으며) 아 주 짜릿하죠. (김가온을 빤히 보며) 송곳니를 드러내며 달려드는 놈 눈 사이를 쏠 때. (고기를 입에 집어넣는다)

오진주   네에……

강요한   (고개 숙인 채 음식을 먹다가 갑자기 툭 던지듯) 맛있어요?

오진주   네?

강요한   (계속 먹으며) 이거.

오진주   네! 전 이런 거 처음 먹어봐요! 어쩜 이렇게 새롭고, 맛이 깊고……

강요한   (O.L.) 부럽군요.

오진주   네?

강요한   (무심하게) 난 맛을 잘 모릅니다. 내게 음식이란, 글쎄 뭐랄까……

오진주   (눈을 동그랗게 뜨고 강요한을 보고 있다)

강요한   …씹는 감각?

오진주   (의아한 표정으로) 씹는…… 감각이요?

강요한   앞니로 잘근잘근 자르고, 어금니로 우적우적 씹고, 송곳니로 죽 죽 찢어내는. 뭐 그런? (싱긋 웃으며) 이빨로 음식을 느낀달까요.

김가온   …동물한테나 쓰는 말입니다.

강요한   (힐끗 김가온을 본다)

김가온   (강요한을 응시하며) 이빨이라는 말.

강요한   (이를 드러내고 씩 웃으며) 인간도 동물 아닌가?

김가온   사람은 '이'라고 하죠.

오진주   (얼른 상황을 무마하려) 에유, 이나 이빨이나. 근데 맛을 모르시다
         뇨. 어릴 적부터 너무 좋은 것만 드셔서 무감각해지신 거 아녜요?
         호호.

강요한   (순간 미소가 사라진다) 어릴 적부터라⋯⋯

오진주   에이, 부잣집 도련님이셨잖아요. 태어날 때부터.

강요한   (무표정하게) 태어날 때부터. (포크로 접시를 톡톡 친다)

인서트 > 3부 69-1신.

저택 담장 앞에 놓인 쓰레기함에 포대기에 싸인 아기가 버려져 있다. 아
기가 떠나갈 듯 울고 있다.

김가온   (그런 강요한을 주의깊게 본다)

오진주   (의아한 표정으로) 저기, 제가 뭐 말실수했나요?

강요한   (다시 싱긋 웃으며) 아닙니다. 맞아요. 나 금수접니다. 알아요? 돌
         아가신 우리 아버지.

오진주   네?

강요한   사채업자였어요. 2대째. 아주 악덕.

김가온   (강요한을 쳐다보며 툭 던지듯) 피도 눈물도 없는?

오진주   (당황하며) 김판사!

강요한   (순간 표정이 굳었다가 다시 미소 지으며) 역시 사채업 핵심을 잘 아
         네? 김판사, 빚 많은 집에서 컸지, 아마?

김가온   (순간 얼굴이 굳으며) 배석판사 뒷조사도 하십니까?

강요한   우린 한 재판부잖아. 서로 알아야지. (김가온을 빤히 보며) 부친께
          서 전 재산을 사기당하고 자살하셨던가?

김가온   (흠칫 놀란다)

인서트 >

교복 차림의 김가온이 방으로 들어서다가 뭔가를 보고는 하얗게 질리
며 바닥에 주저앉는다.

오진주   (놀라서 얼굴이 하얘진다)

강요한   (순간 걱정하는 표정으로 바뀌며) 이런, 미안해. 내가 말실수를 했
          네.

김가온   (O.L.) 피도 눈물도 없으면서.

강요한   ······

김가온   (강요한을 노려보며) 있는 척 연기하는 거, 그게 사채업 핵심 아닙
          니까?

오진주   (안절부절못하며) 김판사, 부장님이 일부러 그러신 건 아닐 거
          야······

강요한   (아무렇지도 않게 김가온만 보며) 역시 잘 아네. 희망을 팔아서, 공
          포로 갚게 하는 거거든.

김가온   (굳은 표정으로 강요한을 노려본다)

강요한   울 아버지, 꼬박꼬박 고해성사 하러 가더라고. (김가온을 빤히 보
          며) 채무자가 자살하는 날마다.

김가온   (충격을 받고 놀란다)

강요한	(싱긋 웃으며) 왜? 그런 사람 밑에서 크는 거, 상상이 안 되나?
오진주	(당황해서) 죄, 죄송해요. 제가 괜한 얘길 꺼내서……
강요한	(O.L.) 죄송은. 그런 사람 밑에서 크는 거, 나름 재밌습니다. (미소 짓는다)
김가온	(필사적으로 감정을 억제하며, 냅킨을 테이블 위에 툭 놓는다) 먼저 일어나겠습니다.
강요한	(힐끗 김가온을 본다)
김가온	(일어서며) 영 속이 안 좋네요. (강요한을 내려다보며) 비위가 약해서 말이죠.

떠나는 김가온을 처다보는 강요한, 싱긋 웃는다. 어쩔 줄 몰라 얼굴을 찡그린 채 억지로 웃는 오진주.

S#5. 청와대 대통령 집무실 (저녁)

허중세와 독대하고 있는 차경희.

차경희	(분통 터지는 듯) 강요한, 이 인간 가만 놔두면 안 되겠습니다! 재판이 장난도 아니고, 235년? 노인네들 이름 부르면서 눈물 고인 척하는데 진짜.
허중세	(O.L.) 그거 어려워.
차경희	네?
허중세	내가 배우 시절에 해봐서 아는데, 칼 타이밍에 즙 짜는 연기, 그거 진짜 어려워. (진심으로 탄복하며) 어떻게 안약도 안 넣고 그게

되지? 내가 그런 게 약해서 외모는 되는데 주연을 못해봤다니까.

차경희   (차갑게 허중세를 쳐다보며) 지금 원 없이 하고 계시지 않나요? 주연.

허중세   (순간 표정 굳었다가 풀어지며) 글쎄, 내가 주연 맞어?

차경희   ……

허중세   (히죽 웃으며) 진짜 센 캐들이 줄줄이 계셔서 말야, 난 아직도 내 포지션을 모르겠네?

차경희   (눈을 가늘게 뜨며 천천히) 자알 아시는 줄 알았는데요.

허중세   ……!

차경희   (싱긋 비웃듯) 당연하지 않습니까. 지도자시죠. 위기에 처한 이 나라의.

허중세   (노려보다가 O.L.) 주회장 잃은 게 많이 아픈가봐?

차경희   (허를 찔린 듯) 예?

허중세   아니 그냥. 다른 재벌은 여럿 잡아넣던 양반이 왜 유독 이번엔 나라 걱정이 심하신가…… JU케미컬을 각별히 아끼시는, 내가 모르는 이유가 있나……

차경희   (표정이 굳는다)

허중세   (싱긋 웃으며) 에이, 그냥 막 던진 거야. 내가 상상력이 풍부해서 말야. 예술가 출신이라.

차경희   (위협하듯) 재단에서도 안 좋아할 텐데요. 최고액 기부자 중의 하나를 이렇게……

허중세   (싱글거리며) 글쎄? 서선생도 싫지 않은 눈치던데?

차경희   (의외인 듯 찡그리며) 예?

S#6. 밤거리 (밤)

지하도를 빠져나와 거리를 걷는 김가온. 셔터를 내린 가게들, 요란한 경적 소리를 내고 불빛을 번쩍거리며 도로를 떼 지어 질주하는 배달 오토바이 폭주족들, 쓰러진 노숙자들을 후송하는 재단 마크가 찍힌 앰뷸런스 등이 보인다. 장기 불황으로 황량해진 거리.

S#7. 이영민의 차 안 (밤)

꽝음을 울리며 나타난 고급 차량. 거리를 한 바퀴 도는 듯하더니 갑자기 차선을 바꾸며 하수가 역류한 물웅덩이 쪽으로 바짝 붙어 지나간다. 인도 쪽으로 파도치듯 튀는 구정물. 구정물을 뒤집어쓴 청년들, 몰려나와 욕설을 하며 쫓아가보지만 멀어지는 차. 운전자, 차창 밖으로 손을 내밀어 흔든다. 이영민이다. 전화벨이 울린다.

친구(F)	(쿵쿵쿵 시끄러운 클럽이다) 야, 뭐해?
이영민	(싱글거리며 거리를 구경한다) 사파리.
친구(F)	또? 인간아, 빨리 와.
이영민	쫌만 더 놀고.

이영민, 앞을 보더니 킥! 웃으며 차창을 올리고 액셀을 밟는다.

S#8. 밤거리 (밤)

빠르게 달리는 이영민의 차. 횡단보도 앞, 신호가 바뀌고 노인이 자전거 짐칸에 폐지와 박스 등을 잔뜩 실은 채 비틀비틀 힘겹게 페달을 밟고 있다. 달려온 이영민의 차가 갑자기 노인의 자전거 쪽으로 차선을 급변경하며 스쳐간다. 놀라 옆으로 쓰러지는 노인과 비명을 지르는 사람들. 조금 앞으로 가서 급제동한 이영민, 운전석 유리창을 내리고는 입꼬리를 올리며 웃는다.

이영민   (손을 살짝 들며 원어민 발음으로) Sorry.

이영민, 킥 웃으며 차창을 올리고 액셀을 밟으며 멀어진다. 김가온, 놀란 눈으로 달려가 노인과 자전거를 일으켜 세우며 도와준다.

김가온   괜찮으세요, 어르신?
노인   (자전거를 챙기며) 됐슈. 고맙네.

김가온, 힘겹게 다시 자전거를 끌고 가는 노인을 바라보며 착잡해한다.

S#9. 대형마트 안 (밤)

냉장고를 열고 커피를 집어드는 손, 김가온이다. 순간 들려오는 시끄러운 소리에 김가온, 무슨 일인가 싶어 돌아보니 마트 전광판에 '유통기한 임박 식품류 세일'이라고 적혀 있다. 몰려든 사람들이 혼란을 자아내고 있다. 악다구니를 쓰며 서로 밀쳐내고, 뒤에서 붙잡고, 비명 지르는 생지옥 같은 풍경 앞에 망연자실한다.

-비켜! -내가 먼저 왔어! -밀지 마요! -사람이 깔렸어요!

사람이 깔렸다는 소리에 놀란 김가온, 사람들 사이로 뛰어든다.

-에이씨! -뭐야!

짜증내는 사람들 사이로 겨우겨우 파고들며 바닥 쪽을 살피는 김가온. 갑자기 김가온의 얼굴에 주먹이 날아온다. 퍽 소리와 함께 입술이 터져 피가 흐른다. 김가온의 멱살을 잡는 억센 손. 눈에 핏발이 선 중년 회사원이다.

회사원   왜 새치기해, 이 새끼야!

김가온   (손을 확 뿌리치며 매섭게 노려본다) 비켜!

중년 회사원이 멈칫하는 사이, 앞사람들을 밀쳐내고 바닥에 엎드려 있는 몸집 작은 사람을 부축해 일으키는 김가온. 교복 입은 여고생이다. 옷이 찢기고 단추가 터지고 얼굴은 창백한데 손에는 지폐 몇 장을 꽉 움켜쥐고 있다. 아랑곳 않고 가판대 쪽으로 밀어붙이는 사람들 사이에서 예의 중년 회사원이 여고생을 감싸고 있는 김가온의 멱살을 낚아챈다.

회사원   쇼하지 말고 뒤로 가! 어디서 개수작이야!

중년 회사원의 팔을 잡아 판매대 쪽으로 밀쳐버리는 김가온. 쌓인 식료품들이 쏟아지고 모여든 사람들은 일제히 동작을 멈춘다.

김가온   (회사원의 손에 든 비닐봉투를 가리키며) 그거, 누구 줄 거죠?

중년 회사원, 멍하니 김가온을 본다. 그의 손에 들린 음식은 '아이들이
좋아해요! 토끼 모양 치킨 너깃'과 우유, 아이용 음료수 등이나.

김가온   (사람들의 눈을 차례로 보며) 우리, 짐승 아니잖아요.

그제야 정신이 난 듯 한 발씩 한 발씩 뒤로 물러나 공간을 만들어주는 사
람들. 그 한가운데에 김가온이 여학생을 부축하고 서 있다. 뭔가에 압
도된 듯 김가온을 멍하니 쳐다보는 사람들. 그중 한 아주머니가 김가온
을 알아본다.

아주머니1   어? 테레비에 나온 판사님 아니야?
아주머니2   맞네! 징역 200년 때리던!

사람들 흥분하며 다가와 김가온의 손을 잡고, 어깨를 만진다.

아주머니1   (연신 고개를 꾸벅이며) 고맙습니다, 고맙습니다. 판사님.
아주머니2   (눈물까지 흘리며) 정말 감사해요.
김가온   (당황해서) 네?
노인   (다가와 김가온의 손을 꼭 부여잡으며) 몇 년 만에 처음, 속이 뻥 뚫
리는 기분이었소. 살맛나는 느낌이 대체 얼마 만인지……
아주머니1   네! 나쁜 놈들 좀 혼내주세요! 힘없는 사람들 짓밟는 죽일 놈들
좀!
김가온   (뭐라 할말이 없다. 복잡한 기분이다)
아주머니2   (김가온의 손에 캔커피를 쥐여준다)
김가온   (당황하며 안 받으려 한다) 아니, 괜찮습니다.

아주머니2   제발 받아주세요…… 뭐라도 드리고 싶은데, 가진 게 없어서……
(눈물을 훔친다)

사람들에게 둘러싸여 멍하니 서 있는 김가온.

S#10. 김가온의 집 (밤)

꽃과 나무가 가득한 김가온의 옥탑방 마당. 난간에 걸터앉아 외로이 도
시를 바라보고 있는 김가온. 어두운 동네 곳곳에 빨간 교회 십자가만 가
득해서 마치 커다란 묘지 같다. 착잡한 표정의 김가온.

플래시백 >

법정에서 김가온을 보며 소름 끼치게 씩 웃는 강요한.

김가온, 긴 한숨을 쉰 후 손에 든 캔커피를 따서 한 모금 마신다. 그렇게
쓸쓸한 김가온의 뒷모습에서 암전.

S#11. 사회적책임재단 건물 앞 (낮)

'사회적책임재단' 현판이 걸려 있는 고풍스러운 건물 앞에 검정색 세단
이 멈추더니 차경희가 내린다.

S#12. 재단 이사장 부속실 (낮)

정선아, 책상에 앉아 일하고 있다. 문이 벌컥 열리더니 차경희가 성큼 성큼 들어온다.

정선아   (벌떡 일어나며) 장관님.

차경희   (대뜸) 서선생 계시지?

차경희, 안쪽에 있는 이사장실 문을 향해 다짜고짜 가는데, 정선아, 이사장실 문 앞을 막아선다.

정선아   명상중이십니다. 약속도 없이 이렇게 불쑥 오시면……

차경희   (O.L.) 비켜! (정선아를 위아래로 보며) 어디서 비서 나부랭이가 감히……

정선아   (얼굴 굳으며) 장관님, 이러시면 곤란합니다.

차경희   곤란? 당신들 지금 너무 기고만장한 거 아냐? 대통령이 선생님, 선생님 해주니까, 진짜 무슨 국가원로라도 된 줄 알어?

정선아   (차경희를 잠시 응시하다가 눈을 내리깔며) 알겠습니다. (이사장실을 노크하며) 이사장님, 법무부장관님 오셨습니다.

S#13. 재단 이사장실 (낮)

공자와 주자의 초상, 부처와 관세음보살상에 신선도까지, 유불선儒佛仙의 상징물이 뒤섞여 있는 이사장실, 마치 사당 같다. 불경 소리가 음산하게 흐르는 가운데 한복 차림에 머리는 풀어헤친 채 방 한가운데 뒤돌아 앉아 가부좌를 틀고 있는 서정학.

차경희   애기 좀 합시다.

서정학   ……

차경희   내 말 안 들립니까!

서정학   …뜻대로 안 돼서 노여우신가.

차경희   뭐요!

서정학   (천천히 몸을 돌려 한 무릎을 세우고 앉으며 미소 짓는다) 왜 여기 와서 난데없이 행팬가.

차경희   시범재판 어떻게 돌릴지는 다 합의된 거 아닙니까? 근데 이렇게 뒤통수를 쳐?

서정학   (굳은 표정으로) 좀 뜻밖이긴 하더구만.

차경희   잡범들 때려잡아서 대중들 분풀이나 하라고 만들어놨더니, 사회 분열을 조장하는 것도 모자라서 나까지 곤란하게 만들어?

서정학   …강판사도 자기 입장이 있었겠지. 시작부터 큰 건으로 대중을 사로잡은 거, 길게 보면 나쁠 건 없어.

차경희   지금까지 뒤에서 그놈 키워준 게 당신 아닙니까! 허중세, 그 인간을 살살 구슬려서!

서정학   …성급히 판단할 일은 아니야.

차경희   생각 잘하세요. 나 물 멕이고 허중세랑 손잡는 게 득이 될지. 나도 가만히 안 있을 겁니다.

서정학   (O.L.) 할말 다 하셨으면 돌아가보시게. (다시 뒤돌아서 가부좌를 튼다)

차경희   (노려보다가 획 돌아나간다)

S#14. 재단 이사장 부속실 (낮)

이사장실 문을 열고 나온 차경희, 방안을 힐끗 노려본다.

차경희   …요사스런 늙은이.

정선아(E) …이번 재판 결과, 꼭 부정적이기만 할까요?

차경희   (돌아보며) 뭐야?!

정선아   (그래프와 수치가 적혀 있는 문서를 내밀며) 17프로.

차경희   (문서를 받아 들여다본다)

정선아   방금 나온 여론조사예요. 여당 지지율이 17프로나 올랐네요.

차경희   …흐음.

정선아   (미소 지으며) 장관님이시잖아요? 여당 차기 대권 후보. 그리고.

차경희   ……?

정선아   차기 후보한테 줄 대고 싶은 기업은 많을 텐데요. JU케미컬보다
          훨씬 큰 데들도.

차경희   뭐? (놀라 정선아를 힐끔 본다)

정선아   (정중하게 허리 숙이며) 죄송합니다. 외람된 말씀이었네요. (고개
          를 들고 화사한 미소를 지으며) 비서 나부랭이가.

차경희   …흐음. (생각이 많아진 표정이다)

S#15. 길거리 농구장 (밤)

일대일 농구중인 김가온과 민정호. 김가온이 페인트로 멋지게 민정호
를 제치고 슛을 성공시키고는 검지를 좌우로 흔들며 윙크한다. 약 오른

표정의 민정호, 공을 건네받자 바로 슛을 시도하지만 공이 링을 맞고 튕겨나온다. 김가온이 점프해 공을 잡아챈다. 그 순간 민정호, 허리가 아픈지 찡그리며 허리를 굽힌다.

김가온   (걱정스레) 교수님?

김가온이 다가오는데 민정호, 갑자기 공을 인터셉트해서 재빨리 레이업슛을 성공시킨다.

김가온   와! 어이없네, 제자한테 사기를 쳐? 일국의 대법관이?
민정호   (공을 돌려주며 윙크하고) 페이크. 사기가 아니고.
김가온   저기요?

S#16. 청계천 (밤)

흐르는 청계천을 바라보며 앉아 있는 김가온과 민정호.

김가온   …뭐가 뭔지 모르겠어요. 봐주기 재판이라고 생각했는데, 외려……
민정호   놈들 속셈을 밝히기가 더 어려워졌어. 대통령 지지율은 올라가고…… 뭔가 우리가 모르는 거래가 있는 게 틀림없어.
김가온   (흐르는 물에 조그만 돌을 던지며) 그래도 결과적으론 잘된 것 같기도 하고.
민정호   (O.L.) 잘돼?

김가온	(또 돌을 던지려다 흠칫 멈춘다)
민정호	재판이란 게 그런 거야? 결과만 맘에 들면 돼?
김가온	…아닙니다. 재판 갖고 장난치면 안 되죠. 더 알아보겠습니다. 대체 무슨 짓을 한 건지.
민정호	(김가온을 바라보다가) 미안하네. 김판사. 이런 일을 시켜서.
김가온	그건 상관없는데요. (민정호 말투를 흉내내며) 김판사~ 이건 좀 닭살 돋아요. 야 이 꼴통 새끼야! 내 손에 함 죽어볼래! 이러던 땐 언제고.
민정호	(씩 웃으며) 아, 그거야 비행청소년 김가온 시절 얘기고.
김가온	깡패 교수님 시절 얘기겠죠. (민정호 말투를 흉내내며) 땅 냄새가 고소해? 들어가고 싶냐? (진저리를 치며) 어우…… 그게 애한테 할 소리예요?
민정호	어허! 일국의 대법관을 허위사실로 음해해? 정말 들어가볼래?
김가온	(어이없는 표정으로) 녜녜. 죽을죄를 지었습니다. 대법관님.

두 사람, 마주보고 웃음을 터뜨린다.

S#17. 강요한 부장판사실 (낮)

컴퓨터 모니터를 보고 있는 강요한. 노크 소리가 나더니 문이 열리고 김가온이 들어온다.

강요한	어, 김판사.
김가온	반납하러 왔습니다. (손에 든 『환경범죄론』을 들어 보인다)

강요한	(싱긋 웃으며) 이번엔 낮에 왔네?
김가온	(살짝 강요한을 흘겨보고는 책을 서가에 꽂고 돌아보며) 한 가지 걸리는 게 있는데요.
강요한	그래? 걸리는 게 있으시면 안 되지. (두 손을 좌우로 펼치며) 내 왼쪽에 앉는 '들러리'께서.
김가온	(발끈하며) 지금 뭐라……
강요한	(O.L.) 앉아서 얘기하지? (싱긋 웃더니 소파 상석에 앉는다)
김가온	(잠시 노려보다가 어쩔 수 없이 마주보고 앉는다)
강요한	그래 걸리는 게?
김가온	…이번 재판 때 장기현 증인 있잖습니까.
강요한	아, 그 '안전박사님'? (싱긋 웃는다)
김가온	('박사님' 소리에 도청한 것이 떠올라 자기도 모르게 움찔한다) 네.
강요한	그 증인이 왜?
김가온	(대뜸) 믿을 만하시던가요?
강요한	(김가온을 잠시 보다가) 무슨 얘기지?
김가온	(강요한의 표정을 살피며) 그렇게 줄줄 자발적으로 중요한 진술을 번복하는 증인은 본 적이 없어서 말이죠.
강요한	(태연자약하게) 양심에 가책을 받았나보지.
김가온	(어이없다는 듯) 양심에…… 가책이요?
강요한	(놀랍다는 듯) 저런, 김판사는 인간의 양심 같은 거 안 믿나?
김가온	…글쎄요. 감동은 못 받겠던데요. 의도가 보여서.
강요한	의도?
김가온	피고인한테 살인의 고의가 있었던 것처럼 대놓고 몰아갔지 않습니까? (다시 강요한의 표정을 살피며) 부장님은 대놓고 맞장구치시고……

플래시백 >

강요한 (놀랍다는 표정으로) 저런, 살 만큼 살았는데 어떠냐…… 설마 그런 얘기를 했단 말입니까?

강요한 대놓고? (날카롭게 김가온을 쳐다본다)

김가온 (지지 않고 마주 쏘아보며) 그때 처음, 적극적인 리액션을 하시던데요. 재판 내내 가만히 계시다가.

강요한 (김가온의 도발에 노려본다. 무시무시한 표정이다)

김가온 (대치하듯 마주본다)

강요한 (갑자기 씩 웃더니 속삭이듯) 나만 쳐다보고 있었나보네? 김판사.

김가온 (허를 찔린 듯) 예? 전 그냥.

강요한 (O.L.) 우리가 살인의 고의를 인정했나?

김가온 …그건 아니지만.

강요한 그럼 뭐가 문제지?

김가온 그 증언 때문에 피고인이 진술을 번복해서 업무상 과실을 인정했고.

강요한 (O.L.) 그럼 잘된 거 아냐?

김가온 결론만 맞으면 잘된 겁니까?

강요한 과정도 정의로워야 된다?

김가온 물론입니다. 그게 법치주의고 재판이니까요.

강요한 법치주의라…… 김판사, 재판의 목적이 정의일까?

김가온 (어이없다는 듯) 아닙니까?

강요한 재판이란 게임이야. 입증 못하면 지는 게임. 그런데 애초에 공정한 게임이 아니야. 조작하고, 은폐하고, 수사기관을 매수하고,

힘있는 놈들은 무슨 짓이든 해. 반대쪽에는 그저 분노하고 울부
짖는 수많은 군중이 있을 뿐이지.

김가온   (머리를 한 대 맞은 듯하다. 스쳐가는 기억들)

S#18. 김가온의 회상, 대법정 (낮)

플래시백 >

고인국   이 나라, 대한민국은 법치국가입니다! 철저히 법치주의에 입각
           한 판결을 부탁드립니다, 재판장님.
강요한   김순자씨, 박명순씨, 이정로씨, 배명재씨, 유소영 어린이.

           강요한의 호명에 따라 검은 스크린에 피해자들의 이름과 흑백 사진이
           마치 죽은 이들을 추모하듯 천천히 흐른다. 방청석의 피해자들과 유족
           들, 왈칵 눈물을 쏟는다.

S#19. 강요한 부장판사실 (낮)

김가온   (머리가 복잡하다)
강요한   (착잡한 표정으로) 김판사, 슬프지만 현실에 정의 따윈 없어. 게임
           만 있을 뿐이야. 지독하게 불공정한.
김가온   (고개를 번쩍 들어 강요한을 응시하며) 그렇다고 누군가가 정의를
           독점할 순 없습니다. 그건 인간의 영역이 아니에요!

강요한	(김가온을 노려보며) 지금 나보고 하는 소린가? 인간의 영역이 아

강요한	(김가온을 노려보며) 지금 나보고 하는 소린가? 인간의 영역이 아니면, …그럼 뭐라는 거지?

김가온	(팽팽하게 강요한과 눈싸움을 벌이다가) 너무 거창했네요. (자리에서 일어서며) 그럼.

강요한	(나가는 김가온의 뒤통수에 대고) 또 밤에 와도 돼.

김가온	(흠칫 돌아본다)

강요한	(싱긋 웃으며) 김판사라면.

김가온	(도청하러 들어간 걸 아는 걸까? 순간 표정 일그러졌다가 외면하고는 방을 나간다)

강요한, 김가온이 나가자 천천히 자리에서 일어나 창가로 간다. 어두운 방, 무거운 커튼을 살짝 들어올려 창밖을 멍하니 바라보는 강요한.

강요한(N)	…닮았어.

강요한, 셔츠 손목을 걷어올리자 힘줄이 붉거진 손목 위에 작은 십자가가 달린 얇은 팔찌가 있다. 십자가를 가만히 어루만지는 강요한.

강요한(N)	(잠시 고통스러운 표정이 스친다) 너무.

S#20. 강요한 부장판사실 앞 복도 (낮)

김가온, 품에서 핸드폰을 꺼낸다. 녹음 앱이 실행되고 있다. 김가온, 정지 버튼을 누르고는 생각에 잠긴다.

S#21. 윤수현의 자동차 안 (낮)

박종훈이 운전중이고, 윤수현은 조수석 의자를 뒤로 젖힌 채 편안한 자세로 휘파람을 불며 느긋하게 앉아 있다.

윤수현   (전화를 받으며) 가온아! 어, 그래. 괜찮아. 얘기해. 만나자구? 어…… 좀 바쁜데, 아니, 뭐 그럴 건까진 아니고. 잠깐 짬 내볼게. (전화를 끊더니 주먹을 불끈 쥔다) 예쓰!

범인(E)   데이트 가시나봐요.

윤수현   (뒤돌아보며 나긋나긋하게) 넌 조용히 하시고요.

범인   (깨갱하며) 넵.

뒷좌석 손잡이에 수갑으로 묶여 있는 범인.

S#22. 번화가/편의점 (저녁)

차를 세워놓은 채 편의점 스탠딩 테이블에서 얘기중인 윤수현과 김가온. 컵라면, 김밥 등이 둘 앞에 놓여 있다. 후루룩 컵라면을 들이켜는 김가온.

윤수현   (평소와 달리 세련된 차림의 윤수현, 실망하며) 이 얘기 하려고 만나잔 거였구나.

김가온   응. (그제야 윤수현의 차림이 눈에 들어온 듯 갸우뚱하며) 근데 너 잠복근무 나가니?

윤수현	(버럭하며) 그래! 아주 나쁜 쉐끼 잡으러 간다! 왜!
김가온	잘 어울려서.
윤수현	(짜증은 났는데 순간 살짝 심쿵한다. 티 안 내려 머리를 슥 쓸어넘기며) 뭔들 안 어울리겠니? 이 누나가?
김가온	(미소 지으며 그런 윤수현을 가만히 본다)
윤수현	(재빨리 말을 돌리며) 아무튼 그래, 그때 얘기한 '바람피운 애인'이 니네 부장이었다 이거지? 취향 참……
김가온	(픽 웃으며) 그걸 또 그렇게 갖다붙여서?
윤수현	그거 니가 댔던 핑계다. 아저씨 통화나 엿듣고, 어우.
김가온	…의심할 만한 이유도 설명했잖니. 여하튼. 넌 안 이상했냐구. 그 증인으로 나온 공장 현장관리자.
윤수현	글쎄다……
김가온	너도 피의자 조사 많이 하잖아. 사람들이 갑자기 비밀을 털어놓는 건 어떤 때지?
윤수현	그야 뭐…… 인간이란 게 가끔은 양심의 소리에 귀를 기울이는 순간이……
김가온	(O.L.) 장난치지 말고.
윤수현	(김가온을 슬쩍 째려보곤) 지가 살려고 부는 거지 뭐. 알면서 뭘 물어.
김가온	…우리 부장 통화에 나오는 '박사', 그게 그 증인이라면?
윤수현	에이, 설마. 너 지금 니네 부장이 증언 조작이라도 했다는 거야?
김가온	글쎄……
윤수현	야, 지금 그 양반 국민적 영웅이야. 국민 판사라고. (걱정스럽게) 어디서 그런 소리 하지 마. 칼 맞을라.
김가온	(갑갑해한다)

S#23. 시내 도로 (저녁)

마치 곡예 같은 끼어들기를 하며 거리를 위험하게 질주하는 이영민의
차.

S#24. 이영민의 차 안 (저녁)

이영민　(짜증스럽게 앞 차량들을 본다) 에이씨, 걸리적거려.

이영민, 상향등과 경적으로 주변 차들을 위협하며 운전하다 칼치기 차
선 변경으로 소형차 앞으로 확 끼어들더니 갑자기 브레이크를 밟는다.
소형차, 급제동한다. 뒷자리에 앉은 어린아이가 엄마! 하고 놀란다. 앞
차에 부딪히기 직전 공포에 질려 핸들을 꺾는 아이 엄마. 소형차는 아슬
아슬하게 충돌을 피해 인도로 올라가고, 마침 모금중이던 재단 성금함
과 부딪힌다. 흩뿌려지는 지폐와 동전들. 아이는 울고 사람들이 몰려든
다. 다친 사람은 없지만 거리는 순식간에 아수라장이 된다. 비웃듯 씩
올라가는 이영민의 입꼬리. 순간 액셀을 세게 밟고 튀어나가듯 출발하
는 이영민의 차.

S#25. 편의점 앞 (저녁)

윤수현　(뛰쳐나가며) 뭐 저런 새끼가 다 있어! 죽었어! (얼른 차에 올라탄
　　　　　다)

김가온   (뒤따라 타며) 저 차, 본 적 있어.

S#26. 시내 도로 (밤)

윤수현, 이영민의 차를 열심히 쫓는다. 이영민, 룸미러로 쫓아오는 윤
수현의 차를 힐끗 보더니 어이없다는 듯 픽 웃는다. 액셀을 밟으며 차량
들 사이사이를 칼치기하며 질주하는 이영민. 포기하지 않고 쫓아가는
윤수현.

S#27. 외곽 도로 (밤)

어느새 차가 많지 않은 외곽 도로까지 이르렀지만 이영민과의 격차는
멀어지기만 한다. 안타까워하는 윤수현. 그런데 윤수현 뒤쪽에서 고급
스포츠카 한 대가 엄청난 속도로 달려오더니 어느새 이영민 바로 뒤를
따라붙는다. 상향등을 번쩍거리며 이영민을 압박하는 스포츠카.

이영민   (눈이 부셔 깜빡거리며 짜증낸다) 에이씨, 이건 또 뭐야!

옆 차로로 비켜 가는 이영민. 하지만 이영민 꽁무니에 붙어 따라가며 계
속 위협하는 스포츠카. 당황하는 이영민. 뒤따라 가는 윤수현과 김가
온, 이 광경을 보며 놀란다. 이영민, 필사적으로 액셀을 끝까지 밟아 스
포츠카로부터 벗어나려 하는데, 스포츠카가 옆 차로로 이동하더니 가
볍게 이영민 바로 옆으로 붙는다. 이영민, 옆을 쳐다보니 스포츠카의

창문이 스르륵 내려오는데, 강요한이 이를 드러내며 씩 웃고 있다. 이영민, 액셀을 더 밟아보는데, 강요한의 차, 굉음을 내며 급가속하여 이영민을 추월하더니 갑자기 이영민 앞으로 끼어든다.

이영민   (당황하면서) 어! 어!

잠시 거리를 벌리더니 강요한의 차, 브레이크를 밟아 속도를 늦춘다. 이영민, 놀라 급제동하지만 충돌을 피할 수 없을 것 같아 비명을 지르는데, 강요한의 차, 충돌 직전에 급가속하여 슬쩍 피하곤 멈춘다.

S#28. 외곽 도로 (밤)

이영민, 몹시 흥분해 성급히 차에서 내려 강요한 쪽으로 다가간다.

이영민   (분노를 못 이기며) 야 이 미친 새끼야! 지금 뭐하자는 거야!

그런데 강요한의 차 운전석이 열리더니 강요한이 내리는데, 조수석에서 뭔가 묵직한 것을 꺼내들고 내린다. 큼지막한 해머다. 손에는 가죽 장갑을 끼고 있다.

이영민   어? 어? (뒤로 주춤주춤한다)

강요한, 싱긋 웃으며 해머를 바닥에 질질 끌며 다가온다. 겁에 질려 자기 차 앞에 주저앉는 이영민. 강요한, 이영민에게 찡긋 윙크를 날리곤 해머를 높이 치켜들더니, 내리친다! 비명을 지르며 본능적으로 두 팔로 얼굴을 감싸는 이영민. 꽝! 소리와 함께 해머는 이영민의 차 보닛을 내리친다. 옆으로 데굴데굴 굴러 피하는 이영민.

강요한, 강인한 등 근육을 꿈틀대며 몇 번이고 해머를 내리쳐 이영민의 차 보닛과 앞유리창을 차례로 박살내버린다.

S#29. 윤수현의 차 안 (밤)

조금 떨어진 갓길에 정차한 채 이 모습을 보고 있는 김가온과 윤수현. 둘 다 경악한 표정이다.

윤수현   (믿기지 않는다는 표정으로) 저 사람, 그 사람 맞지?

김가온   (고개를 끄덕인다)

S#30. 외곽 도로 (밤)

박살난 이영민의 차. 해머를 내려놓고 후, 후, 가쁜 숨을 내쉬는 강요한. 겁에 질려 있던 이영민, 그제야 강요한 앞으로 다가선다.

이영민   (치를 떨며) 나, 나, 당신 알아. 그 판사지! TV에 나온. 나한테 왜 이러는 거야!

강요한   (싱긋 웃으며) 걸리적거려서.

이영민   (발끈하며) 판사가 이딴 짓을 하고 무사할 줄 알아? 거기 딱 그대

로 있어! (품에서 전화기를 꺼낸다)

강요한, 아랑곳 않고 이영민의 차 문을 열어 운전석 시트 밑을 슬쩍 만지더니, 하얀 가루가 든 작은 비닐봉투를 이영민 눈앞에 내밀어 달랑달랑 흔든다.

이영민　　　(놀라서 봉투를 뺏으며) 뭐야? 그거 내 거 아냐! 난 그런 거 놔둔 적 없어!

강요한　　　(싱글거리며) 중요한 건 내가 니 차에서 그걸 발견했다는 거지. (봉투를 다시 휙 뺏으며) 이제 지문도 있고.

이영민　　　뭐, 뭐하는 거야 지금?!

강요한　　　(비닐봉투를 주머니에 집어넣더니 장갑을 벗으며) 이건 압수다. (휙 뒤로 돌아 자기 차로 걷다가 뭔가 생각난 듯 멈추더니) 아!

강요한, 치를 떨며 어쩔 줄 몰라 하는 이영민 앞으로 가더니 발치에 뭔가를 툭 던져준다. 이영민, 얼결에 받아들고 보니, 귀여운 캐릭터 티머니 카드다.

강요한　　　능력 안 되면 지하철 타라.

이영민의 어깨를 툭툭 두들겨주더니 자기 차로 돌아가 굉음을 울리며 달리는 강요한.

이영민　　　(황당해하며 날뛴다) 이런 미친! 야! 야!

S#31. 윤수현의 차 안 (밤)

멍하게 상황을 지켜보는 윤수현.

윤수현 　…내가 지금 뭘 본 거지?

김가온 　(그런 윤수현을 보다가) 이제 내 말이 좀 믿어지냐.

S#32. 배석판사실 (낮)

출근하는 김가온, 판사실 문을 열고 들어가다가 놀란다. 운동복 차림에 머리를 질끈 올려 묶은 오진주, 책상에 다리를 올리고 고개를 뒤로 젖힌 채 입 벌리고 졸다가 인기척에 깬다.

오진주 　(오만상을 하고 기지개를 켜며) 아우~ 삭신이야. 왔어?

김가온 　(오진주 책상에 펼쳐진 두꺼운 기록을 보며) 밤새신 건가요?

오진주 　(머리를 긁적이며) 실력이 부족하면 열심히라도 해야지 뭐.

김가온 　어…… 무슨 그런 말씀……

오진주 　(O.L.) 나도 알아. (어깨 으쓱하며 귀여운 말투로) 내가 외모로 뽑힌 거.

김가온 　……

오진주 　그래도 많은 분들이 기대해주시잖아. 나, 잘해보고 싶어.

김가온 　(낯간지러운 소리를 못하는 성격이라 쭈뼛거리다 혼잣말처럼) 외모만은 아닌데.

오진주 　응?

김가온	(얼버무리며) 아닙니다.
오진주	(초롱초롱한 눈빛으로) 아니 방금 그랬잖아. 외모만은 아니고 뭐?
김가온	(쑥스러워 외면하며) 아니, 그냥, …건방진 말씀인지는 모르겠지만 실력도 훌륭하시고.
오진주	그리고?
김가온	…진심으로 일하시잖아요. 늘.
오진주	정말? (활짝 웃으며) 우리 김판은 어쩜 말도 그리 이쁘게 할까! (잠시 망설이다) 저기, 실은 내가 하고 싶었던 말이 있는데 말야.
김가온	말씀하세요.
오진주	아무래도 한 방을 쓰다보면 나야 괜찮지만 김판한테 괜히 방해가 되면 어쩌나 싶기도 하고……
김가온	무슨 말씀이신지……
오진주	(다 안다는 듯 고개를 끄덕이며) 내가 한참 누나잖아? 동생. 우리 그냥, 서로 이성인 걸 의식 말고 지내자. 그럴 수 있지?
김가온	(어이없고 우스워) 아, 네……
오진주	(안쓰럽다는 듯) 쉽지 않지? 누나가 너무 매력적이라서.
김가온	(결국 못 참고 웃음이 터져 활짝 웃으며) 너무 어려운데요?
오진주	(김가온의 활짝 웃는 얼굴에 자기도 모르게 순간 넋을 놓았다가 정신을 차리며) 어우 야, 김판. 그거 아무데서나 하면 안 되겠어. 위험해, 위험해…… (고개를 절레절레 흔든다)
김가온	(영문을 모르겠다는 듯 고개를 갸웃한다)

S#33. 배석판사실 (낮)

일하고 있는 김가온. 진동이 울려 전화를 받는다.

김가온   여보세요.

윤수현(F)   나 지금 그 증인 집으로 가고 있어. 장기현 부장.

김가온   (놀란다. 오진주 쪽을 살피며) 왜?

윤수현(F)   왜긴. 증언 경위 알아봐야지. 뭐가 있는지.

김가온   니 일 아니잖아. 내가 알아서 할게.

윤수현(F)   얘 또 정 없이 이런다. 나 광수대 에이스 윤수현이야. 반칙하는
          판사, 그런 거 참을 수 없다구. 잘못 걸렸어, 강요한.

김가온   (걱정스러운 표정이다)

S#34. 장기현의 집 (낮)

집 앞 계단에 걸터앉아 기다리던 윤수현, 장기현이 나타나자 엉덩이를
툭툭 털며 일어선다.

장기현   (경계하며) 누구쇼?

윤수현   (신분증을 꺼내 보이며) 광수대에서 왔습니다. 윤……

장기현   (O.L.) 내부 고발했다가 잘린 사람, 일자리라도 알아봐주러 왔습
          니까?

윤수현   예?

장기현   그런 거 아니면 돌아가세요. 그놈의 양심 찾다가 식구들 굶기게

생겼으니까. (집으로 들어가 문을 탕 닫는다)

윤수현   이보세요, 장기현씨!

그런데, 맞은편 골목에 주차된 차 운전석에서 날카로운 눈매의 남자(강
요한의 조력자 K)가 이 모습을 지켜보고 있다.

K   (핸드폰을 들어) 장기현을 찾아왔습니다. 예상하신 대로.

S#35. 강요한 부장판사실 (낮)

사무실 전화로 통화중인 강요한, 뒷모습만 보인다.

강요한   …어, 그래. 에이, 김기자. 내가 한 게 뭐 있나. 생각도 못했어. 요
즘 세상에 그렇게 용기 있는 증인이 있을 줄 누가 알았겠어?

S#36. 배석판사실 (낮)

귀를 누르며 도청기로 유심히 듣는 김가온.

S#37. 강요한 부장판사실 (낮)

강요한, 전화기를 들지 않은 손으로는 김가온이 설치한 도청기를 들고

있다. 깜빡깜빡 불이 들어와 있는 도청기.

강요한   깜짝 놀랐지. 나도. (씩 웃는다) 뭐, 증인끼리 입장이야 다를 수도
        있는 거고……

S#38. 유종백의 연구실 (낮)

'교수 유종백' 명판이 놓인 책상에 앉아 있는 유종백.

윤수현   물이요?
유종백   그래! 그 물에 분명히 뭔가 있었다니까! 미친듯이 기침이 나고,
        어지럽고, 그것 때문에 교통사고까지 날 뻔했는데.
윤수현   하지만 지금은 아무 이상도 없으시단 말이죠?
유종백   그…… 조금 지나니까 말짱해지더라구. 혹시나 싶어서 피 뽑아
        서 검사해봐도 아무것도 안 나오고. 분명히 이상했는데.
윤수현   (갑갑해한다)

S#39. 대법원 옥상 (낮)

전화 받는 김가온.

김가온   응, 수고했어. 수현아.

S#40. 강요한 부장판사실 (낮)

김가온의 도청기를 만지작거리며 창밖을 바라보는 강요한.

S#41. 회의실 (낮)

핑크, 옐로…… 예술작품처럼 화려하게 장식된 여러 색깔의 예쁜 케이크들. 누군가 들고 있는 반짝이는 스푼이 그중 하나로 다가와 케이크를 뜬다. 이영민이다. 장중한 분위기의 회의실, 머리가 희끗희끗한 임원들이 초긴장 상태로 일어선 채 상석에 앉아 있는 이영민의 눈치만 살피고 있다.

이영민   …이게 최선이야?

임원1   (허리 굽히며) 예, 소송 감수하고 핵심 인력 스카우트까지 해서 개발……

이영민   (O.L. 케이크를 바닥에 집어던지며) 한 게 겨우 이거야!

임원1   (공포에 질려 움츠러들며) 죄, 죄송합니다.

이영민   (입가에 생크림이 묻은 채) 그 맛이 아니잖아! 내가 유학 시절에 먹었던 그 가게 맛! 이거 가지고 업계 석권할 수 있어? 어?!

임원1   (땀을 닦으며) 거의 재현했다는 게 저희들 판단입니다만……

이영민   (벌떡 일어서더니 노려보며) 거의? 거의? 악마는 디테일에 있다고 내가 했어, 안 했어.

임원1   ……

이영민   먹어.

임원1	예?
이영민	(바닥에 구르는 케이크를 가리키며) 니네 팀이 개발한 거 너나 먹으라고. 이걸 누가 먹겠어?
임원2	(조심스레) 저, 윤이사는 아시다시피 요즘 혈당 수치가 심각해서……
이영민	(O.L.) 그럼 나가든지!
임원1	아닙니다, 먹겠습니다.

참담한 표정으로 무릎을 꿇고는 케이크를 입안에 집어넣고 우물거리는 임원1과 차마 그 모습을 보지 못하고 외면하는 임원들.

S#42. 이영민의 사무실 (낮)

거칠게 문을 열고 들어오는 이영민.

이영민	그 미친 판사 때문에 머리 아파 죽겠는데. 머저리 같은 인간들.

분이 풀리지 않은 듯 씩씩거리던 이영민, 책상 서랍을 연다. 그 안에 들어 있는 아침, 점심, 저녁이라고 표시된 약 봉투들을 꺼내 하나를 거칠게 뜯는데 알약이 후드득 바닥에 쏟아진다.

이영민	(자기 머리를 신경질적으로 때리며 표정이 점점 일그러진다) 아이씨, 머리 아퍼! 이건 엄마한테도 말 못하잖아.

S#43. 김가온의 집 (밤)

꽃과 나무가 가득한 옥상 난간에 앉아 있는 윤수현. 앞치마를 맨 김가온
이 쟁반을 들고 나오자 윤수현의 눈이 휘둥그레진다.

윤수현 이게 뭐야?

김가온 …뭐 그냥 한번 만들어봤다. (윤수현 앞에 쟁반을 내려놓는다)

윤수현 티라미수네! 너 이런 것도 할 줄 알아? 찌개 아니면 제육볶음 아
        니었어?

김가온 (짜증내며) 아, 싫음 말고! (돌아선다)

윤수현 (얼른 쟁반을 빼앗으며) 어우, 커피도 있고 제대로네. 장가가도 되
        겠다, 김가온.

피식 웃는 김가온.

Cut to

함께 커피를 마시며 대화하고 있는 두 사람.

윤수현 …그래도 역시 뭔가 수상해. 강요한, 그 사람을 더 파봐야 되겠
        어. 일단 검색할 수 있는 건 다 검색해보고 있는데.

김가온 (커피잔을 만지작거리며 생각에 잠겨 있다)

윤수현 듣고 있냐?

김가온 수현아.

윤수현 응?

김가온   얼마 전에 우연히 마주친 분들이 있는데 말야.

플래시백 > 2부 9신, 대형마트 안.

노인   (김가온의 손을 꼭 부여잡으며) 몇 년 만에 처음, 속이 뻥 뚫리는 기
         분이었소. 살맛나는 느낌이 대체 얼마 만인지……
아주머니1 네! 나쁜 놈들 좀 혼내주세요! 힘없는 사람들 짓밟는 죽일 놈들
         좀!

김가온   (고민스러운 표정으로) 너무들 좋아하시더라. 힘든 분들이.
윤수현   무슨 소리야? 그렇다고 판사가 이상한 짓 하면 안 되지! 니가 듣
         고 본 것들만 해도 충분히 이상해.
김가온   ……
윤수현   (너무나 당연하다는 듯) 반칙은 반칙이야. 그것도 범죄라구.
김가온   …그래. (결심한 듯) 니 말이 맞아. 수현아, 뭐든 나오는 게 있으면
         알려주라.
윤수현   (티라미수를 스푼 가득 떠올리며) 멕여준 값은 해야지. (활짝 웃는다)
김가온   (미소 짓는다)
윤수현   (걱정스레) 그런데 가온아, 파보는 건 나한테 맡기고 넌 안 나섰으
         면 좋겠다.
김가온   왜?
윤수현   왜긴. 너 얼마나 힘들게 거기까지 갔니.
김가온   ……
윤수현   민교수님이 니 평생의 은인인 건 맞지만, 그래도 너한테 무리한
         일을 시키시는 거 같아. 판사가 도청하고, 뒷조사하고. 그게 뭐

니?

김가온 　…아니. 꼭 교수님 때문만은 아니야.

윤수현 　그래도……

김가온 　그런데 수현아.

윤수현 　응?

김가온 　니 어깨에 벌레 있어.

윤수현 　뭐?! (순간 소름이 쫙! 애써 태연한 척하지만 질색하며 최대한 얼굴을 어깨에서 멀리하며) 야, 김가온!

김가온 　(픽 웃으며 어깨를 툭 털어내준다) 이제 됐어.

윤수현 　(진저리를 치며) 으으으! 풀떼기를 키우려면 살충제를 써야 될 거 아냐!

김가온 　으이그 윤형사님. (윤수현의 머리칼을 가볍게 흐트러뜨리며) 그렇게 무서우셨어요? (미소 지으며) 유치원 때랑 똑같네?

윤수현 　(순간 두근거리지만 아닌 척 손을 탁 쳐내며) 무섭긴. 내가 언제.

왜인지 갑자기 딸꾹질이 나서 김가온을 외면하는 윤수현.

S#44. 루프톱 바 (밤)

시내 야경이 내려다보이는 고급스러운 루프톱 바. 이영민과 그의 친구가 칵테일잔을 앞에 두고 앉아 있다. 유니폼 입은 젊은 여성 바텐더 한 명이 울면서 주방으로 들어간다.

친구 　야, 애를 왜 자꾸 때리냐?

이영민	사람이 마실 만한 걸 만들어야지. 이건 뭐 구정물도 아니고. 야!
	(문간에 서 있는 웨이터를 부른다)
웨이터	네! 부사장님. (얼른 달려온다)
이영민	(작은 플라스틱 생수병으로 웨이터의 머리를 툭툭 치며) 애들 교육 좀
	잘 시켜, 응?
웨이터	죄송합니다!
이영민	(계속 툭툭 치며) 내가 교육 좀 시켰다고 튀어나가? 돈 벌기가 그
	렇게 쉬워?
웨이터	아닙니다! 다른 바텐더를 데려오겠습니다!
이영민	됐네. 오늘은 여기까지. (자리에서 일어난다)

이영민, 복도로 나가는데 뒤에서 날카로운 눈매로 이영민을 보고 있는 웨이터가 있다. K다.

S#45. 주차장 (밤)

다른 차를 몰고 온 이영민, 휘파람을 불며 운전석에 앉는데, 어두운 뒤쪽에서 스르르 스포츠카가 나타나 옆에 선다. 이영민, 놀라는데 스포츠카 창문이 내려오고, 강요한, 이를 드러내며 씩 웃는다.

강요한	교통카드는 어쩌고?
이영민	(소스라치며) 다, 당신 뭐야! 왜 날 따라다녀!
강요한	(미소 지으며) 글쎄?
이영민	(이를 악물며) 내가 당신 사냥감이야? 나 건들면 가만 안 있어! 나

만만한 놈 아냐. 알어?

강요한   (어깨를 으쓱한다)

이영민, 얼른 차를 몰아 떠난다.

강요한   사냥감? (픽 웃는다) 넌 그냥 미끼야. 싱싱한.

S#46. 배석판사실 (낮)

오진주가 얇은 사건기록을 휙휙 넘기며 구시렁거리고 있다.

오진주   거참 이상하네……

김가온   …왜요?

오진주   우리 다음번 재판, 특경법 사건이었잖아.

김가온   네.

오진주   부장님이 그건 일반재판부로 보내고 (기록을 들어 보이며) 이걸 하면 어떻겠네. 아, 기껏 날 새면서 그 복잡한 사건 다 검토해놨는데.

김가온   어떤 사건인데요?

오진주   아, 글쎄, 겨우 벌금 백만 원짜리야.

김가온   (놀라며) 네?

오진주   검찰이 약식명령 청구한 잡범이라구. 젊은 놈이 술 처먹고 주먹질한 거. 진단도 안 나온 단순폭행!

김가온   …어떤 사람이길래.

오진주 (기록을 넘기며) 24세, 초범에 무직이야. 별 특징도 없네. 별거 아니니까 검찰이 바로 약식으로 돌린 거겠지. 이런 걸 뭐하러 가져오시려는 거지?

김가온 (오진주 책상 옆으로 와서 사건기록을 넘기다가) 이건 좀 특이하네요.

오진주 뭐?

오진주, 김가온이 건넨 기록을 보니 범죄경력 조회다.

폭행 공소권 없음.

협박 공소권 없음.

폭행 공소권 없음.

모욕 공소권 없음.

폭행 공소기각.

폭행 공소기각.

폭행 공소권 없음.

오진주 흐음…… 얘 초범이긴 한데, 조사받은 경력은 화려하네.

김가온 사고 칠 때마다 매번 피해자와 합의했단 얘기네요.

오진주 합의하면 처벌 못하는 단순폭행 전문이네. 어머, 주먹이 섬세한가 봐. 어쩜 딱 진단 안 나올 만큼만 때리지? 근데 이번엔 왜 합의 안 했을까?

김가온 안 한 게 아니라 못한 거 아닐까요.

오진주 응?

김가온 피해자들과 연락이 안 된다든가.

오진주   …그리고 보니 무직인 것도 좀 이상하네. 매번 합의하려면 돈깨나 들 텐데…… (문득 생각난 표정으로) 하긴 경찰이 봐주고 싶을 땐!

김가온   (끄덕이며) 굳이 직업을 곧이곧대로 적지 않겠죠.

오진주   흐음…… (잠시 생각하다) 아, 그래봤자 단순폭행이야. 우리 시범재판부 가오가 있지, 겨우 이런 사건을 하면 되겠어? (콧방귀를 뀌며) 강부장님 의외로 소심하네. 겨우 한 건 하고 벌써 꼬리를 내리…… (이때 갑자기 어딘가에서 울리는 전화 벨소리) 엄마야! (화들짝 놀라 주위를 살핀다)

김가온   죄송해요. (얼른 핸드폰을 꺼내 받으며 밖으로 나간다)

오진주   (뻘쭘한지 괜히 부장실 쪽 벽을 만지며) 이거 벽 두꺼운 거 맞지? 혹시 들리나?

S#47. 대법원 구내 계단 (낮)

윤수현과 통화중인 김가온.

김가온   뭘 찾았다고?

윤수현(F)   강요한의 흔적.

김가온   뭔 소리야?

S#48. 윤수현 경찰서(낮)

분주한 경찰서 사무실 자기 자리에서 통화하는 윤수현.

윤수현　강요한 관련 기사 다 검색해봤거든? 찬양 댓글이 아주 난리 났더라. 거의 교주님이셔. 근데, 어떤 커뮤니티에 묘한 댓글이 하나 달렸더라구. 강요한을 잘 안다는 사람이야. 쪽지 보내고 어쩌고 해서 겨우 연락처 알아냈어.

S#49. 대법원 구내 계단 (낮)

김가온　댓글 내용이 뭔데?
윤수현(F)　강요한 그 인간은……

S#50. 윤수현 경찰서 (낮)

윤수현　악마예요……

윤수현의 모니터에 새겨진 듯 보이는 '강요한 그 인간은 악마예요'.

S#51. 배석판사실 복도 (낮)

생각에 빠진 채 배석판사실로 걸어오는 김가온. 마침 오진주가 방에서 나온다.

오진주   어디 갔었어? 부장님이 오라시는데?

김가온   ⋯⋯?

S#52. 강요한 부장판사실 (낮)

두 판사가 방으로 들어가자 소파에 강요한과 PD가 앉아 있다.

PD   (자리에서 일어서며 반갑게) 안녕하세요, 판사님들.

오진주   어, PD님!

PD   방송 나간 후 난리가 났습니다. 부장님이야 원래 유명하셨지만, 두 분 판사님도 난리예요!

오진주   (반색하며) 정말?

PD   판결 선고할 때, 오판사님 눈시울이 빨개지다가 살짝 눈물 닦으셨잖아요? 그게 대박 났어요! 인간적인 판사님이라고 댓글이 뭐⋯⋯

오진주   어머, 그게 카메라에 잡혔어요? 판사가 운다고 욕먹을까봐 몰래 닦은 건데.

PD   방송 체질이신 거죠. 본능적으로.

김가온   (건조하게) 무슨 일로 오신 거죠?

PD	크, 역시 김판사님은 이 도도 시크한 냉미남으로 여학생들이……
김가온	(O.L.) 무슨 일로 오셨습니까.
강요한	우릴 초대하신다는데.
오진주	초대요?
PD	네. 저희 방송이랑 사회적책임재단이 공동주최하는 자선 패션숍니다. (패션쇼라는 말에 오진주의 눈이 순간 반짝인다) 그 있잖습니까. 몇억, 몇십억씩 기부하시는 분들 모임.
오진주	아, 알죠. 거기 이사장님이 유명한 분이시잖아요. 철학하시는.
PD	네, 국가원로시죠.
김가온	전 싫습니다. 판사가 그런 델 왜 갑니까.
PD	(달래듯) 요즘 사회 분위기 아시잖습니까. 희망을 주는 이벤트들이 있어야죠. 판사님들이 함께해주시면 시청자들도 힘이 날 겁니다!
오진주	뭐, 그런 좋은 취지라면 가도 좋긴 한데, (한숨 쉬며) 마땅히 입고 갈 만한 번듯한 옷도 없고……
강요한	(무심하게) 그건 내가 알아서 할게요.
오진주	(반색하며) 네? 부장님이요?
강요한	원한다면.
오진주	네! 저야 감사하죠!
강요한	김판사는?
김가온	전 괜찮습니다. 할일도 있고요.
강요한	(미소 지으며) 그래요. 좋을 대로.

S#53. 버스 안 (밤)

김가온, 퇴근 후 버스를 타고 어딘가로 가고 있다.

S#54. 올림픽대로 (밤)

한강을 따라 달리는 강요한의 스포츠카.

오진주   (황홀한 표정으로 입고 있는 드레스를 매만지며) 신데렐라가 된 느
            낌이에요…… 이 디자이너 작품, 스타들도 입어보기 힘들다는
            데……

강요한   그런가요? 여자 옷은 잘 몰라서.

오진주   고맙습니다. 부장님. 오늘 조심해서 입고 돌려드릴게요.

강요한   필요 없습니다.

오진주   (당황하며) 네?

강요한   돌려줄 필요.

오진주   부장님, 이렇게 비싼 옷을 제가 어떻게……

강요한   어차피 그거 입을 사람 없어요. 쓰세요.

오진주   그래도……

강요한   (아무렇지도 않게) 버려도 됩니다.

오진주   (깜짝 놀라며) 네?

강요한   (스틱 조작하며 붕~ 액셀을 밟는다)

다른 차들을 저멀리 제치며 미끄러지듯 달려나가는 강요한의 차.

S#55. 골목길 (밤)

한적한 동네 골목길. 어딘가를 찾느라 두리번거리며 걸어가는 김가온.
모퉁이를 돌자 드디어 발견한 듯 웃음 짓는 김가온. 작은 성당이다.

S#56. 자선 패션쇼장 (밤)

속속 도착하는 셀럽들. 레드 카펫 앞에 취재진들의 카메라가 가득하다.
재판 생중계 진행을 맡은 아나운서가 방송중이다.

아나운서　어두운 곳에 빛을! 저희 사람미디어그룹과 사회적책임재단이 공
　　　　　동주최하는 자선 패션쇼가 그 화려한 막을 올리고 있습니다. 귀
　　　　　빈들이 속속 도착하고 계신데요. 아, 저기 요즘 국민적 관심이 집
　　　　　중되고 있는 시범재판부의 강요한 판사님이 오고 계십니다!

레드 카펫 앞에 멈추는 강요한의 스포츠카.

아나운서　막대한 자산의 상속자로 알려진 강판사님이죠? 그런 분이 약자
　　　　　들을 위한 판결을 내리시는 걸 보면, 아직 이 사회에 희망이 있다
　　　　　는 증거가 아닌가 싶습니다. 이번 행사에도 거액을 기부하신 것
　　　　　으로 알려져 있습니다.

운전석이 열리고 나비넥타이에 검정 슈트 차림의 강요한이 내린다. 플
래시가 터진다. 정선아가 서정학을 대신하여 호스트 역할을 하고 있다.

강요한이 나타나자 드레스 차림의 정선아가 화사하게 미소 지으며 맞이한다.

정선아 (드레스 자락을 잡은 채 고개를 숙여 인사하며) 와주셔서 고맙습니다. 강판사님.

강요한 별말씀을. (미소 지으며 답례한다)

강요한, 조수석으로 가서 문을 열어주고는 누군가의 손을 잡고 내리는 걸 도와주는데, 스틸레토 힐에 드레스 옆트임 사이로 드러난 늘씬한 다리가 먼저 차 밖으로 나오며 시선을 사로잡는다. 화사하게 웃으며 차에서 내리는 최고급 드레스 차림의 오진주. 강요한, 마구 터지는 플래시 사이에서 능숙하게 오진주를 에스코트한다. 오진주는 살짝 긴장한 표정이다. 런웨이를 걷듯 레드 카펫을 걸어 단상 위로 올라가는 두 사람.

아나운서 (마이크를 오진주에게 들이대며) 오판사님, 오늘 완전 변신하셨는데요?

오진주 (살짝 떨리는 목소리로) 어, 전 이런 데가 처음이라서…… 떨리네요. (노출 있는 네크라인을 가리며) 제가 이런 데 와도 되나요?

아나운서 무슨 말씀이세요. 요즘 완전 스타십니다.

오진주 아유~ 제가 무슨. (손사래를 치다가 밑에서 카메라 기자가 여기 포즈 좀요! 소리를 지르자 반사적으로 그쪽을 향해 포즈를 취하며 미소 짓는다)

아나운서 (웃으며) 역시 방송 체질이십니다. (강요한에게 마이크를 대며) 강판사님, 지켜보시는 국민들께 한말씀해주시죠.

강요한 (당당한 자세와 부드러운 미소로) 격려와 지지, 고맙습니다. 응원해주시는 여러분의 마음, 너무나 잘 알고 있습니다. (진지한 표정으로 잠시 카메라를 응시하고는, 힘있는 목소리로) 어떤 벽을 만나더라도, 정의가 살아 숨쉬는 세상을 만들기 위해 싸워나가겠습니다. 제 모든 것을 걸고.

마치 신처럼 당당해 보이는 단상 위의 강요한을 올려다보며 사람들이 박수갈채를 보내고, 여기저기서 플래시가 터진다. 오진주가 완전히 매혹된 표정으로 강요한을 쳐다보며 박수를 치고 있다. 그런 오진주와 사람들 뒤로, 정선아가 조금 떨어져 팔짱을 낀 채 차가운 미소를 지으며 강요한을 바라보고 있다.

S#57. 성당 안 (밤)

신부   요한이는 많이 다른 아이였습니다. 학교에 나온 첫날부터.
김가온   어떻게 달랐나요?
신부   학교란 곳 자체에 처음 온 것 같았어요. 표정도 어둡고, 말수도 적었지요.

S#58. 강요한의 초등학생 시절 교실 (낮)

낡은 옷에 어두운 표정으로 교단에 멀거니 서 있는 어린 강요한(6학년).

선생님   (무신경하게 강요한을 보며) 어, 요한아, 자기소개 할 것 없니? 친
         구들이 너에 대해 알고 싶을 텐데.

강요한   (고개 숙인 채 묵묵부답이다)

선생님   그래…… 그럼 됐고. (반 아이들을 보며) 요한이랑 짝할 사람?

질색을 하며 외면하는 아이들. 곤란해하던 선생님은 아이들을 살피다
가 밝은 표정의 여학생 한 명을 바라본다.

선생님   세인아, 니가 짝해줄래?

윤세인   (활짝 웃으며) 네, 좋아요. 선생님.

Cut to

수학 시간. 선생님이 칠판에 수식을 쓰고 있다. 이때, 열린 창문으로 새
한 마리가 날아들어와 퍼덕거리며 여기저기 부딪힌다. 비명을 지르며
이리저리 피하는 학생들. 이리저리 날아다니던 새가 윤세인의 책상 위
에 앉는다. 질색하며 비명을 지르는 윤세인. 그 순간 강요한, 윤세인을
힐끔 보더니 아무 망설임 없이 철제 자를 세로로 집어들더니 새의 머리
쪽을 향해 내리친다.

윤세인   꺄아악!

공포에 질린 윤세인의 얼굴, 그 앞에는 책상 위에서 퍼덕거리다 날갯짓
이 점점 잦아드는 새가 놓여 있다.

S#59. 성당 안 (밤)

신부   그때부터 아이들은 요한이를 괴물이라고 불렀습니다. 말도 걸지
            않았죠. 투명인간 취급했달까요.

김가온   (충격받은 표정으로) 그랬군요…… 그래서 그런 댓글을 쓰신 건가
            요?

신부   아닙니다. 그건 나중에 벌어진 일에 비하면 아무것도 아니었죠.

S#60. 자선 패션쇼장 (밤)

내빈들 칵테일잔을 들고 삼삼오오 대화중이다. 화려한 드레스 차림의
정선아가 오진주에게 다가온다.

정선아   판사님, 안녕하세요. 사회적책임재단에서 일하는 정선아라고 해
            요.

오진주   네, 안녕하세요.

정선아   행사를 빛내주셔서 고맙습니다. 오늘 여신 같으세요.

오진주   어우, 여신이라뇨, 저 돌 맞아요.

정선아   제가 본 시범재판 속에서는요, (칵테일잔을 오진주에게 내밀며) 판
            사님이 제일 빛났어요.

오진주   (심장이 두근댄다) 어…… 그럴 리가요.

홀릴 듯 매력적인 미소를 짓는 정선아.

정선아	(오진주의 팔을 자연스레 잡아 이끌며) 저희 이사장님하고 인사하시 겠어요?

대여섯 명의 굽신거리는 사람들에게 둘러싸인 서정학에게로 오진주를 안내하는 정선아.

서정학	어, 정이사.
정선아	판사님, 서정학 이사장님이세요. 이사장님, 시범재판부의 오진 주 판사님과 인사 나누시죠.
서정학	(끈적한 눈초리로 오진주를 위아래로 뚫어져라 본다)
오진주	(당황하며) 만나 봬서 영광입니다, 선생님.
서정학	(묘하게 웃으며) 상相이 나쁘지 않은 처자구만.
정선아	이사장님, 판사님이세요.
서정학	(아랑곳 않고) 나도 봤어. 그 재판. 난세에는 법가法家가 득세하기 마련이지. 그건 잠깐이야. 결국은 어질 인仁으로 돌아가야 인심이 순치돼.
오진주	(이 영감 뭐야…… 싫어 표정 관리가 안 되다가 결국 꾹 참고 미소 지으 며) 명심하겠습니다, 선생님.
서정학	(다시 묘한 미소를 띤다)

S#61. 성당 안 (밤)

신부	그때 저희 학교는 윗동네 애들과 아랫동네 애들로 나뉘어 있었습 니다. 윗동네 애들은 부유했고, 아랫동네 애들은 가난했죠. 공통

점은 있었습니다. 요한이를 괴물 취급했다는 거.

S#62. 강요한의 초등학생 시절 교실 (낮)

맨 뒷줄에 혼자 앉아 책을 읽고 있는 강요한. 반 아이들, 키득대며 강요한을 힐끗거린다. 김동준(윗동네), 장난감 총을 서랍에서 슬며시 꺼내 책을 읽고 있는 강요한의 머리에 쏜다. 통, 소리가 나고 강요한, 얼굴을 찡그리며 이마를 만진다. 작은 상처가 났다.

김동준 쪽을 매섭게 쏘아보는 강요한. 김동준, 얼른 앞을 보며 모른 척하고, 옆에서 킬킬대는 짝 한석우(아랫동네)와 주먹 인사를 나눈다. 다른 아이들도 모른 척 앞만 보며 소리 죽여 키득댄다. 그런 반 아이들을 가만히 보다가 다시 고개 숙여 책을 보는 강요한.

신부	(V.O.) 그러던 어느 날, 그 일이 시작됐지요.
윤세인	(책상 서랍을 뒤지다가 짝에게) 저기, 혹시 내 필통 못 봤니?
윤세인 짝	(멀뚱하게) 모르겠는데?
윤세인	(울상이 되어서는) 아빠가 미국에서 사다주신 건데…… 어떡해……

윤세인을 돌아보는 반 아이들. 맨 뒷줄의 강요한은 아랑곳 않고 책만 읽고 있다.

신부　　 (V.O.) 처음에는 그냥 그렇게 지나갔죠. 화근은 윗동네 애들과 아랫동네 애들이 짝인 경우가 많았다는 점이었습니다. 서로 화합하라는 선생님의 뜻이셨지요. 그런데 아랫동네 애와 짝인 윗동네 애의 물건만 차례로 없어지기 시작한 겁니다……

Cut to

한 여학생, 책가방을 마구 뒤지다가 팍 내려놓는다. 그러곤 짝을 힐끗 째려보더니 엎드려 울음을 터뜨린다. 짝은 황당하고 억울한 표정인데, 윗동네 아이들, 차가운 눈초리로 돌아본다. 아랫동네 아이들은 불편한 기색이다.

Cut to

한 남학생, 책상 옆에 걸어둔 신발주머니에서 새 운동화를 꺼내는데, 운동화 옆면에 죽 칼로 그은 자국이 나 있다. 남학생은 화가 나서 운동화를 바닥에 집어던지고는 교실 문을 쾅 닫고 나가버린다. 짝은 불편한 표정으로 앉아 있다.

S#63. 자선 패션쇼장 (밤)

사람들과 담소중인 강요한. PD가 긴장한 표정으로 다가선다.

PD   법무부장관님 오셨습니다.

차경희   (거만한 표정으로) 축하합니다. 강판사님. (수행원들이 경직된 표정으로 뒤에서 대기하고 있다)

강요한   (정중하게 목례하며) 장관님, 귀한 걸음 해주셨습니다.

차경희   (터지는 플래시를 의식하며 강요한의 손을 힘주어 잡고는 기자들을 향해 들리도록) 이 땅에 정의가 살아 있음을 보여주셨습니다. 훌륭하십니다.

강요한   고맙습니다.

차경희   (몸을 기울여 슬쩍 귓속말로) 근데 좀 놀랐어. 강판.

강요한   (여전히 기자들을 향해 들리도록) 별말씀을요, 장관님.

차경희   (웃으며 나지막이) 또 그럴 건가?

강요한   (계속 기자들을 향해) 에이, 그럴 리가요. 하하하.

차경희   (슬쩍 웃음 짓는다)

이때, 우아한 클래식 음악 소리 장내에 울려퍼진다. 돌아보는 두 사람.

PD   오늘은 특별한 코너를 준비했습니다.

드레스와 정장 차림의 상류사회 인사들, 중앙 무대 쪽으로 나가 음악에 맞춰 서로 손을 잡고 우아하게 춤을 추기 시작한다. 화려한 외모의 여성 참석 인사 한 명, 강요한 쪽으로 걸어오는데 차경희를 슥 지나쳐 강요한에게 손을 내밀며 미소를 짓는다.

강요한   (고개를 살짝 숙이며) 실례. 오늘은 파트너가 있어서.

강요한, 서정학 쪽으로 성큼성큼 걸어가더니 억지웃음을 지으며 서정학 앞에 서 있던 오진주에게 손을 내민다. 오진주, 설레는 표정으로 활짝 웃는다.

S#64. 강요한의 초등학생 시절 교실 (낮)

신부   (V.O.) 결국, 그날이 왔습니다.

김동준   (책가방을 뒤지다가 울상이 되어서는) 에이씨, 어디 갔지? 내 게임기! (한석우를 힐끔 본다)

한석우   (기분 나쁜 표정으로) 왜 쳐다봐?

김동준   야, 니 가방 좀 봐.

한석우   아 왜!

김동준   아이씨, 쫌 보자니까! (다짜고짜 한석우의 가방을 낚아챈다)

어느새 조용해진 교실. 반 아이들, 모두 김동준을 쳐다보고 있다. 강요한만 혼자 딴 세상에 있는 양 고개 숙여 책만 읽고 있다.

한석우   내놔! (잔뜩 화가 나서는 가방을 붙잡고 힘껏 끌어당긴다)

두 아이가 실랑이하다가 그만 낡은 가방이 터지면서 내용물이 후드득 떨어지는데, 게임기가 있다! 게임기를 집어들고 한석우를 쳐다보는 김동준.

한석우   (놀라고 분한 얼굴로) 어? 아닌데? 진짜 아닌데?

차갑게 쳐다보는 김동준과 윗동네 아이들.

윤세인   (짝을 차갑게 노려보며) 너 정말 내 필통 못 본 거였어?

윤세인 짝   (벌떡 일어나며) 야!

김동준   (빈정대듯) 이래서 그지들하고 짝하는 게 아닌데.

한석우   (격분하여 김동준의 멱살을 잡으며) 뭐, 이 새끼야! 니가 넣었지! 니가 일부러 넣은 거지!

김동준   (한석우 가슴을 퍽! 세게 밀며) 이게 정말?

한석우, 김동준에게 달려들어 넘어뜨리곤 주먹을 날린다. 우당탕탕 책상이 넘어진다. 하지만 시한폭탄이 터진 듯 여기저기서 윗동네 애들과 아랫동네 애들 사이에 패싸움이 벌어진다. 밀치고, 때리고, 넘어지고, 머리채를 잡고, 울고, 책상이 넘어지고…… 얌전하게 생긴 한 남학생 (신부), 무심코 뒤를 돌아보고는 놀라 눈이 커진다.

S#65. 자선 패션쇼장 (밤)

춤을 추는 인사들 한가운데서 사람들의 주목을 받으며, 예의 바르게 거리를 유지하면서 손을 살포시 포갠 채 춤추는 강요한과 오진주. 오진주, 꿈길을 걷는 듯한 표정이다.

정선아(E)   잠깐 교대해도 될까요? (미소 지으며 고개를 살짝 숙인다)

오진주   (돌아본다) 정이사님? 그럼요. (물러선다)

강요한, 정선아에게 손을 내민다. 정선아, 강요한의 손을 잡고는 오진주와 달리 강요한의 몸 가까이 성큼 다가서서는, 허리를 깊숙이 끌어안는다. 강요한이 힐끗 보자 슬쩍 미소 짓고는 능숙하게 음악에 맞추어 춤을 리드해가는 정선아.

정선아	첫 재판, 잘 봤어요. 판사님.
강요한	(미소 지으며) 재미있던가요?
정선아	에이, 재미라뇨. 장르가 달라. 감동적이던데요. 눈물도 나고.
강요한	좋게 보셨다니 다행입니다. 정이사님.
정선아	그런데 말이죠, 재단의 후원자분들이 제일 싫어하는 게, 반전이더라고요. (화사하게 웃으며) 영감들이 다 그렇잖아. 뻔한 거, 예측 가능한 걸 좋아하더라고요. 가진 게 많을수록.
강요한	…뭐 취향이란 게, (씩 웃으며) 모두를 만족시킬 수야 있을까요?
정선아	(딱 멈추더니 까치발을 하며 강요한의 뺨 옆으로 서서히 얼굴을 밀착시키고는 귓가에 속삭인다) 혼자만 즐기는 남자, 매력 없던데. (표정 싸늘해지더니) 쓸모도 없고.
강요한	(미소 지으며 고개를 살짝 숙여 정선아의 귓가에) 그거 유감이네요. 난 지금, (파티장 곳곳에서 행복한 표정으로 춤추는 상류사회 인사들을 먹잇감 보듯 스윽 둘러보며 이를 드러내며 웃는다) 아주 즐거운데 말야.

S#66. 강요한의 초등학생 시절 교실 (낮)

맨 뒷줄에 혼자 앉은 강요한, 의자를 등으로 밀어 여유 있게 벽에 기대고 머리 뒤에 손깍지를 낀 채 즐거운 공연이라도 보듯 아이들의 패싸움 난장판을 감상하고 있다. (강요한의 시점으로 장면 전환) 현재의 자선 패션쇼장에서 흘러나오는 우아한 클래식 음악을 배경으로, 반 전체가 우스꽝스러운 발레나 연극을 하듯 서로 싸우고 울부짖고 있다(슬로모션 처리). 이를 드러내며 웃고 있는 강요한.

S#67. 자선 패션쇼장 (밤)

차경희, 강요한 쪽을 향해 손을 번쩍 든다.

차경희 강판사! 오늘은 제 식솔들도 왔으니 인사나 하십시다. 여보! 여기!

차경희 남편 이재경, 만면에 웃음을 띤 채 서둘러 와서 강요한에게 고개를 숙인다.

강요한 (고개를 숙이며) 오셨습니까, 이재경 대표님.

이재경 뒤에 숨은 듯 서 있다가 서서히 보이는 사람은, 놀란 표정으로 강요한을 멍하니 보고 있는 이영민이다. 강요한, 만면에 미소를 띤 채 성큼성큼 걸어가 이영민에게 손을 내민다.

강요한 처음 뵙겠습니다. 이영민 부사장님. 말씀 많이 들었습니다. (이를 드러내며 씩 웃는다)

겁에 질린 이영민과 강요한의 얼굴 위로 겹치는 신부의 목소리.

신부 (V.O.) …그 아인 악마였어요.

S#68. 성당 안 (밤)

심각한 표정의 신부, 그리고 신부의 이야기에 놀란 김가온의 얼굴.

S#69. 자선 패션쇼장 (밤)

정선아　(서정학 뒤에 와 서면서) 선생님.

서정학　(돌아보지도 않은 채) 그래.

정선아　길이 덜 들었는지도 모르겠네요.

서정학　(말없이 손에 든 잔을 들어 마신다)

S#70. 버스 안 (밤)

텅 빈 버스 맨 뒷자리에 앉아 창가에 기댄 김가온, 복잡한 표정으로 창 밖의 밤거리를 바라본다.

S#71. 강요한 부장판사실 (밤)

불 꺼진 강요한의 방, 문이 조용히 열리더니 김가온이 들어온다. 조심스레 책상으로 다가가 허리를 굽히더니 책상 밑을 더듬는 김가온.

강요한(E)　이걸 찾는 건가.

김가온, 소스라치게 놀라 일어서니 어두운 방안, 커튼이 드리워진 창문 옆에 강요한이 서 있다. 커튼 줄을 끌어내려 커튼을 올리는 강요한. 달빛이 방안을 비춘다. 강요한이 내미는 손바닥 위에 깜빡거리는 도청기가 놓여 있다.

김가온   …역시 알고 있었군요.

강요한   (천천히 다가와 김가온의 손바닥 위에 도청기를 올려놓는다)

김가온   (도청기를 천천히 손에 꼭 쥐더니 결심한 듯) 왜 이런 일들을 하는 겁니까!

강요한   …왜 이런 일들을 하냐고?

김가온   네.

강요한   (잠시 생각하다가 툭 던지듯) 할 수 있으니까.

김가온   네?

강요한   가능성이란 마약과도 같은 거야.

김가온, 납득이 되지 않는다는 표정으로 다시 입을 열려다가, 벽 쪽에서 이상한 소리가 들려 그쪽을 본다. 삐삐삐, 작은 소리인데 점점 템포가 빨라진다. 순간 이상한 예감을 느낀 김가온, 자기도 모르게 강요한을 문 쪽으로 힘껏 밀쳐내며 쓰러진다.

김가온   피해!

순간 벽 그림 뒤에서 콰앙! 소리와 함께 폭발물이 터진다. 방은 한순간에 불꽃과 연기, 먼지, 파편으로 아수라장이 된다!

Cut to

폭발로 날아가버린 창문과 불에 그을린 벽. 자욱한 연기와 먼지 사이로, 한 남자의 강인한 실루엣이 가냘프게 늘어진 누군가를 사뿐히 안고 뚜벅뚜벅 걸어나온다. 쓰러져 의식을 잃은 채 피 흘리는 김가온을 안고 걸어나오는 강요한이다. 그 순간 화면이 암전되면서 타이틀, **악. 마. 판. 사.**

3부

비밀의 방

S#1. 강요한의 저택, 김가온이 누워 있는 방 (밤)

커다란 침대에 누워 있는 김가온. 머리에 피 묻은 붕대가 감겨 있다. 의
식을 잃은 듯 잠에 취한 김가온의 귀에 누군가의 목소리가 들려온다.

엘리야(E) (냉담한 말투로) 죽었어?

강요한(E) 아니.

엘리야(E) (아랑곳 않고) 요한이 죽인 거야?

강요한(E) (살짝 짜증스럽게) 아니라니까.

힘겹게 눈을 뜨는 김가온의 눈에 서서히 들어오는 모습은, 팔짱을 낀 채
김가온을 내려다보고 있는 강요한, 그리고 그 옆의 휠체어를 탄 소녀 엘
리야다. 긴 머리에 사람인지 구체관절인형인지 알 수 없는 미모, 그리
고 아무 감정이 없는 듯한 차가운 눈을 가졌다. 엘리야의 무릎에는 고양
이가 앉아 있다. 김가온과 눈이 마주친다.

엘리야	뭐야, 안 죽었잖아. (휙 휠체어를 돌리며) 재미없어. (전동 휠체어
	버튼을 눌러 방에서 나간다)
김가온	(강요한을 보며 잠긴 목소리로) 어딥니까, 여기.
강요한	천국은 아냐.
김가온	(침대에서 일어나려다 통증에 얼굴을 찡그리며) 아야.
강요한	(뒤돌아 나가며) 나라면 무리 안 하겠어.

탕, 무겁게 방문이 닫히고, 김가온은 대체 무슨 상황인지 감을 잡기 힘들어하며 주변을 둘러본다. 유럽 귀족의 저택처럼 천장이 높고 중후한 느낌의 앤티크 가구와 그림으로 장식된 방이다. 천장이 빙글빙글 도는 듯한 어지러움에 다시 침대에 쓰러져 눈을 감는 김가온.

S#2. 배석판사실 (낮)

오진주, 걱정이 가득한 얼굴로 서성이는데, 문이 열리며 강요한이 들어온다.

오진주	(얼굴이 환해지며) 부장님!

오진주, 다짜고짜 달려오더니 강요한을 꽉 끌어안는다. 살짝 당황하는 강요한.

오진주	(눈물을 펑펑 흘리며) 부장님! 걱정돼서 죽는 줄 알았어요! 무사하
	신 거죠! 다친 덴 없으세요? (눈물이 그렁그렁한 두 눈으로 강요한을

올려다본다)

강요한 (거리 두듯 두 손을 위로 올린 채 오진주에게 안겨 있다가 미소 시으머)
방금 등이 좀 으스러진 것 같긴 한데.

오진주 (강요한 등을 부서져라 안고 있는 자신을 그제야 깨닫고는 황급히 뒤로
물러서며) 어머! 죄송해요! 저도 모르게 그만……

강요한 괜찮아요. 크게 다친 덴 없습니다.

오진주 (그제야 생각난 듯) 김판사는요?

강요한 생명엔 지장 없으니 너무 걱정 마요.

오진주 (흥분해서 주먹을 불끈 쥐며) 어떤 찢어 죽일 개잡놈의 쉐끼들이.
이딴 짓을 감히! (흥분해서 말해놓고는 순간 민망해서 자기 입을 가린
다) 어머.

강요한 (픽 웃으며 혼잣말처럼) 귀엽네.

오진주 네? (설레는 표정을 재빨리 수습하며) 아니 제가 원래 지적이지만
귀여운 면도 있긴 한데요, 그렇게 대놓고 말씀하시면 또……

강요한 (O.L.) 제가 무례했네요. 죄송합니다. (갑자기 정중히 목례하고는
뒤돌아 성큼성큼 문 쪽으로 간다)

오진주 (당황해서) 아니 또 그러실 정도는 아니고요, 부장님? 부장님?

강요한 (문 앞에서 뒤돌아보며 미소를 보이고는, 문을 열고 나간다)

오진주 (문을 바라보며) 뭐야, 이상한 소리 하고 그래. (투덜대며 돌아서다
가 벽에 걸린 거울이 눈에 들어오자 자기 얼굴을 비춰보며 씩 웃는다)
귀엽다고?

S#3. 대법원 앞 (낮)

대법원 건물 앞에서 경쟁적으로 보도중인 TV뉴스 기자들.

기자1   판사실 폭발물 테러 사건으로 전국이 충격에 휩싸인 가운데……

기자2   강요한 판사 신변의 안전에 온 국민의 관심이 집중되어 있고……

이때 기자들 웅성거린다.

–강요한이다! –어디? 어디?

얼른 돌아보는 기자1, 2. 건물 안에서 강요한이 걸어나오고 있다. 얼굴
에 밴드를 붙였고 한 손에는 붕대가 감겨 있다(앞 신에서는 붕대를 감고
있지 않았다). 플래시 터져대고, 카메라가 강요한에게 집중된다. 얼른
강요한에게 마이크를 들이대는 기자들.

기자1   강판사님, 무사하십니까!

강요한   네. 국민 여러분께서 걱정해주신 덕분입니다.

기자1   부상이 심하지는 않으십니까?

강요한   (온화한 표정으로 붕대 감은 손을 들어 보이며) 견딜 만합니다.

기자2   누구의 소행입니까?

강요한   아직 밝혀진 바 없습니다.

기자1   시범재판에 불만을 품은 세력의 테러로 봐도 되겠습니까?

강요한   그럴 수도 있겠지요.

기자2   재판은 일단 중지되는 겁니까?

강요한   (기자2를 잠시 응시하더니) 국민 여러분께 드릴 말씀이 있습니다.

모두 강요한만 처다보는 가운데 잠시 정적이 흐른다.

강요한 (강렬한 눈초리로 카메라를 응시하며 단호한 어조로) 누군가 바짝 겁
        을 먹은 것 같은데, 비겁한 테러 따위로 국민의 심판을 멈출 수는
        없습니다. 재판은 예정대로 계속될 겁니다.
기자1   이번 재판은 어떤 사건입니까?
강요한 약자에 대한 갑질과 폭행을 반복한 권력층 자제에 대한 재판입
        니다. 피고인은 (기자들을 둘러보더니) 중원F&B 이영민 부사장입
        니다.

        기자들, 놀란다.

기자2   이영민 부사장이라면…… 혹시, 차경희 법무부장관 자제 아닙니까?
강요한 그렇습니다.
기자1   현직 법무부장관 자제를 공개 법정에 세우시면, 검찰 조직이 가
        만있을까요?
강요한 모든 국민은 법 앞에 평등합니다. 제겐 누구든 똑같은 피고인일
        뿐입니다.
기자2   그래도 여러 가지 저항이 있을 것 같은데요?
강요한 (미소 짓더니) 똥개들이 짖어대도, 기차는 갑니다. (살짝 윙크한다)

        기자들, 웃음을 터뜨리며 박수갈채를 보낸다.

S#4. 법무부장관실 (낮)

TV로 강요한의 인터뷰를 보던 차경희, 아들이 언급되자 경악하며 자리에서 벌떡 일어선다.

차경희   영민아!

서 있던 비서, 놀라 차경희를 쳐다본다.

차경희   (정신이 나간 듯) 영민아. (얼른 코트를 걸치며 밖으로 나간다)
비서   (황급히 쫓아가며) 장관님!

S#5. 대법원 앞 (낮)

강요한, 기자회견을 마치고 돌아서는데 기자들 사이를 비집고 윤수현이 나온다.

윤수현   (다급하게) 김가온 판사는 무사합니까?
강요한   (뒤돌아보며) 누구신지?
윤수현   (신분증을 보이며) 이번 사건 맡게 된 광수대 윤수현 경위입니다.
강요한   그러시군요. 잘 부탁합니다.
윤수현   김가온 판사는 무사합니까? 무사하죠? (얼굴에 걱정이 가득하다)
강요한   무사합니다. 김판사와 개인적으로 아는 사이신지? 혹시…… (윤수현을 빤히 보다가) 사귀는 사이?

윤수현	(당황하며) 아, 아닙니다. 친굽니다.
강요한	김판사한테 형사 친구분이 있는 줄은 몰랐네요. (흥미롭다는 늣 윤수현을 바라본다)
윤수현	가온이는 지금 어디 있습니까?
강요한	…죄송하지만, 말씀드릴 수 없습니다.
윤수현	네?
강요한	지금은 김판사의 안전이 최우선입니다. 후속 공격이 있을 수도 있으니 안전한 곳에서 치료에 전념하는 게 낫습니다.
윤수현	어딨습니까! 만나게 해주십쇼! (흥분한 채 강요한에게 다가선다)
강요한	(표정 굳어지며 날카롭게) 윤수현 경위!
윤수현	(정신이 번뜩 나서 멈추며) 네, 판사님.
강요한	(윤수현을 쏘아보며) 범인이나 잡아와요. 김판사는 내게 맡기고. (휙 돌아 뚜벅뚜벅 걸어간다)
윤수현	(강요한의 뒷모습을 멍하니 본다) 가온아……

S#6. 화장실 (낮)

강요한, 거울 앞에 서서 무표정한 얼굴로 손에 감았던 붕대를 풀어 쓰레기통에 던진다.

S#7. 강요한의 저택, 김가온의 방 (낮)

잠들어 있던 김가온, 쟁반이 요란하게 떨어지는 소리에 잠을 깬다.

김가온   (문 쪽을 보며) 누구시죠?

얼굴이 파랗게 질린 육십대 여성(지영옥)이 서 있다. 발치에는 물잔과 죽 그릇, 쟁반이 떨어져 있다.

지영옥   (그제야 정신이 난 듯) 죄송합니다. (얼른 떨어진 것들을 옆으로 치워 놓는다)
김가온   왜 그렇게 놀라신 거죠?
지영옥   (태연을 되찾은 듯 무표정하다) 요한 도련님이 아무 말씀 안 하시던 가요?
김가온   무슨 말씀 말이시죠?
지영옥   (차갑게) 그럼 저는 드릴 말씀 없습니다. 드실 건 다시 가져오겠습니다. (쟁반을 들고 나간다)
김가온   (어이없다) 도련님? 부자들이란. (억지로 몸을 일으켜보다가 오만상을 찌푸린다) 아우, (셔츠 안을 보니 붕대가 감겨 있다) 이건 누가?

김가온, 갸우뚱하다가 다시 힘겹게 몸을 일으켜 침대에서 내려온다. 절 뚝거리며 방문을 열고 나가는 김가온.

S#8. 강요한의 저택 곳곳 (낮)

놀란 눈으로 복도를 걷는 김가온. 한눈에 봐도 엄청난 고가로 보이는 그림과 도자기 등이 미술관을 방불케 한다. 복도가 끝나자 넓은 서재가 나오는데, 천장까지 책이 빽빽하게 꽂힌 서가가 가득하고 사다리도 놓

여 있다. 고풍스러운 책상과 의자, 오디오 시스템까지 화려하기 그지없
다. 입을 떡 벌리는 김가온. 책상 위에 놓인 꽃병을 늘어 이리저리 둘러
본다.

김가온   (혼잣말로) 이거 꽤 오래돼 보이는데, 대체 이런 건 얼마나 하는
거야?

엘리야(E)   국보야. 그거.

김가온   어? (순간 당황해서 꽃병을 떨어뜨렸다가 필사적으로 몸을 굽혀 아슬아
슬하게 받아내고는 안도의 한숨을 내쉰다) 휴우…… (몸을 일으켜 꽃
병을 제자리에 놓고는 그제야 다친 곳이 아픈지 오만상을 찌푸리며)
아야.

엘리야   (차갑게) 뻥이야. 멍청하긴.

김가온   (어이없는 표정으로 엘리야를 쳐다본다)

엘리야   (휠체어를 획 돌리며) 들쑤시고 다니지 말고 자빠져 있어.

김가온   근데 넌 누군데 아까부터 반말이야?

엘리야   (뒤돌아선 채) 엘리야.

김가온   엘리? 그게 이름이야?

엘리야   (김가온 쪽으로 다시 휠체어를 돌리며) 엘리야라고. 멍청아, 성경도
안 읽어봤어?

김가온   (화를 삭이며) 그래, 엘리야. 근데 내가 너한테 뭐 잘못한 거라도
있니?

엘리야   (이글거리는 눈빛으로 김가온의 얼굴을 쏘아보다가) 얼굴.

김가온   뭐?

엘리야   니 얼굴이 맘에 안 들어. …감히.

김가온   (어이가 없다) 감히? 아니 남의 얼굴을 갖고 지금 뭐라는……

엘리야	(O.L.) 요한은 이딴 걸 왜 주워 온 거야. (김가온을 째려보며) 짝퉁을. (휠체어를 휙 돌리더니 버튼을 눌러 위잉~ 긴 복도를 순식간에 가버린다)
김가온	어, 잠깐만! (사라져가는 엘리야를 쳐다보다가 고개를 절레절레 흔들며) 이 집 도대체 뭐지?

S#9. 차경희의 집, 거실 (낮)

이영민	(울상을 짓고) 아빠, 나 어떡해? 강요한 이 새끼, 미친놈 아냐? 내가 뭘 했다고 인민재판에 세워?
이재경	(걱정 가득한 표정으로) 그래, 정말 미친놈이더라. 무슨 판사가 그래? 걱정 마, 영민아. 엄마가 다 막아주실 거야. 어딜 감히……
이영민	…근데 아빠, 얘기 못했던 일이 좀 있는데…… 강요한 그 새끼, 계획적으로 날 노렸던 것 같아.
이재경	무슨 소리니?
이영민	그게……
차경희(E)	영민아!
이영민	(차경희를 보더니 얼른 달려가 끌어안는다) 엄마!
차경희	(이영민의 등을 두드리며) 걱정 마. 아무 일도 없을 거야. 아무 일도.
이재경	여보, 정말 괜찮은 거지?
차경희	(벌컥 화내며) 당신은 뭐한 거야! 애가 이 지경이 되도록!
이재경	(안절부절못하며) 아니, 문제 안 되게 다 잘 처리했는데 한 건이 좀 꼬여서…… (걱정스레) 괜찮을까?

차경희   (굳은 표정으로) 걱정 마. 그 재판, 안 열릴 거야.

S#10. 청와대 대통령 집무실 (낮)

성난 표정으로 대통령 집무실 문을 열고 들어가는 차경희.

차경희   가만 놔둘 겁니까!

허중세   (싱글거리며) 어, 차장관도 왔네?

차경희   (흠칫 놀란다. 차경희의 시선을 따라가면, 허중세 옆에 앉아 있는 강요
             한이 보인다)

강요한   오셨습니까, 장관님.

차경희   (굳은 표정으로 강요한을 노려본다)

허중세   (눈을 껌뻑거리며) 아, 근데 그건 무슨 소리야? 가만 놔둘 거냐고?
             …누굴? (씩 웃는다)

차경희   (허중세를 노려본다)

강요한   (자리에서 일어서며) 전 먼저 일어나보겠습니다.

허중세   벌써?

강요한   제 직책상 아무래도 부적절하지 않겠습니까. (차경희를 힐끗 보며)
             …피고인 가족하고 접촉하는 건.

차경희   ……!

강요한   개인적인 감정은 없습니다. 장관님. 공은 공이고 사는 사 아니겠
             습니까.

차경희   …나도 개인적인 감정은 없어. 내가 앞으로 무슨 일을 하든. (차
             갑게 강요한을 노려본다)

강요한   그럼. (살짝 목례하고는 나간다)

허중세   (싱글거리며 두 사람을 바라본다)

S#11. 청와대 복도 (낮)

복도를 걷고 있는 강요한.

정선아(E) 강판사님?

강요한   (자신에게 다가오는 정선아를 보고는 미소 지으며) 정이사님. 재단에
         서 전할 말이라도 듣고 오신 겁니까.

정선아   (생긋 웃으며) 전할 말이야 많죠. 여기저기. 그나저나 괜찮으세
         요? 다치신 덴 없구요?

강요한   이번 테러, 묘하던데요.

정선아   네?

강요한   사람 죽어나갈 정도는 아닌데, 무시할 수는 없을 정도, 절묘하게
         딱 그만큼만 날렸더군요. …꼭 누구한테 경고라도 하는 것처럼.

정선아   (눈을 동그랗게 뜨며) 어머, 그거 참 묘하네요? 진짜루.

강요한   (정선아를 빤히 보다가 씩 웃는다) 뭐, 제 상상력이 과한 건지도 모
         르죠.

정선아   하긴, 세상엔 경고를 잘 알아듣는 사람들이 있고, 못 알아듣고는
         뒤늦게 후회하는 사람들이 있고 그런 것 같긴 해요. 판사님. (활
         짝 웃는다)

강요한   동감입니다. (차가운 눈초리로 정선아를 보며) 경고를 잘 못 알아듣
         는 사람들이 있죠. 세상에는.

서로 웅시하는 두 사람.

S#12. 청와대 대통령 집무실 (낮)

정선아   재단 후원자분들이 걱정이 많으세요. 꿈터전 사업 발표 직전인데
괜히 서민들을 자극하는 거 아닌가 하고요. (차경희에게 양해를 구
하듯) 죄송해요. 장관님. (허중세에게) 특권층 갑질, 이런 거에 워
낙 예민하잖아요. 여론이.

차경희   (얼굴 표정이 굳는다)

허중세   아, 그러니까 예민한 시기인데 잘했어야지. (차경희를 힐끗 보며)
자제분이 화가 많은가봐? 엄마가 너무 무서워서 그런가…… (히
죽거린다)

차경희   (분을 참으며 허중세를 매섭게 노려본다)

허중세   (능청맞게 시선을 피하며) 어우, 무서. 눈에서 레이저가 그냥.

정선아   (O.L.) 어쨌든 일단 시범재판은 다른 사건으로.

허중세   (O.L.) 백만이 넘었던데.

정선아   예?

허중세   국민청원. (정선아를 빤히 보며) 강, 요, 한, 판사님을 공격한 배후
를 밝혀주세요.

정선아   (무표정한 얼굴로 허중세를 바라본다)

허중세   무시무시하지 않아? 하루 만이야. 단 하루 만에 백만. 강요한 함
부로 건드렸다간 폭동 일어날 분위기라고.

차경희   (굳은 표정으로) 알겠습니다. 정권 차원에서 부담이 된다면, 제가
알아서 하지요.

정선아   ('요것 봐라?' 하는 느낌으로 허중세를 보며 묘하게 웃는다)

S#13. 강요한의 저택, 김가온의 방 (밤)

침대에 누워 잠들어 있는 김가온. 머리맡 탁자에는 반쯤 마신 물잔과 과
일 접시가 놓여 있다. 이상한 느낌에 잠이 설핏 깨며 눈을 억지로 뜨는
데, 강요한이 침대맡에 앉아 김가온의 셔츠 단추를 하나씩 풀어내리고
있다. 놀라 뿌리치며 벌떡 일어나는 김가온.

김가온   지금 뭐하는 겁니까!

강요한   …뭐하는 거 같은데? (턱짓으로 김가온의 가슴께를 가리킨다)

김가온   (내려다보니 가슴에 감긴 붕대에 핏물이 배어나와 있고, 강요한 옆에는
새 붕대와 가위가 놓여 있다. 당황하며) 제가 하겠습니다. (등뒤로 손
을 뻗어 붕대를 풀려다가 통증을 느껴 얼굴을 찡그린다) 아야.

강요한   (단추를 마저 풀며) 나도 좋아서 하는 거 아냐. 얌전히 있어.

김가온   아까 그 아주머니는요?

강요한   유모? 퇴근했어.

김가온   유모요?

강요한   나 그 여자 젖 먹고 자랐어. 팔이나 좀 들어봐. (김가온의 셔츠를 벗
기더니 피 묻은 붕대를 둘둘 풀어낸다)

김가온   (불편하고 어색하지만 어쩔 수 없이 참고 있다)

강요한   흐음. (붕대를 풀다 말고 김가온의 등을 쳐다본다)

김가온   (힐끗 돌아본다)

강요한   이건 뭐지? (김가온의 등 한쪽에 있는 문신을 턱짓으로 가리킨다. 날개

문신이다)

김가온   …철없던 시절에 한 겁니다.

강요한   의왼데? (새 붕대를 김가온의 가슴에 감으며) 그런 타입은 아닌 줄

알았는데.

김가온   …꼰댑니까?

강요한   뭐?

김가온   지 맘대로 남을 판단하는 거. 꼰대들의 특징이죠.

강요한   (말없이 김가온을 노려보곤, 감던 붕대를 꽉 잡아당겨 조인다)

김가온   아야. (아파서 움찔했다가 강요한을 째려본다)

강요한   어린애들 특징이지. 엄살 부리는 거. (붕대 끝을 매듭짓고는 등을 철

썩 때리곤 일어선다)

김가온   아야! (오만상을 찌푸리곤 성큼성큼 방을 나가는 강요한의 뒷모습을 노

려본다)

S#14. 강요한의 저택, 서재 (밤)

서재로 들어서는 강요한, 엘리야를 본다. 엘리야, 천장에서 내려오는
홈시어터 시스템 스크린으로 유튜브 동영상을 보고 있다. 색깔이 다른
고양이 두 마리가 엘리야 주변에 앉아 하품하고 있다. 화면에서는 오진
주가 판사실에서 인터뷰를 하고 있다.

오진주   (눈물이 맺힌 채) 우리 강요한 재판장님은 절대 이런 협박에 굴하

지 않으실 거예요. 아주 강하신 분이거든요.

엘리야   (리모컨으로 영상을 멈추며 무표정하게) 이 여잔 뭐야?

강요한	오판사? 나랑 같이 일하는 판산데……
엘리야	(O.L.) 잤어?
강요한	(흠칫하며) 뭔 소리야, 그런 사이가 아니라 그냥 내 배석판사라서……
엘리야	(O.L. 눈을 반짝이며) 잤어?
강요한	(짜증내며) 아니라니까! 그냥 오버가 좀 심해. 눈물도 많고……
엘리야	(O.L.) 그래서 잔 거야?
강요한	(책상을 쿵, 치며 엘리야를 노려본다)
엘리야	(강요한을 힐끗 보더니) 뭐야, 안 잔 거야? (휠체어를 휙 돌리며) 재미없어. (버튼을 눌러 윙~ 가버린다)
강요한	(엘리야를 바라본다)
엘리야	(휠체어를 멈추더니 돌아선 채로) 저 방에 저거, 왜 주워 왔어?
강요한	가온?
엘리야	이름도 그지 같네. 빨리 내보내.
강요한	(피식 웃으며) 신경쓰이니?
엘리야	(휙 돌아서 강요한을 노려보며) 빨리 안 내보내면 내가 죽여버린다!
강요한	(팔짱을 끼며) 그 다리로?
엘리야	(입술을 깨물며 노려본다)
강요한	니 다리로 걷게 되면 나부터 죽인다며. 한 가지씩 하지 그래. 차근차근.
엘리야	(매섭게 째려보더니 휙 휠체어를 돌려 가버린다)

강요한, 나가는 엘리야의 뒷모습을 가만히 보다가 의자에 앉아 있는 고양이를 쓰다듬으려 한다. 고양이들, 강요한의 손길을 휙 피하며 엘리야를 뒤따라 가버린다. 큰 서재에 홀로 남은 강요한.

S#15. 강요한의 저택, 김가온의 방 (낮)

침대에 누워 있는 김가온. 출근 차림의 강요한이 들어온다.

강요한   얌전히 쉬고 있어. 아무데나 돌아다니지 말고.

김가온   …남이 보면 안 될 거라도 있는 겁니까.

강요한   …호기심이 지나치게 많아서 좋을 건 없지.

김가온   (강요한을 잠시 노려보다가) 이제 됐으니 집으로 돌아가겠습니다.

강요한   (고개를 저으며) 여기 있는 게 안전할 거야. 아직 테러범도 못 잡았
          고.

김가온   재판은 어떻게 하려는 겁니까?

강요한   대직할 판사를 데려올 거니까 걱정 마.

김가온   대직?

강요한, 씩 웃더니 방을 나간다.

S#16. 배석판사실 (낮)

강요한, 대직판사 정인석을 오진주에게 소개하고 있다. 한눈에 보기에
도 고지식해 보이는 전형적인 모범생 스타일의 정인석.

강요한   여긴 정인석 판사. 김판사가 완쾌될 때까지 대직을 해주기로 했
          습니다.

정인석   반갑습니다, 오판사님. (꾸벅 목례한다)

오진주 아, 네…… (떨떠름한 표정으로) 완전 판사님이시네. 얼굴에 나, 판, 사, 라고 쓰여 있는. (작게 중얼거리며) 우리 시범재판부는 비주얼이 좀 받쳐줘야 되는데……

정인석 네?

오진주 (활짝 웃으며) 아니에요. (정인석의 두 손을 와락 잡으며) 고마워요! 이런 위기에 용기 있게 도와줘서!

정인석 아닙니다! 시범재판부의 일원이 되어 영광입니다! 열심히 하겠습니다!

강요한 (미소 지으며) 든든합니다. 그럼. (가볍게 목례하고 돌아나간다)

오진주 (강요한이 나가자 얼굴은 웃는 채 손을 툭 놓으며) 자, 그럼 열심히 해볼까?

정인석 네?

오진주 (자리에 앉아 머리를 휘휘 올려 묶으며) 일해야지, 일. 생방이 머지 않았다! 헙!

정인석 (갸우뚱하며 어정쩡하게 서 있다)

S#17. 강요한의 저택 (낮)

김가온, 침대에서 일어나더니 조심조심 방문을 열고는 밖으로 나와 저택 곳곳을 살핀다. 인기척이라고는 없다. 목재로 된 1층 마룻바닥을 밟고 지나가는데, 끼익 끼이익 하는 소리가 기분 나쁘다. 마치 비명 소리 같다. 끼익 끼이익, 소리가 점점 가까워진다.

지영옥(E) 요한 도련님이 얌전히 누워 있으라 했을 텐데요.

김가온, 놀라서 뒤돌아보니 차가운 표정의 지영옥이 서 있다.

김가온   지겨워서 더는 못 누워 있겠는데요. 잠자는 숲속의 공주도 아니
        고.

지영옥   (싸늘하게) 원하시면 계속 주무시게 해드릴 수도 있습니다. 잠자
        는 숲속의 공주처럼.

김가온   뭐라고요?

지영옥   …농담입니다.

김가온   (어처구니없다) 아니 무슨 농담이 그렇게 살벌해요?

대답 없이 김가온의 방 쪽을 손으로 가리키더니 무표정하게 앞장서 가
는 지영옥.

김가온   (투덜대며) 이 집 여자들은 도대체 사람 말을 끝까지 듣질 않아.
        (어쩔 수 없이 지영옥을 따라간다)

S#18. 대법원 건물 관리실 (낮)

CCTV를 빠른 배속으로 돌려보고 있는 윤수현과 동료 형사 박종훈. 강
요한 판사실 앞 복도를 지나는 다양한 사람들이 화면에 등장한다. 눈이
아픈지 영상을 멈추고 의자에 기대 눈을 비비는 윤수현.

박종훈   아무리 봐도 외부인은 없는데. 혹시 내부에 범인이 있는 거 아냐?

윤수현   …내부에. (뭔가 떠오른 듯) 그럴지도 몰라.

박종훈	그치? 강요한 판사만 너무 잘나가니까 불만을 품은 판사가 있을 지도 모른다구. 아, 판사도 사람인데……
윤수현	(O.L.) 폭탄, 벽에 걸린 그림 쪽에서 터진 거잖아.
박종훈	(어리둥절한 표정을 지으며) 응.
윤수현	누가 와서 설치한 게 아니라, 처음부터 그림 내부에 설치되어 있던 거라면?
박종훈	처음부터?
윤수현	(대법원 관리실 직원에게) 시범재판부 인테리어 담당한 업체 전화번호가 어떻게 되죠?

S#19. 대법원 정문 밖 (낮)

대법원을 빠져나와 어딘가로 달려가는 윤수현의 차. 그런데 그뒤를 쫓는 차가 있다.

S#20. K의 차 안 (낮)

운전하면서 전화를 거는 K.

K	윤수현 형사가 뭔가 단서를 찾은 것 같습니다.

S#21. 강요한 부장판사실 (낮)

부서진 집기를 새로 갖다놓은 판사실. 전화 받는 강요한.

강요한   …응. 놓치지 마. 알지? 먼저 찾아야 돼. 경찰보다. (전화를 끊는다)

굳은 표정으로 아직 불에 탄 흔적이 남은 벽을 바라보는 강요한.

S#22. 윤수현의 차 안 (낮)

박종훈이 운전중이고 윤수현은 전화하고 있다.

윤수현   (인테리어 업체와 통화하며) 판사실 인테리어 그쪽이 한 거 아니에요?

업체(F)   저희가 맡긴 했는데, 하도급 줬어요.

윤수현   하도급? 잘 아는 업쳅니까?

업체(F)   어, 잘 아는 정도까진 아니고요……

윤수현   (O.L.) 확실히 말씀하세요! 원래 거래하던 데예요?

업체(F)   (움찔하며) 저기 그 관급공사라는 게 워낙 이문이 박하고 해서 말이죠.

윤수현   그래서요!

업체(F)   …유독 싸게 하겠다는 데가 있길래.

윤수현   거기가 어딥니까!

S#23. 가구 공장 단지 (저녁)

허름한 공장이 늘어선 골목길에 차를 세우는 윤수현과 박종훈. 목재가
나뒹구는 영세한 공장 안으로 들어간다.

S#24. 가구 공장 안 (저녁)

위이잉~ 돌아가는 전기톱으로 목재를 자르고 있는 덩치 크고 험상궂
은 사내가 있다.

윤수현	잠시 말씀 좀 나누시죠.
사내	(아랑곳 않고 계속 작업중이다)
박종훈	이거 봐요! (사내의 어깨를 툭 친다)

그 순간 휙 몸을 돌리며 박종훈의 멱살을 잡고 위이잉~ 돌아가는 전기
톱 바로 옆으로 밀어붙이는 사내.

박종훈	히이익! (겁에 질려 비명을 지른다)
윤수현(E)	그 손 놔!

사내, 돌아보자 윤수현이 자신의 가슴에 총을 겨누고 있다. 묘한 웃음
을 지으며 천천히 손을 드는 사내. 박종훈, 얼른 옆으로 피한다.

사내	작업중에 건드리시면 위험한데 말입니다.

윤수현	그렇다고 사람을 전기톱에 밀어넣어요?
사내	장난입니다. 장난. 그런데 어데서 오신 분들이십니까?
윤수현	(신분증을 보이며) 광수대에서 왔습니다.
사내	요즘 경찰은 선량한 시민 가슴에 총 겨누고 있어도 되는 겁니까?
윤수현	(천천히 총을 내린다) 시범재판부 판사실 내부 집기 일체, 납품하신 거 맞습니까?
사내	글쎄요, 한두 군데 납품하는 것이 아니라……
윤수현	거래 장부부터 봅시다. 저깁니까? 사무실? (한쪽에 있는 사무실 문을 가리킨다)
사내	영장부터 보여주시지요. (손을 내민다)
윤수현	(사내를 노려본다)
사내	(씩 웃으며) 하이고, 많이 바쁘셨나봅니다. 챙길 거 챙겨서 다시 오십쇼. 기다리겠슴다.

입술을 깨물며 휙 돌아서는 윤수현. 성큼성큼 차 쪽으로 걸어간다.

박종훈	어, 같이 가, 윤형사! (얼른 윤수현을 쫓아간다)

사내, 피식 웃으며 다시 전기톱 작업을 한다.

S#25. 가구 공장 안 (저녁)

사내, 전기톱 스위치를 내리고 휘파람을 불며 사무실로 들어간다.

강요한(E) 기분이 좋은가보네.

사내, 놀라서 얼른 스위치를 켠다. 책상에 두 다리를 올린 채 의자에 기대앉아 있는 롱코트 차림의 강요한.

강요한 (들고 있는 작은 기판을 빙글 돌리며) 여기, 아주 재밌는 곳이네. 요즘 가구 공장은 소형 폭탄도 취급하나?

사내, 허리춤에서 잭나이프를 꺼내든다. 강요한, 피식 웃으며 다리를 내리고 천천히 일어선다. 얼굴이 무섭게 군다. 불꽃이 튈 듯 분노한 표정이다. 순식간에 사내 쪽으로 달려들며 사내의 가슴을 발로 내리찍듯 강하게 걷어차는 강요한. 사내, 사무실 문에 부딪히는데 문이 박살나면서 밖으로 나뒹군다.

강요한 니가 누굴 다치게 했는지 알아?

사내, 일어서면서 나이프를 위협적으로 휘두르며 달려든다. 치열한 격투를 벌이는 두 사람. 강요한이 나이프를 발로 차 떨어뜨리자 사내는 바닥에 있는 목재를 들고 내리친다. 강요한, 팔로 막지만 목재가 부러지며 강요한의 눈 옆을 찢는다. 피를 흘리면서도 아무렇지 않은 듯 성큼성큼 다가와 사내의 명치에 펀치를 날리고, 다짜고짜 사내의 목을 뒤에서 조른 채 전기톱 쪽으로 사내를 질질 끌고 가는 강요한. 사내, 버둥거리지만 강요한의 기세에 압도당한다. 강요한, 전기톱 스위치를 올리더니 사내의 팔을 작업대 위에 턱 올려놓는다. 위이잉 소리를 내며 돌아가는 전기톱.

사내	살려줘! 뭐든 말할게!
강요한	그래?

강요한, 사내의 팔을 작업대에서 내리고 스위치를 끈다. 안도의 한숨을 쉬는 사내. 이를 드러내며 웃는 강요한.

강요한	그런데 어쩌나. 난 궁금한 게 없는데.

강요한, 바닥에 있는 전깃줄로 사내의 두 손을 뒤로 묶더니, 사내의 몸을 끌어올려 작업대 위에 눕히고는 스위치를 켠다. 이번에는 사내의 목을 위이잉, 돌아가는 전기톱 쪽으로 밀고 간다.

사내	(공포에 질려) 말할게! 다 말할게! 살려줘!
강요한	(사내를 내리누르며) 거참 말 많네. 궁금한 거 없다니까.
사내	재단, 재단 쪽 사람이 시켰어! 겁만 좀 주라고!
강요한	(점점 광기가 차오르는 눈동자) 관심 없어.

사내의 목 바로 옆까지 다가온 톱날과 무시무시한 위이잉 소리!

사내	으아아악!

그 순간, K가 나타나 강요한을 붙잡으며 말린다.

K	그만하십쇼! 너무 흥분하셨습니다!
강요한	비켜!

K	김판사님 때문입니까!
강요한	(순간 멈칫하더니 K를 노려본다)
K	…죄송합니다.

강요한, 사내의 몸을 내리누르던 손을 떼고 일어선다. 사내, 바닥으로 구른다.

강요한	(사내를 내려다보며) 니 주인한테 가서 전해. 다음번엔 직접 오는 게 좋을 거라고.

공포에 질려 뒷걸음질하는 사내를 팔짱을 낀 채 차갑게 내려다보는 강요한.

S#26. 강요한의 저택, 김가온의 방 (밤)

끼익 문을 열고 들어오는 양복 차림의 강요한. 김가온, 조용히 침대에 누워 있다.

강요한	(피식 웃으며) 얌전히 있네?
김가온	(각목 조각에 맞아 찢어진 강요한의 눈 옆 상처를 본다. 밴드가 붙어 있다) 다쳤네요.
강요한	별거 아냐. (주머니에서 핸드폰을 꺼내 휙 던진다)
김가온	(툭 받는다. 사고 때 망가졌던 김가온 핸드폰이다) 수리한 겁니까?
강요한	얌전히 있었으니 선물.

김가온   (강요한을 가만히 보다가 불쑥) 이영민 재판 준비는 잘돼갑니까?

강요한   (피식 웃으며) 무슨 준비? 간단한 사건이잖아.

김가온   준비를 철저히 하시는 걸로 알고 있는데요. …여러 가지로.

강요한   글쎄, 무슨 얘긴지 잘 모르겠네.

김가온   현실에 정의 따윈 없다고 하셨죠. 지독하게 불공정한 게임만 있
         을 뿐이라고.

강요한   …그래서?

김가온   그 지독하게 불공정한 게임에 굳이 뛰어든 이유가 뭡니까.

강요한   …이유라. (씩 웃으며) 이유가 꼭 있어야 되나?

김가온   뭔가 바로잡고 싶은 거라도 있는 겁니까?

강요한   (굳은 표정으로 김가온을 본다)

김가온   (강요한을 똑바로 응시하며) 후회하는 거라든지.

         강요한, 흠칫하며 김가온을 노려본다. 서로 노려보는 두 사람.

강요한   (잠시 후 피식 웃더니) 꼰대였나?

김가온   예?

강요한   지 맘대로 남을 판단하는 거. 꼰대들의 특징이라며.

김가온   그게 아니라……

강요한   (O.L.) 빨리 낫기나 해. 불필요한 상상은 그만하고.

         강요한, 돌아 나간다. 김가온, 강요한이 사라질 때까지 보더니 전화기
         를 꺼내들어 버튼을 누른다.

김가온   수현아.

S#27. 경찰서/강요한의 저택 (밤)

컴퓨터 앞에 앉아 가구 공장 압수수색영장 신청서를 열심히 쓰고 있던
윤수현, 전화기를 든 채 벌떡 일어선다.

윤수현 가온아!

김가온 (찡그리며) 나 귀는 아직 괜찮거든?

윤수현 야! 지금 그딴 소리가 나와? 너 괜찮은 거야? 다친 데는? 사지는
　　　　멀쩡해?

김가온 팔 둘 다리 둘이면 숫자 맞는 거였나.

윤수현 머리에 충격이 있나보다. 얼굴은 괜찮아? 성격도 드러운 애가 그
　　　　래도 봐줄 게 얼굴 하난데.

김가온 (O.L.) 수현아.

윤수현 응!

김가온 (부드럽게 달래듯) 나 괜찮아. 걱정했지?

윤수현 (자기도 모르게 눈물이 핑 돌아서 잠깐 전화기를 귀에서 떼곤 눈을 깜빡
　　　　거린다)

김가온 수현아? 괜찮아?

윤수현 (다시 전화기를 귀에 대고) 지금 어디 있는 거야?

김가온 강요한 집.

윤수현 뭐? 그 인간을 어떻게 믿고 거기에 있어?

김가온 뭐 안전해 보이긴 해. 온갖 보안 장치가 다 돼 있다나봐.

윤수현 집주인이 제일 위험한데 무슨 소리야! 폭발 사건도 자작극일 수
　　　　있어!

김가온 …하긴 집 아무데나 돌아다니지 말라고 겁주긴 하더라.

윤수현	무슨 푸른 수염의 일곱 아내냐? 어느 방에 들어가면 시체가 주렁주렁 있는 거 아냐?
김가온	이왕 호랑이굴에 들어온 김에 좀 캐봐야지. 강요한에 대해 알려진 게 너무 없잖아. 집안 배경, 성장 과정……
윤수현	(걱정스레) 넌 그냥 가만있어! 다친 애가 뭘 한다고…… 내가 알아볼게!
김가온	(미소 지으며) 엄마같이 굴래? 윤수현.
윤수현	그게 아니라……
김가온	아직 몸이 놀랬는지 종일 졸리긴 해. 그래도 잠만 잘 수야 있겠어? 조심할 테니 걱정 말고.
윤수현	가온아……

S#28. 도심 거리 (낮)

거대한 빌딩 스크린에 도심에서 구걸하는 걸인들과 길바닥에 누워 자는 노숙자들 모습이 나오고 있다. 영상을 보는 행인들. 서정학이 영상에 나타나 말하기 시작한다.

서정학(E) 언제까지 우리의 이웃들을 길거리에 버려두시겠습니까.

노숙하는 노인이 추위에 떠는 모습과 아기를 안고 있는 노숙자 여인의 지친 얼굴이 영상에 등장한다.

서정학(E) 대한민국이 다시 일어나려면 가장 낮은 곳에 먼저 빛을 비추어야

합니다.

햇살 가득한 아름다운 숲속 마을 영상으로 전환된다. 거대한 병원을 중심으로 저층 연립주택과 공원, 놀이터가 있고, 웃으며 뛰노는 아이들과 지켜보며 웃는 노인들이 보인다.

서정학(E) 사회적책임재단은 서울 외곽의 병들고 지친 이웃들을 위해 3만 세대 규모의 '꿈터전 마을'을 건설하고 있습니다. 무상의료, 무상주거를 제공하는 재활 공동체입니다.

영상에 길거리에서 재단 모금함에 돈을 집어넣는 환경미화원, 재단 모금 앱을 클릭하는 택배 기사, 저금통을 깨는 천진난만한 아이 모습이 나온다.

서정학(E) 우리 모두가 힘을 합친다면 이 아름다운 꿈은 현실이 됩니다. 고맙습니다. (눈물을 흘린다)

거리에 서서 영상을 지켜보던 노숙자 엄마와 아이, 스크린 가득히 빛나는 아름다운 마을의 영상을 홀린 듯이 보고 있다. 엄마의 손을 꼭 잡으며 조르듯 엄마를 쳐다보는 아이의 빛나는 눈.

S#29. 청와대 안 연회장 (낮)

테이블에 둘러앉은 재단 주요 인사들, 벽 스크린에 비치는 꿈터전 사업 영상을 보며 박수를 치고 있다.

박두만   아, 감동입니다. 서선생님 정말 큰일을 하셨습니다! 이거 올해는 스웨덴에서 좋은 소식 들려오겠는데요?

서정학   (혀를 차며) 속되기는! 내가 그깟 노벨상 타자고 하는 일인가. 나라를 위한 일이거늘!

민용식   하하하, 용서하십시오. 박회장이 경박했습니다. 맞습니다. 나라를 위한 일이지요. (허중세를 보며) 그런 의미에서 드리는 말씀인데, 이제 힘든 분들을 어서 꿈터전 마을로 옮겨드려야 하지 않겠습니까.

박두만   맞습니다. (얼굴을 찡그리며) 명동이고 강남역이고 온통 노숙자에, 거지에…… 힘든 분들이 어찌나 많은지.

허중세   (웃으며) 그래서 박회장네 호텔 적자가 심각하지? 외국 관광객이 뚝 끊겼다며.

박두만   (힐끗 쳐다보고는 능청맞게) 에유, 여기 민회장네 면세점 적자만큼이야 하겠습니까. 여하튼, 서울부터 예전 모습을 찾아야 국격이 올라가고 외국인 투자도 돌아올 겁니다.

허중세   (비꼬듯) 그렇지. 회장님들 재산도 돌아올 거고.

민용식   (힐끗 보며) 대통령님 지지율도 돌아오겠지요.

허중세   (순간 노려보았다가 다시 씩 웃는다)

박두만   그런데 대통령님, 꿈터전 사업에 관련 부처 협조가 영 늦는 거 같습니다. 허허허.

민용식   (못마땅하다는 말투로) 이제 겨우 1차 단지 하나 끝냈습니다. 할일이 산더미인데 행정이 발목을 잡아서야 되겠습니까?

허중세   (씩 웃으며) 할일 많겠지. 그린벨트도 더 풀어야 되고, 사업 부지에 사는 판자촌 주민들 집 헐고 쫓아내야 되고……

민용식 　(표정 굳으며) 아니 그거야 다 합의된 거 아닙니까. 나라 살리자는
　　　　　사업인데.

허중세 　(테이블을 쾅 내려치며) 사람이 제일 귀한 거야! 알아?

놀라 허중세를 쳐다보는 사람들.

허중세 　나, 서민들 지지로 대통령 된 사람이야. 판자촌 주민들도 내 국민
　　　　　이라구!

도연정 　(허중세의 팔을 잡으며) 여보, 그만해……

허중세 　(도연정의 손을 팍 뿌리치며 버럭한다) 어디서 아녀자가!

도연정 　(얼굴이 창백하게 질린다)

정선아(E) 　앗!

와인잔을 건드려 허중세의 와이셔츠에 쏟은 정선아.

정선아 　(얼른 허리를 굽히며) 죄송합니다. 대통령님! 제가 그만 실수로.

허중세 　(못마땅하게) 쯧!

S#30. 청와대 내실 (낮)

허중세, 짜증스러운 표정으로 와인 자국이 남은 셔츠 단추를 풀고 있다.

도연정 　(허중세의 안색을 살피다가) 이제 기분 좀 풀지?

허중세   (찡그린 채) 이것들이 자꾸 까불잖어! 군통수권자를 바지저고리
          로 아나, 장사꾼 새끼들이! (갑자기 흥분하다가 목 옆 어깨를 짚으며
          아픈 표정으로) 아야.

도연정   (걱정스레) 괜찮아? 자기 너무 흥분한 거 같은데 경락 좀 풀고 쉬
          고 와.

허중세   (시큰둥하게) 흐음……

S#31. 청와대 안 물리치료실 (낮)

마사지 베드에 엎드려 중년 남성 치료사의 등 마사지를 받고 있는 허중
세. 깜빡 잠이 든다.

Cut to

정선아(E) 어머, 목이 많이 뭉치셨어요.

허중세, 화들짝 놀라 고개를 돌리는데 정선아가 생글생글 웃으며 뾰족
한 손톱으로 목 뒤를 누르고 있다. 왠지 소름이 끼치는 허중세.

허중세   (놀라며) 정이사? 아니 여긴 어떻게……

정선아   (O.L.) 잠시만요! 승모근이 많이 거상되어 있으세요. 우선 막힌
          데 좀 풀어드리고 말씀드릴게요.

허중세   (얼떨떨한 채) 어…… 뭘 좀 아나?

정선아   (생긋 웃으며) 저, 흙수저 출신이거든요. 서선생님 모시기 전까지

는 안 해본 일이 없어요. 경락치료로도 한동안 먹고 살았죠.

허중세   (미심쩍은 듯) 그래?

Cut to

천장의 봉을 잡은 채 맨발로 허중세의 등을 밟는 정선아. 발끝으로 허중세의 등 구석구석을 침을 찌르듯 눌러준다.

허중세   으으으…… 어우 좋네, 이거.

정선아   (미소 지으며) 좀 풀리시죠?

허중세   실력이 장난 아닌데?

정선아   아까 감동했어요. 힘없는 서민들, 철거민들 헤아려주시는 그 마음.

허중세   뭘 당연한 걸 가지고.

정선아   (생긋 웃으며) 꿈터전 사업 수익의 십 프로면 달래지실까요? 그 마음.

허중세   (순간 힐끗 돌아보다가 정선아의 미소를 보고는 씩 따라 웃는다. 다시 고개를 돌리며) 역시 센스 있어. 우리 정이사.

정선아   에이, 저야 심부름꾼일 뿐인데요. 서선생님이 다 안배하신 거죠.

허중세   허허허허, 심부름도 센스 있게 하잖어. 요렇게.

정선아   (웃고 있는 허중세의 뒤통수를 살며시 지르밟으며 묘한 미소를 짓는다. 속삭이듯) 좋니?

허중세   (흠칫하며 휙 돌아본다) 응? 뭐라고?

정선아   아니에요. 안면 경락도 풀어드려야 되는데. 잠시만 고개를 좀 옆으로……

허중세   (미심쩍은 듯 정선아를 힐끗 쳐다보지만 설마 싶다. 천천히 고개를 옆으
로 돌리며) 어…… 그럴까?

정선아, 허중세의 옆얼굴을 천천히 발로 짓밟기 시작한다. 벌레를 짓밟
듯 묘한 미소를 지으며 내려다보는 정선아와 그녀의 발에 밟히며 얼굴
을 찡그리는 허중세의 그로테스크한 대조!

S#32. 배석판사실 (낮)

정인석   (기록을 넘기다가 눈살을 찌푸리며) 이영민 이 사람, 분노조절장앤
가요? 왜 식당에서 이런 짓을……
오진주   조절할 필요가 없이 살았나보지 뭐. 굳이 왜 조절하겠어?

S#33. 검토중인 사건 당시, 식당 (밤)

허름한 동네 맛집 스타일 식당. 식당 주인으로 보이는 칠십대 할머니가
계산대 앞에 앉아 있다. 이영민은 여자친구와 식사중이다.

이영민   (눈살 찌푸리며) 지저분하게 이런 데는 왜 온 거야?
여자친구   오빠, 여기 방송에 골목길 맛집으로 나와서 유명한 데야. 나름 핫
플이라구.
이영민   너나 많이 드세요. (젓가락은 내려놓고 소주만 들이킨다)
여자친구   (입을 삐죽이고는 음식을 배경으로 셀카를 열심히 찍어댄다)

이십대 초반 순진한 인상의 젊은 종업원이 이영민 쪽으로 다가온다.

종업원   저, 가게 앞 차량 차주 되시죠?

이영민   그런데?

종업원   죄송하지만 차 좀 이동해주시겠어요?

이영민   왜?

종업원   거기 세우시면 통행에 방해돼서 민원 들어오거든요. 죄송합니다.

이영민   (차 키를 휙 던지며) 자.

종업원   (얼결에 받고는 당황하며) 네?

이영민   키 줬잖아. 옮겨.

종업원   (황당한 표정으로) 저, 제가 손님 차를 함부로 운전할 수가······

이영민   (O.L. 버럭하며) 나 술 먹는 거 안 보여! 음주로 걸리면 니가 책임 질 거야?

종업원   (당황한 얼굴로) 저, 그럼 여자분이 좀······

이영민   (짜증난 목소리로) 아, 진짜. (테이블 위의 작은 생수병을 집어들고 일 어나더니 그걸로 종업원 머리를 툭툭 치며) 야, 요즘 발레파킹도 안 되는 가게가 어딨어? 뭐 이런 거지 같은 데가 장살 한다고······

주인할머니   (놀라 달려와서는) 저 손님, 이러시면 안 됩니다!

주방에서 사십대 건장한 남성(주방장)이 나오더니 이영민의 팔을 붙잡 는다.

주방장   손님!

이영민   어? (주방장을 쳐다보더니) 넌 또 뭐야?

주방장   사람을 치면 어떡합니까?

이영민   (씩 웃더니) 안 돼? (이번엔 다른 손으로 주방장 뺨을 철썩 친다)

주방장   이 자식이! (이영민 멱살을 잡고 주먹을 든다)

이영민   어쭈? 손님을 치려구? (싱글거리며) 해봐. 재밌겠네.

주인할머니 (주방장 팔을 잡으며) 안 돼! 자네 큰일나잖아!

종업원   (울상으로 주방장을 말리며) 참으세요! 주방장님.

주방장, 망설이는 사이 이영민, 주방장 복부에 주먹을 날린다. 배를 움켜쥐고 주저앉는 주방장. 알바 여학생이 놀라 주방장에게 다가서는 이영민을 가로막는다.

여학생   이러지 마세요!

이영민   기집애는 좀 빠지지? (여학생 목을 잡아 바닥으로 밀쳐버린다)

주인할머니 (여학생에게 달려가 일으키며) 야 이 나쁜 놈아!

종업원, 이영민을 뒤에서 껴안고 말린다.

종업원   (울먹이며) 제발 그만요! 그만하세요!

이영민   (광기어린 눈빛으로) 왜? 왜 그만해? 지금 아주 재밌잖아. 안 그래?

S#34. 배석판사실 (낮)

정인석   (기록을 보며) 피해자 중에 주방장분이 폭력 전과가 있었네요.

오진주   그래서 죽어라 참은 거지 뭐. 어찌나 분했는지, 몇 번 합의 시도

가 있었는데 다 거절했다나봐. 절대 합의 안 한대. 피해자 세 명
이 아주 똘똘 뭉쳤더라고.

S#35. 식당 (낮)

영업 전이라 손님은 없는 식당. 주방장, 종업원, 알바 여학생과 식당 주
인할머니가 모여 앉아 있다.

주인할머니 (단호하게) 절대 합의해주지 마.
여학생   네! 변호사한테 자꾸 전화 와서 아예 꺼버렸어요.
주인할머니 돈 필요하면 차라리 내가 줄게. 세상이 돈으로 다 되는 거 아니잖
        아. 기죽지 마.
주방장   (울컥해서) 사장님……

S#36. 강요한의 저택 (낮)

김가온, 조심스레 방에서 나와 저택 여기저기를 살피며 이 방 저 방을
열어보다가, 제일 구석의 방문을 열려 하는데 잠겨 있다. 김가온, 손잡
이를 이리저리 돌려보는데, 저벅저벅 발소리 들린다. 얼른 맞은편 방으
로 숨는 김가온. 문틈으로 엿보는데, 지영옥이 열쇠를 꺼내 잠겨 있던 방으
로 들어가고 있다. 김가온, 귀를 기울이는데 갑자기 말소리가 들려온다.

지영옥   (울음이 섞인 목소리로) 도련님, 제가 지켜드릴게요. 불쌍한 도련님.

김가온   (소름이 끼친다) 도련님? 강요한은 집에 없는데?

김가온, 조심조심 문을 조금 열고 빠져나와서는 지영옥이 있는 방 문가
에 서서 안을 엿보는데, 가구마다 온통 흰 천이 덮여 있고, 지영옥은 흰
천이 덮인 피아노 앞에 앉아 손에 든 액자를 보며 이야기하고 있다.

지영옥   이 집은 도련님 것인데, 그애 것이 아닌데……

김가온이 문틈으로 조금 다가서는 순간, 지영옥이 휙! 무시무시한 표
정으로 고개를 돌린다! 헉! 심장이 떨어질 듯 놀라 반사적으로 뒤로 물
러서는 김가온. 지영옥, 자리에 앉은 채 가만히 주변 소리에 귀를 기울
인다. 입을 틀어막고 미동도 않고 있는 김가온. 지영옥, 조금 열려 있는
문을 힐끗 보고는 일어나 문 쪽으로 걸어온다. 지영옥의 발걸음 소리에
초긴장 상태인 김가온, 좀전에 숨었던 방 쪽을 보지만 늦었다. 지영옥,
안에서 문을 쿵 닫고 잠가버린다. 그제야 긴장이 풀려 스르르 주저앉는
김가온.

S#37. 법무부장관실 (낮)

굳은 표정으로 통화중인 차경희. 전화를 끊더니 생각에 잠겨 턱을 어루
만진다.

S#38. 골목길 (밤)

퇴근하고 귀가하던 알바 여학생, 후미진 골목길에 접어든다. 그런데 뒤에서 뚜벅뚜벅 발걸음 소리가 들려 불안한 표정으로 자꾸 뒤를 돌아본다. 그림자가 비쳤다가 사라진다. 여학생, 점점 겁에 질려 발걸음이 빨라지더니 뛰기 시작한다.

S#39. 식당 (밤)

주방을 정리중이던 주방장, 전화기가 울려 홀로 나가 받는다.

주방장   여보세요.

검찰계장(F) 김성훈씨 되시죠?

주방장   그런데요.

검찰계장(F) 여기 검찰청입니다. 한번 좀 나오셔야겠는데요.

주방장   네? 무슨 일로……

검찰계장(F) 전에 한번 조사받으신 적 있죠?

주방장   그건 이미 벌 다 받고 끝났는데요.

검찰계장(F) 글쎄 끝났는지 아닌지는 우리가 결정하는 거고요.

주방장   네?

검찰계장(F) 그때 수사가 미진했다는 제보가 있어서 그러니까, 나오세요. 아시겠죠?

주방장   (얼굴이 굳는다)

S#40. 강요한의 저택, 김가온의 방 (밤)

윤수현과 통화중인 김가온.

윤수현(F) 강요한의 가족관계 증명서?
김가온   응. 분명 뭔가 있어. 좀 알아봐줄래?
윤수현(F) 글쎄…… 당장 무슨 범죄 혐의가 있는 건 아니라서 가능할지 모
        르겠네…… 그래도 한번 알아볼게.
김가온   고마워. (전화를 끊는다)

침대에 앉아 생각에 잠겼다가 무심코 탁자 위에 놓인 물잔을 들어 마시
는 김가온. 순간 뭔가 머릿속에 떠오른다.

플래시백 >

무표정한 얼굴로 김가온의 침대 머리맡에 물잔을 내려놓는 지영옥.

김가온, 의혹에 찬 눈빛으로 물이 조금 남아 있는 잔을 이리저리 돌려보
는데, 점점 눈꺼풀이 무거워져 눈을 깜빡거린다.

Cut to

언뜻 눈을 뜨며 놀라 일어나는 김가온. 창밖을 보니 어느새 대낮인지 햇
빛이 환하다. 머리맡에 놓인 물잔을 뚫어져라 쳐다보는 김가온.

S#41. 배석판사실 (낮)

실무관이 들어와 오진주 책상에 서류를 놓고 간다. 오진주, 서류를 넘겨보다가 놀란다.

오진주   뭐야, 또?

정인석   합의서가 또 들어왔어요?

오진주   (입술을 깨물며 끄덕거린다)

정인석   (오진주 옆으로 다가와) 어제는 종업원 총각 것이 들어오더니, 오늘은 알바 여학생도 합의했네. 원만히 합의했사오며 피고인의 처벌을 원하지 않습니다. 이 사람, 이영민 엄벌해달라고 탄원서까지 냈던 사람이잖아요?

오진주   그러던 사람이 재판 전날에 합의서를 냈다?

정인석   (감동한 표정으로 끄덕이며) 이번엔 피고인이 진짜 반성했나보네요. 얼마나 정성껏 사죄를 했으면 마음을 돌렸겠어요.

오진주   (어이없어하며) 저기, 이봐요 도련님?

정인석   네?

오진주   자긴 세상이 다 꽃밭으로 보여?

정인석   네? 무슨 말씀이신지……

오진주   힘있는 사람은 반성 안 해. 힘없는 사람들이 반성하지. 알아? (정인석을 차가운 눈초리로 응시한다. 당황하는 정인석)

S#42. 대법원장실 (낮)

지윤식   강판사가 걱정되어서 하는 얘깁니다. 요즘 같은 상황에 검찰하고
        정면으로 각을 세우는 건……

강요한   (O.L.) 대법원장님.

지윤식   네?

강요한   모든 인간이 법 앞에 평등하다고 믿으십니까?

지윤식   (불쾌한 표정으로) 글쎄요, 그건 왜 묻는 겁니까.

강요한   (미소 지으며) 전 안 믿습니다. 크리스마스에 산타가 온다는 것처
        럼 깜찍한 얘기죠.

지윤식   ……?

강요한   하지만, 가끔은 그런 깜찍한 얘기, 믿고 싶어지지 않으십니까.

지윤식   강판사.

강요한   이번 재판은 그냥 크리스마스 특집영화 같은 걸로 생각해주십쇼.

지윤식   (표정이 굳는다)

강요한   (목례하고 일어서다가) 아, 그리고.

지윤식   ……?

강요한   제 걱정은 안 해도 된다고 '전해'주십시오. (싱긋 미소 짓는다)

지윤식, 미소 짓는 강요한을 노려본다.

S#43. 식당 (낮)

고개를 푹 숙인 종업원과 여학생. 화난 표정으로 앉아 있는 주방장.

여학생	(울먹이며) 죄송해요…… 우리 아빠 다니는 회사 사장님이 자꾸 뭐라고 하나봐요. 조용히 합의 좀 해주지 왜 그러냐고. 아빠 이번에 승진 못하시면 회사 그만두셔야 해요……
종업원	저희 엄마도 너무 무섭대요. 받으면 툭 끊기고 하는 전화가 하루 종일 오고, 수상한 사람들이 자꾸 어슬렁거리고……
주방장	난 뜬금없이 검찰청에서 조사받으러 오라더라. 그래도 버티고 있는데……
종업원	죄송해요……
주방장	아니다. 니네가 뭘 죄송하니. (한숨을 깊이 내쉰다)
여학생	내일 재판 나가실 거죠.
주방장	(고개를 끄덕이며) 나가야지. (주먹을 불끈 쥐며) 솔직히, 내 그 새끼를 한 대 시원하게 패기라도 했으면 포기한다. (치를 떨며) 그런 놈한테 아무것도 못하고 병신같이 맞고, 나 이대론 못산다. 화병 나 죽을지도 몰라.
종업원	주방장님……

S#44. 강요한의 저택, 강요한의 침실 (낮)

거울 앞에서 넥타이를 매고 있는 강요한. 똑똑, 노크 소리가 나더니 김가온이 들어온다.

강요한	웬일로 일찍 일어났지? 매일 대낮까지 자는 거 같던데.
김가온	…오늘 이영민 재판이죠.
강요한	(싱긋 웃으며) 응원이라도 해주는 건가?

김가온	증거가 부족한 사건일 텐데, 혹시 누구라도 증인이 필요하시면.
강요한	뭐 본 거라도 있나?
김가온	…위협운전 하는 걸 우연히 본 적이 있습니다.
강요한	그래? (의미심장한 미소를 지으며) 다른 건 혹시 못 봤고?
김가온	(해머를 내리치던 강요한을 잠시 떠올렸다가 고개를 젓는다)
강요한	재판 걱정은 접어두고 몸조리나 해. 얌전히.
김가온	……

S#45. 강요한의 저택, 서재 (낮)

김가온, 벽걸이형 TV 스크린 앞에 앉아 있다. 화면에는 기립한 사람들, TV 카메라들과 조명, 그리고 대법정으로 들어오는 강요한, 오진주, 정인석이 보인다. 이어 법정 생중계 아나운서가 클로즈업된다.

| 아나운서 | 국민 여러분! 오래 기다리셨죠? 불의의 사고로 연기되었던 시범 재판이 다시 열렸습니다. 오늘은 또 어떤 속시원한 재판을 보여주실지, 기대가 됩니다. |

S#46. 대법정 (낮)

| 강요한 | (장내를 죽 둘러보더니) 재판을 시작하기에 앞서 드릴 말씀이 있습니다. (모두 강요한에게 집중한다) 불행하게도, 김가온 판사님은 오늘 재판에 함께하지 못했습니다. |

법정 스크린에 김가온의 사진이 큼지막하게 뜬다.

S#47. 강요한의 저택, 서재 (낮)

음료수를 마시려던 김가온, 스크린에 큼지막하게 뜬 자기 얼굴에 놀라 푸 하고 음료를 뱉는다.

S#48. 대법정 (낮)

강요한　(엄숙하게) 김판사님이 건강한 모습으로 돌아올 수 있도록, 기도 해주십시오. 여러분의 기도가 필요합니다.

S#49. 강요한의 저택, 서재 (낮)

김가온　(당황하며) 뭐, 뭐야, 왜 오버하고 그래.

S#50. 대법정 (낮)

강요한　이 재판이 계속되는 걸 원치 않는 사람들이 있을지 모릅니다. 그 중에는 힘있는 사람들도 많겠지요. 저희를 지켜줄 수 있는 건 오 직, 국민 여러분뿐입니다.

방청객들이 열광적으로 박수갈채를 보낸다. 하나둘씩 일어나더니 어느새 모두가 기립해 환호한다. 강요한, 감동한 표정으로 방청석을 둘러보며 목례를 한다. 카메라가 오진주를 잡자, 오진주, 눈치채고 눈물을 훔쳐낸다. 정인석, 이런 법정에 적응이 안 되는지 놀라 입을 벌렸다가 얼른 다문다. 박수가 잦아들자 강요한, 다시 입을 연다.

강요한   자, 그럼 오늘의 재판을 시작하겠습니다. 이영민 피고인 앞으로 나오세요.

이영민, 피고인석에 앉아 못 들은 척 꿈쩍도 안 한다. 옆에 앉은 변호인도 미소만 짓고 있다.

강요한   이영민 피고인? (이영민을 응시한다)

이영민, 입꼬리를 올리며 피식 웃는다. 그 순간, 공판검사가 법정 가운데로 걸어나온다.

공판검사   재판장님!
강요한   네, 검사님.
공판검사   공판 시작 전에 먼저 정리할 사항이 좀 있는 것 같습니다.
강요한   그래요? 말씀하시죠.
공판검사   아시다시피 이번 사건은 단순폭행입니다. 피해자가 처벌을 원치 않으면 처벌할 수 없는 반의사불벌죄지요. 만일 피해자들 전원이 합의서를 제출한다면, 검찰은 공소를 취소할 수밖에 없습니다.
강요한   아직 합의하지 않은 피해자가 한 명 남아 있지 않습니까.

공판검사 (묘한 미소를 지으며) 이분 말씀입니까?

공판검사, 증인 출입문 쪽을 쳐다본다. 출입문이 열리더니 김성훈(주방장)이 걸어나온다. 방청석, 놀라 웅성거린다. 김성훈, 조명을 받으며 굳은 표정으로 뚜벅뚜벅 걸어와 증인석에 선다.

강요한 (굳은 표정으로 김성훈을 보며) 하실 말씀이 있으신가요?
김성훈 …피고인의 처벌을, (망설이다가 눈을 질끈 감으며) 원하지 않습니다.

놀라는 방청객들. 피고인석 의자를 뒤로 기울이며 씩 웃는 이영민. TV로 지켜보다가 벌떡 일어서는 김가온. 그리고, 두 손을 턱 앞으로 모아 쥐며 증인석을 응시하는 강요한.

S#51. 대법정 (낮)

강요한 김성훈씨.
김성훈 네.
강요한 피고인을 엄벌해달라는 탄원서를 여러 번 내셨죠.
김성훈 …네.
강요한 마음이 바뀐 이유를 물어봐도 되겠습니까.
김성훈 (선뜻 대답을 못하다가) 그냥, 그만두고 싶어졌습니다.
강요한 왜죠?
김성훈 (표정이 굳는다)

S#52. 김성훈의 회상, 식당 (낮)

김성훈은 주방에서 일하고 있고, 홀에서 누군가와 통화중인 주인할머니는 심각한 표정이다.

주인할머니 (놀라며) 네? 이렇게 갑자기요?

김성훈, 무슨 일인가 싶어 고개를 내밀고 주인할머니를 쳐다본다. 주인할머니, 김성훈과 눈이 마주치자 얼른 고개를 돌리고 목소리를 낮춘다.

주인할머니 …일단 알았습니다. 다시 전화할게요. (전화를 끊는다)

김성훈 사장님, 무슨 일 있어요?

주인할머니 (애써 태연한 척) 별일 아냐, 일해.

김성훈 (홀에 나오면서) 별일 맞구만. 또 그 변호사예요?

주인할머니 (역정을 내며) 아, 아니라니까!

김성훈 (할머니 앞에 앉으며) 사장님, 저한테 못할 말이 뭐 있어요. 말씀해 보세요. 무슨 일이 있는 거죠?

주인할머니 (망설이다가) 건물이 팔렸대.

김성훈 네?

주인할머니 (가게 천장을 멍하니 보며) 이 건물이 통째로 팔렸대. 어떤 회사한 테.

김성훈 아니, 이 변두리 오래된 건물을 갑자기 왜요?

주인할머니 …휴우. (한숨을 쉬더니) 부순대.

김성훈 (놀란다) 예에? 새 건물이라도 올린대요?

주인할머니 …그냥 부순대. 땅은 그냥 놀릴 건가봐. 계약기간 끝나는 대로 비워달래.

김성훈 　아, 그럼 권리금도 못 받고 쫓겨나는 거잖아요! (순간 생각이 어딘가에 미친 듯) 이거 혹시?

주인할머니 　아냐. 우연이겠지 뭐. 신경쓰지 마.

김성훈 　(버럭 화내며) 어떻게 신경을 안 써요! (이를 악물곤) 지독한 새끼들…… (화가 치밀었다가 주인할머니의 힘없는 모습을 보곤 침통한 표정을 짓는다)

S#53. 대법정 (낮)

김성훈 　(한숨을 쉬더니) 그냥, 세상이란 게 이런 일도 있고 저런 일도 있는 거 아니겠습니까. 다친 것도 아닌데 없었던 일로 하려구요.

강요한 　(김성훈을 응시하며) 그렇습니까.

공판검사 　피해자 전원이 처벌을 원치 않기 때문에 검찰은 공소를 취소할 수밖에 없겠습니다, 재판장님.

강요한, 입을 굳게 다문 채 눈을 감는다. 방청석에서 탄식 소리가 들린다. 피고인석의 이영민, 득의만만한 미소를 짓는다. 김성훈, 고개를 숙이고 있는데 꽉 쥔 두 주먹이 부르르 떨린다.

S#54. 강요한의 저택, 서재 (낮)

TV 화면에 크게 잡힌 이영민의 미소를 지켜보고 있는 김가온, 이를 악문다.

S#55. 김가온의 회상, 2부 8신.

빠르게 달리는 이영민의 차. 횡단보도 앞, 신호가 바뀌고 노인이 자전거 짐칸에 폐지와 박스 등을 잔뜩 실은 채 비틀비틀 힘겹게 페달을 밟고 있다. 달려온 이영민의 차가 노인의 자전거 쪽으로 갑자기 차선을 급변경하며 스쳐간다. 놀라 옆으로 쓰러지는 노인과 비명을 지르는 사람들. 이영민, 차를 급제동하더니 운전석 유리창을 내리고 입꼬리를 올리며 웃는다.

S#56. 강요한의 저택, 서재 (낮)

김가온, 분노한 표정으로 의자 팔걸이를 주먹으로 내리친다.

S#57. 대법정 (낮)

공판검사　그럼 재판은 이걸로 종결……
강요한　(감았던 눈을 뜨면서 O.L.) 검사님.
공판검사　네?
강요한　사람이 같은 일을 반복하는 걸 뭐라고 합니까.
공판검사　갑자기 무슨 말씀이신지……

강요한	습관적으로 같은 범죄를 반복하는 경우에 대해, 로스쿨에서 안 가르치던가요?
공판검사	(표정 굳으며) 상습범 말씀이십니까.
강요한	단순폭행은 합의하면 처벌 못하죠. 그런데 상습폭행도 그렇습니까?

이영민과 변호인, 놀란다.

공판검사	그, 그건 아니지만…… 상습범으로 인정할 만한 증거가……
강요한	(기록을 넘기며) 사람을 때리곤 합의해서 불기소 처리된 게 몇 건이죠?
공판검사	그래도 그것만으론……
강요한	(O.L.) 부족합니까?
공판검사	……
강요한	요즘 검찰은 인권 보장에 충실하네요. (미소 지으며) 훌륭합니다. 그럼 국민들께 한번 여쭤보죠.
공판검사	네?
강요한	(카메라를 보며) 지금 이 재판을 지켜보고 계신 국민 여러분, 혹시 피고인의 얼굴이 낯익지 않으십니까?

지켜보던 PD, 얼른 카메라맨에게 사인을 보낸다. 카메라맨, 이영민의 얼굴을 클로즈업한다. TV 화면 가득 잡히는 이영민의 어리둥절한 표정. 법정 내 대형 스크린에도 이영민의 얼굴이 뜬다.

공판검사	지금 대체 뭘 하시는……

강요한 (O.L.) 여러분이 다운받으신 디케 앱을 보시면 영상 전송 버튼이 있습니다. 피고인 얼굴이 낯익은 분들은 말씀해주시죠.

S#58. 번화가 길거리 (낮)

빌딩 대형 전광판 가득 비치는 이영민의 당황한 얼굴. 행인들 발걸음을 멈추고 전광판을 보며 수군거린다. 그중에는 자전거 짐칸에 폐지를 싣고 가던 노인도 있다. 화면을 유심히 보는 노인.

S#59. 대법정 (낮)

이영민의 얼굴이 비치는 법정 대형 스크린 중앙의 네모 칸이 열리더니 디케 앱으로 전송된 시청자 영상이 재생된다. 이십대 초반 여성(한소윤)이다.

한소윤 (손에 핸드폰을 들고 셀카 찍듯 자신을 비추며 이리저리 각을 잡아보다가 놀라며) 어? 연결됐네? 어어, 이거 진짜 전국에 나가는 거임?

강요한 (미소 지으며) 네. 아주 잘 나오고 있습니다. 말씀하시죠.

한소윤 어머, 판사님! 팬이에요! (손가락 하트를 보낸다) 완전 멋있으세요! 제 친구들도 난리예요!

강요한 (미소 지으며) 고맙습니다. 그런데, 피고인이 낯익으신가요?

한소윤 (흥분한 어조로) 알죠! 저 새끼…… 아, 이거 방송이지. 저 인간, 완전 사이코예요! 제가 백화점 주차장 알바를 했거든요? 이거.

(두 손으로 이쪽저쪽 안내하는 포즈를 취한다)

강요한　네, 그런데?

한소윤　저 인간이 글쎄, 주차장 안에 차 밀린다고 내려서 지랄을 하더니, 주차요원을 발로 걷어차는 거예요! 놀래서 갔더니 넌 또 뭐냐고 귀싸대기를 때리는데, 우와! 저 진짜 개인적으로 아빠한테도 안 맞고 큰 사람이거든요? 그런데 회사에선 VVIP 고객이라고 무조건 참으라 그러구, 저 진짜 분하고 억울해서…… (눈물이 나는지 잠시 눈물을 닦는다)

강요한　지금 이렇게 말씀하시는 거, 괜찮으시겠어요?

한소윤　(눈물 닦다가 생긋 웃으며) 괜찮아요! 어차피 저 잘렸어요!

변호인　(벌떡 일어서며) 이의 있습니다! 이건 정식으로 수사된 건도 아니고.

강요한　(O.L. 한소윤에게) 수사기관에도 그때 있었던 일, 다 말씀하실 수 있으신가요?

한소윤　그럼요! 그러잖아도 분했는데 잘됐어요! (주먹을 불끈 쥐며 작은 목소리로) 죽었어, 이씨.

한소윤의 영상, 작게 줄어들며 스크린 왼쪽 맨 위로 가서 박힌다. 연이어 다음 영상이 중앙에 뜬다. 2부 44신의 루프톱 바 웨이터다.

웨이터　저 사람, 저희 집 단골인데요. 올 때마다 사람을 쳐요! 웨이터, 바텐더, 주차 아저씨, 아주 만만한 사람들만 골라서 때리는데, 진짜 이가 갈립니다! 저 잘려도 좋아요! 다 얘기하겠습니다!

웨이터의 영상, 작게 줄어들며 한소윤의 영상 옆으로 가서 박힌다. 이

영민 얼굴이었던 스크린 영상이 진술자들의 영상으로 모자이크처럼 차
곡차곡 채워진다.

S#60. 번화가 길거리 (낮)

전광판을 지켜보던 폐지 수거 노인, 결심한 듯 품에서 주섬주섬 핸드폰
을 꺼낸다.

S#61. 강요한의 저택, 서재 (낮)

놀란 표정으로 지켜보던 김가온, 자기도 모르게 혼잣말을 한다.

김가온　…이거 때문이었어! 시범재판에 회부한 거.

S#62. 대법정 (낮)

대형 스크린 속 이영민 얼굴이 어느새 절반 이상 진술자들의 영상 모자
이크로 채워진다. 폐지 수거 노인을 포함한 남녀노소 다양한 사람들이
분노한 채 진술하는 영상들이 점멸등처럼 반짝인다.

강요한　(스크린을 보더니) 크리스마스트리 같군요. (다시 카메라를 보며)
국민 여러분, 이런 사람을 어떻게 처벌해야 되겠습니까?

순간, 무대 위 대형 스크린 중앙에 정의의 여신상 엠블럼이 뜨더니, 빨간색 그래프가 무서운 속도로 올라간다. 78%, 82%, 90%······ 참여자 수도 빠른 속도로 늘어난다. 1,834,725명, 2,414,672명, 3,025,939명······

PD   (주먹을 불끈 쥐며) 300만! 300만 넘겼어 아싸!
이영민   (겁에 질린 채 옆의 변호인에게 속삭이듯) 뭐야 이거, 이거 어떻게 되는 거야? 어?

S#63. 강요한의 저택, 서재 (낮)

김가온, 자기도 모르게 디케 앱의 빨간 화살표를 미친듯이 누른다. 인기척이 있어서 옆을 힐끗 보니, 휠체어를 탄 엘리야가 서재 저쪽에서 그런 김가온을 한심하다는 눈초리로 보고 있다. 그제야 정신을 차리고 멈추는 김가온.

엘리야   ···너 판사라며?
김가온   (순간 당황하며 핸드폰을 내려놓는다)

엘리야, 휠체어를 휙 돌려 가버린다.

S#64. 대법정 (낮)

공판검사, 스크린에 가득찬 피해자들의 영상과 94%에 이르는 엄벌 요구 그래프를 보며 당혹스러운 표정을 짓는다.

강요한 (검사에게) 아직 부족합니까?

공판검사 네?

강요한 상습성을 인정할 증거.

공판검사 ······

강요한 (엄숙하게) 본 재판부는 검찰에게 공소장 변경을 요구합니다. 이 사건은 단순폭행이 아니라 상습폭행입니다.

공판검사, 움찔하고 이영민 역시 충격을 받고 망연자실이다.

강요한 공소장 변경을 위해 재판을 속행합니다. (검사를 보며) 서두르는 게 좋을 겁니다. (스크린의 엄벌 요구 그래프를 가리키며) 늦어지면 저 분노가 검찰을 향할 테니까.

공판검사의 표정이 굳고, 증인석의 김성훈은 울컥한다.

강요한 (김성훈을 부드러운 표정으로 바라보며) 상습폭행은 피해자와 합의 해도 처벌 가능합니다. 김성훈씨에 대한 사건도 심판됩니다. (카 메라를 보며 단호하게) 그 어느 사건도, 그대로 묻히게 두지 않을 겁니다. 정의는 돈으로 살 수 없습니다.

방청석에서 박수와 환호가 쏟아져나오기 시작한다. PD, 신나서 팔을 마구 휘두른다. 더, 더, 열광하라는 듯이.

S#65. 강요한의 저택, 서재 (낮)

스크린 가득한 강요한의 단호한 표정과 열광하는 사람들을 보는 김가온, 표정이 서서히 굳는다.

플래시백 > 1부 재판 마지막.

침통한 척하면서 하품하는 강요한. 그리고 그걸 김가온에게 들키자 김가온을 쳐다보며 천천히 미묘하게 웃는 강요한.

김가온, 자리에서 일어나 강요한의 책상 위 연필꽂이에서 가느다란 가위를 꺼내 주머니에 넣는다.

S#66. 강요한의 저택, 복도 (낮)

잠긴 방문 앞에 서서 문고리 구멍에 가윗날을 넣고 열어보려 애쓰는 김가온. 몇 번 시도해봐도 문은 열리지 않는다. 김가온, 체념한 듯 가위를 다시 주머니에 넣고 돌아가는데, 3부 17신에서 끼익 끼이익 소리 나던 마룻바닥을 지난다. 비명소리 같은 끼이익 소리가 점점 높아지던 중 발걸음을 딱 멈추는 김가온. 카펫이 깔린 마룻바닥을 잠시 내려다보더니 카펫을 휙 젖힌다. 쇠고리가 달린 문이 있다. 놀란 김가온, 고리를 당겨 문을 조심스럽게 들어올리고 어두운 지하실 계단으로 한 걸음씩 내려간다.

S#67. 강요한의 저택, 지하실 (낮)

어두운 지하실 벽을 더듬어 스위치를 찾는 김가온. 겨우 스위치를 찾아 누르자 백열등에 불이 들어온다. 깜박거리는 불빛 사이로 지하실 벽이 보이는데, 사람을 묶어두는 녹슨 쇠고리가 달려 있고 눌어붙은 짙은 갈색 얼룩이 보인다. 바닥에는 쇠사슬이 널브러져 있다. 흠칫 놀라는 김가온, 가까이 다가가본다.

김가온   (갈색 얼룩을 만져보며) 피?

그 순간 머리 위에서 다시 비명 같은 끼익 끼이익 소리가 들려온다. 당황해서 뒤로 물러서는 김가온, 백열등이 깜빡거리는 가운데, 뭔가에 걸려 뒤로 넘어진다.

김가온   (충격과 공포로 비명을 지르듯) 어? 어어어……

쿵 소리가 나는 순간, 백열등이 꺼진다.

S#68. 강요한의 저택, 지하실 (낮)

어둠 속에서 넘어진 채 버둥거리는 김가온, 백열등이 다시 켜지자 주
위가 보인다. 그리고 낡은 야전침대 위로 넘어진 자신을 발견한다. 지
하실 한쪽 구석 바닥이 주변보다 낮고, 그 공간에 마치 좁은 다락방처
럼 야전침대와 낡은 책 몇 권이 놓여 있다. 맨 위에 놓인 한나 아렌트의
『예루살렘의 아이히만』을 집어드는 김가온, 책을 펼치자 낡은 사진 한
장이 책갈피에서 툭 떨어진다. 무심코 사진을 집어들었다가 소스라치
게 놀란다.

김가온   뭐, 뭐야!
지영옥(E)   호기심이 많은 공주님이시네요.

김가온, 뒤돌아보자 지영옥이 차가운 표정으로 서 있다. 김가온, 지영
옥을 뒤에서 끌어안듯이 붙잡고는 주머니에서 가위를 꺼내들어 지영옥
의 목에 갖다댄다.

지영옥   (침착하게) 경동맥 위치를 정확히 아시는군요.
김가온   당신 뭐야! 나한테 무슨 약을 먹인 거야!
지영옥   …그저, 푹 쉬시는 데 도움이 되는 약일 뿐입니다.
김가온   (손에 든 사진을 들이대며) 이 사람 누구야.
지영옥   ……
김가온   누구냐고! (목에 갖다댄 가위에 힘을 준다)
지영옥   …이삭 도련님입니다.
김가온   뭐?

지영옥   (고개를 돌려 김가온을 응시하며) 요한 도련님의 형, 이삭 도련님입
        니다. 이 저택의 정당한 상속자.

        김가온, 고개를 돌려 사진을 본다. 저택을 배경으로 활짝 웃는 미소년
        의 얼굴은, 김가온과 놀랄 만큼 꼭 닮아 있다. 김가온, 경악한다.

S#69. 강요한의 저택, 지하실 (낮)

김가온   (놀라며) 강요한의 형이라고?
지영옥   …그렇습니다.
김가온   그럼 이 사람이 이 지하실에서 살았단 말이야?
지영옥   아닙니다.
김가온   그럼?
지영옥   여기는, 요한 도련님의 방이었습니다.
김가온   뭐? 대체 이 집에서 무슨 일이 있었던 거야? 말해! (가위를 다시
        지영옥에게 들이댄다)
지영옥   (가위를 힐끗 내려다본다)
김가온   (그제야 제정신이 돌아오는지 들고 있던 가위를 내리고 지영옥을 놓는
        다)
지영옥   (강요한의 야전침대를 차갑게 내려다보면서) 요한 도련님은 쓰레기
        통에 버려진 아이였습니다. 아무도 원치 않았던 아이였어요.

S#69-1. 과거 회상, 강요한의 저택 담장 밖 (밤)

눈 오는 밤, 굳은 표정으로 서 있는 강요한의 아버지 강지상. 저택 담장 쓰레기함에 포대기에 싸인 아기가 버려져 있다. 아기가 떠나갈 듯 울고 있다.

S#69-2. 강요한의 저택, 지하실 (낮)

김가온   (놀란 표정으로) 쓰레기통에? 말도 안 돼. 강요한이?

지영옥   (김가온을 무표정하게 응시한다)

김가온   (정신을 수습하며) 그럼 이 집 핏줄이 아니라는 겁니까? 자세히 좀 얘기해봐요!

지영옥   (냉담하게) 제가 피고인입니까? 판사님?

김가온   예?

지영옥   아니라면, 답변할 의무는 없을 텐데요. 제게.

김가온   (지영옥을 쳐다보다가 찔러보듯) 제가 의심하는 건, 강요한입니다.

지영옥   (흠칫한다)

김가온   (지영옥의 반응을 살피며) 강요한이 무슨 일이라도 저지를 수 있는 사람이란 건 알고 있습니다. 이미 초등학교 때부터 대단한 일을 벌였던데요.

지영옥   (김가온을 응시하며) 역시 단순한 호기심이 아니었군요. (쌀쌀맞게 돌아서며) 그럼 직접 더 알아보시든가요.

김가온   (황급히) 잠깐만요! (순간 김가온의 뇌리를 스치는 좀전 지영옥의 모습)

플래시백 >

가구마다 온통 흰 천이 덮여 있고, 지영옥은 흰 천이 덮인 피아노 앞에 앉아 손에 든 액자를 보며 이야기하고 있다.

지영옥   이 집은 도련님 것인데, 그애 것이 아닌데……

김가온   (지영옥의 등에 대고) 이삭이라는 사람이 뭔가 부족했겠죠.

지영옥   (휙 돌아서며 매섭게) 뭐라구요!

김가온   (걸렸구나 싶어서 더 자극한다) 이런 집에서 자기 핏줄도 아닌 사람
          한테 전 재산을 물려줬을 리는 없고, 강요한 쪽이 더 자격이 있었
          던 거 아닙니까?

지영옥   (분노한 눈빛으로 김가온에게 다가서며) 당신이 뭘 알아! 이삭 도련
          님은 모두한테 사랑받던 천사 같은 분이셨어!

김가온   (일부러 자극하긴 했지만 미안하고 안타깝다. 연민이 담긴 눈으로 지영
          옥을 쳐다본다) …미안합니다. 함부로 얘기해서.

지영옥   (그런 김가온의 얼굴을 하염없이 바라본다)

김가온   힘든 얘기라면 안 하셔도 됩니다.

지영옥   (눈빛이 흔들린다) 많이 닮으셨네요. 특히 눈이.

김가온   (가만히 지영옥을 본다)

지영옥   (한숨을 쉬더니 입을 연다) 이 저택의 주인, 강지상 회장님은 2대째
          사채업계의 큰손이셨습니다. 회장님은 절대로 사람을 믿지 않으
          셨지요. 선대에게서 배운 그대로.

S#69-3. 지영옥의 회상, 강요한의 저택 앞마당 (낮)

햇살이 눈부신 날, 저택 앞마당에 고풍스러운 의자와 테이블을 놓고 앉아 차를 마시는 강인한 인상의 사십대 남자(강지상). 사냥개 두 마리가 꼬리를 흔들며 달려오자, 머리를 쓰다듬어준다. 초로의 양복 입은 남자한 명이 강지상 앞에서 허리를 굽히자, 강지상 뒤에 서 있던 검은 양복의 사내가 돈이 든 서류가방을 건네준다. 초로의 남자는 강지상에게 연신 인사를 하고, 강지상은 무심하게 차를 마신다.

Cut to

좀전과 마찬가지로 강지상, 앞마당에 앉아 차를 마신다. 검은 양복을 입은 사내 두 명이 돈을 빌려간 초로의 남자를 붙잡고 질질 끌고 간다. 남자, 울부짖으며 강지상을 향해 무언가 외치고 있지만 들리지 않는다. 눈길 한번 주지 않은 채 차를 마시는 강지상 옆을 지나 저택 안으로 끌려가는 남자. 1층 마룻바닥에 있는 지하실 문이 무겁게 열린다. 그 순간, 강지상 옆에 앉아 있던 사냥개 두 마리가 저택 안으로 쏜살같이 달려들어간다. 강지상은 햇살이 눈부신지 눈을 가늘게 뜨고 정원의 나무를 바라본다.

S#69-4. 지영옥의 회상, 성당 (낮)

성당 고해실에 앉아 신부에게 고해하는 강지상.

지영옥 (V.O.) 선대의 유훈으로 회장님은 꾸준히 고해성사를 하셨지요. 그러던 어느 날.

고해실에서 나오는 강지상, 놀란 눈으로 어딘가를 본다. 그의 시선을 따라가면, 몸이 불편한 할머니를 부축한 채 성당 안으로 아름다운 여성이 들어온다. 여성, 할머니를 보며 활짝 웃는데, 성당 문과 창문으로 내리비치는 햇살이 후광처럼 그녀의 아름다운 미소를 감싼다.

S#69-5. 지영옥의 회상, 강요한의 저택 앞마당 (낮)

성당에서와 같이 활짝 웃고 있는 여성. 다만 이번에는 손에 꽃을 가득 든 채 웨딩드레스를 입고 있다. 곁에는 긴장한 기색이 역력한 슈트 차림의 강지상이 있다. 여성은 그런 강지상이 귀여운지 보며 웃는다. 강지상, 신부의 미소 공격에 쑥스러운지 헛기침을 하며 고개를 돌리지만, 결국 수줍게 웃고 만다.

S#69-6. 지영옥의 회상, 저택 곳곳 (낮)

-팔짱을 낀 채 앞마당을 산책하는 강지상 부부. 아기를 가져 배가 불러온 아내는 강지상을 보며 웃음 띤 얼굴로 계속 이야기하고 있고, 강지상은 그런 아내가 사랑스러운지 미소 띤 채 듣고 있다.
-앞마당을 지나 문이 활짝 열린 저택 1층을 보면, 지하실로 연결된 마룻바닥의 문을 카펫으로 덮어놓았다.

-마당에 꽃과 나무를 심고 있는 아내, 밀짚모자를 쓴 채 땀을 흘리고 있고, 강지상, 나무 묘목을 잔뜩 어깨에 짊어지고 오고 있다. 그런 강지상을 보며 활짝 웃음 짓는 아내.

활짝 웃는 아내의 얼굴은 그대로 영정으로 전환된다.

S#69-7. 지영옥의 회상, 강요한의 저택 앞마당 (낮)

잔뜩 흐린 날, 앞마당에서 강지상 아내의 장례식을 치르고 있는 사람들. 활짝 웃는 아내의 영정이 놓여 있고, 검은 옷을 입은 조문객들이 의자에 앉아 있다. 초췌한 강지상, 넋 나간 표정으로 아기를 안고 있다. 수수한 차림의 젊은 여성(지영옥)이 강지상 곁으로 와서 아기를 받아 안는다.

지영옥   (V.O.) 저는 그때 이 집에 왔습니다. 엄마를 잃은 이삭 도련님 유모로.

아기, 지영옥 품에 안겨 활짝 웃는다. 지영옥도 따라 웃는다.

지영옥   (V.O.) 이삭 도련님은 어머니를 꼭 빼닮으셨지요.

강지상, 지영옥 품에서 웃는 아기를 홀린 듯한 눈으로 보더니 다시 데려와 품에 안는다. 눈물 고인 눈으로 아기를 하염없이 바라보다가 꼭 끌어안는 강지상. 영문 모르는 아기는 아빠 품에 안겨 아빠의 등을 작은 손으로 토닥인다.

Cut to

시간이 흘러 다섯 살이 된 강이삭. 저택 정원을 뛰어다니며 사냥개들과 놀고 있다. 개들이 전혀 무섭지 않은지 환하게 웃으며 쓰다듬는다. 개들도 꼬리를 흔들며 강이삭을 따른다. 의자를 놓고 앉아 있는 강지상, 초췌한 얼굴로 뛰노는 강이삭만 하염없이 쳐다본다. 아내가 심은 꽃들이 활짝 피었다.

S#70. 강요한의 저택, 지하실 (저녁)

김가온 …그럼 강요한은? 쓰레기통에 버려진 아이였다는 게 무슨 얘기죠?

지영옥 몇 년 동안 집에만 처박혀 있던 회장님을 친구분들이 술자리에 끌고 나간 것이 화근이었지요. 만취해서 인사불성인 회장님과 하룻밤을 보낸 술집여자가, 아이를 가진 채 저택을 찾아와서는 돈을 요구했습니다. 거절당한 그 여자는……

S#70-1. 지영옥의 회상, 강요한의 저택 담장 밖 (낮)

굳은 표정으로 서 있는 강지상. 저택 담장 쓰레기함에 포대기에 싸인 아기가 버려져 있다. 아기는 떠나갈 듯 울고 있다. 젊은 지영옥이 강이삭(다섯 살)의 손을 잡고 안절부절못하며 강지상 뒤에 서 있다. 강지상, 외면하며 집으로 들어가려 한다.

강이삭(E)   아빠!

강지상, 돌아보니 강이삭이 아기를 꼭 끌어안고 눈물이 그렁그렁한 눈
으로 강지상을 쳐다보고 있다. 간절한 눈빛이다. 굳은 표정으로 그 모
습을 바라보던 강지상, 강이삭의 눈빛에 졌다는 듯 한숨을 쉬더니 지영
옥에게 눈짓을 하고는 집으로 들어간다. 지영옥, 얼른 아기를 안고 뒤
따라간다. 강이삭도 환한 표정으로 따른다.

S#70-2. 지영옥의 회상, 지하실 (밤)

지하실 구석방 야전침대에 앉아 아기에게 젖을 물리고 있는 지영옥. 계
단에서 소리가 나자 돌아본다. 강이삭이 초콜릿, 사탕, 쿠키 등을 셔츠
앞섶에 가득 담아 들고는 조심조심 계단을 내려오다가 지영옥과 눈이 마
주치자 씨익 웃는다. 침대 위에 가져온 것들을 내려놓고는 초콜릿을 들
어 아기를 쳐다보는 강이삭. 지영옥, 웃으며 고개를 절레절레 흔든다.

S#70-3. 지영옥의 회상, 지하실 (밤)

지하실 구석방 야전침대에 누워 책을 읽고 있는 강요한(12세). 조각 같
은 미소년이지만 어두운 표정이다. 옆에는 책이 무더기로 쌓여 있다.
계단에서 소리가 나자 돌아보는 강요한. 강이삭(17세)이 책을 잔뜩 품
에 들고는 힘겹게 계단을 내려오다가 강요한과 눈이 마주치자 씨익 웃
는다. 무표정하게 강이삭을 쳐다보는 강요한.

지영옥　(V.O.) 요한 도련님은 회장님이 집을 비울 때만 밖으로 나올 수 있었습니다. 하지만……

S#70-4. 지영옥의 회상, 강요한의 저택 앞마당 (낮)

강지상이 늘 앉던 의자에 앉은 강요한. 햇살이 눈부신 듯 눈을 가늘게 뜬다. 개집에 묶인 사냥개 두 마리가 강요한을 보며 무섭게 짖어댄다. 자신을 보며 으르렁거리는 개들을 무표정하게 응시하는 강요한.

Cut to

입에서 침을 흘리며 쓰러져 죽어가는 사냥개들. 개밥그릇에는 먹다 남은 먹이들이 보인다. 의자에 앉아 무심하게 죽어가는 개들을 보고 있는 강요한. 옆 탁자에는 제초제 병이 놓여 있다.

S#70-5. 지영옥의 회상, 저택 서재 (낮)

강지상이 외출한 날, 서재의 강지상 책상 의자에 앉아 있는 강요한. 대담하게 다리를 책상 위에 올려놓은 채 의자에 기대 손에 든 사진을 관찰하는 듯한 눈으로 보고 있다. 얇은 은색 십자가 목걸이를 한 젊고 아름다운 여성의 사진이다. 천사같이 웃고 있다. 갑자기 누군가 거칠게 강요한의 손에서 액자를 빼앗아간다. 힐끗 돌아보는 강요한. 비에 젖은 코트 차림, 분노한 표정의 강지상이다. 강요한, 표정도 변하지 않은 채 천천히 의자에서 내려오더니, 선 채로 책상에 엎드려 티셔츠를 걷어 올린다. 드러나는 등에는 시커먼 상처 자국이 가득하다. 강지상, 강요한을 노려보더니, 코트 주머니에서 가죽장갑을 꺼내 손에 끼고는 책상 위에 놓인 큼지막한 철제 자를 집어든다. 강지상, 무시무시한 표정으로 강요한에게 다가서며 철제 자를 높이 치켜올리는데, 누군가 강지상의 팔을 붙잡는다.

강이삭(E)   아버지!

강지상, 뒤돌아보니 강이삭이 팔을 꼭 붙잡은 채 필사적으로 고개를 흔든다. 굳은 표정의 강지상, 아랑곳 않고 내리치려다 문득 강이삭의 손목에 감겨 있는 얇은 은색 십자가 목걸이를 본다. 멍하니 목걸이를 하고 있는 죽은 아내의 사진을 보는 강지상, 철제 자를 집어든 팔을 천천히 아래로 내린다.

S#70-6. 지영옥의 회상, 서재 (밤)

지영옥, 서재 책상에 웅크리고 앉아 있는 강지상 앞에 서 있다.

지영옥   (망설이다가 간신히 용기를 내서) 회장님.
강지상   (힐끗 지영옥을 본다)
지영옥   요한 도련님을 왜 그리 미워하십니까.
강지상   (눈빛이 번쩍하며 지영옥을 무섭게 노려본다)
지영옥   (단단히 결심한 듯 굳건한 눈빛. 물러서지 않는다) 절 쫓아내셔도 좋습니다. 애가 무슨 잘못이 있습니까.

강지상   (그런 지영옥을 보다가 한숨을 쉬더니 고개를 돌린다) …닮았으니까.

지영옥   (뜻밖이다) 네?

강지상   그놈은 날 너무 닮았어. 소름 끼치도록.

지영옥   회장님.

강지상   …그놈은 언젠가 지 형을 잡아먹고 말 거야. 그게 이 집안에 흐르는 피야. 그런데 이삭이는, (고통스러운 표정으로 이마를 매만진다) …이삭이는 달라. 이삭이는. (책상 위 한쪽에 놓인 사진을 바라본다. 해맑게 웃고 있는 아내의 사진이다)

안타까운 표정으로 강지상의 뒷모습을 바라보는 지영옥.

S#71. 강요한의 저택, 지하실 (낮)

김가온   (충격받은 얼굴로) 세상에 어떻게 자기 애를……

지영옥   그런 분이셨습니다. 회장님은.

김가온   (지영옥을 보며) 그런데 왜 아주머니도 강요한을 의심하시는 거죠?

지영옥   (흠칫하며) 무슨 말씀이신지.

김가온   이삭 도련님이 정당한 상속자다, 그러셨잖아요. 그건 강요한이 부당하게 그 자리를 빼앗았단 얘기 아닙니까?

지영옥   (표정이 굳는다)

김가온   무슨 증거라도 있는 겁니까? 강요한을 의심할?

지영옥   (한숨 쉬며) 그런 건 아닙니다.

김가온	아주머니 말씀대로라면 강요한은 아버지한테 학대받은 피해자일 뿐이잖아요.
지영옥	(마음이 약해지다가) 제가 젖을 먹여 키운 아이기도 하지요. (다시 굳은 표정으로) 하지만, 요한 도련님은 이미 그때부터 무슨 일이라도 저지를 수 있는 아이였습니다. 아까 말씀드렸듯이.

S#72. 형산동 빈민 집단거주지 (낮)

빈민 집단거주지 입구에 서는 강요한의 차. 강요한, 차에서 내린다.

cut to

1부에서와는 다른 폐건물 안. 초췌한 노숙자 한 명(좀도둑)이 쭈그리고 앉아 허겁지겁 빵을 먹고 있다. 그의 소매 사이로 얼핏 보이는 고급 손목시계. 그런데 누군가 좀도둑의 어깨에 턱 손을 올려놓는다. 놀라 돌아보는 좀도둑. 강요한이다.

좀도둑	누, 누구신지⋯⋯?
강요한	(차갑게 웃으며) 오랜만이네. 소방관 아저씨. (사냥감을 찾은 맹수의 표정으로 변한다)
좀도둑	(그제야 알아보고 깜짝 놀란다) 당신은, 그, 그, 성당 화재 사건⋯⋯!

순간 강요한을 밀치며 도망가는 좀도둑. 하지만 강요한이 앞을 가로막자 황급히 뒤로 돌아 계단을 뛰어올라간다. 천천히 그뒤를 쫓는 강요한.

S#73. 강요한의 저택, 지하실 (낮)

지영옥   회장님이 애지중지하던 사냥개들에게 제초제를 먹였고.

김가온   ······!

지영옥   도련님을 좋아하던 하녀를 2층에서 뛰어내리게 만들었습니다.

김가온   ······!

S#74. 형산동 빈민 집단거주지, 폐건물 옥상 (낮)

옥상 문을 열고 뛰어나오는 좀도둑. 하지만 문을 걸어 잠글 수 없다. 몸으로 막아보지만 세게 밀치며 들어오는 강요한. 냉혹한 눈빛이다. 좀도둑, 겁에 질려 옥상 끝까지 도망가는데, 검은 정장 차림의 강요한, 얼음 같은 표정으로 한 걸음 한 걸음 다가온다. 마치 사신死神처럼.

좀도둑   (겁에 질려) 오지 마! 오지 말라고! (뒤로 주춤주춤 물러나다가 발을 헛디디며) 으아아아악! (건물 아래로 떨어진다)

강요한, 무표정하게 건물 아래를 내려다본다.

S#75. 강요한의 저택, 지하실 (낮)

김가온   (놀라며) 설마, 그런. (지영옥을 보며) 뭔가 이유가 있었나요?

지영옥   뭔가 거슬렸을 수도 있고, 단지 장난이었을 수도 있죠. 하지만 어떤 아이가 그렇게까지 할 수 있죠? 아무 망설임 없이?

김가온   (생각에 잠겨서) 그래도, 그 이삭이라는 형만은 강요한한테 잘해
　　　　 줬다면서요. 둘 사이도 좋았고. 아닌가요?

지영옥   (김가온을 물끄러미 보다가) 요한 도련님이 화재 사건의 생존자라
　　　　 는 얘기는 들어보셨지요.

김가온   예.

지영옥   회장님이 갑자기 돌아가신 지 겨우 한 달 만에 일어난 일입니다.
　　　　 (표정 무섭게 굳으며) 그 사건으로 이삭 도련님이 돌아가셨고요.

김가온   ……!

S#76. 형산동 빈민 집단거주지, 폐건물 바깥 (낮)

폐건물 밖. 바닥에 엎드린 자세로 쓰러져 있는 좀도둑. 두부 골절이 심
한 듯 피를 흘리며 신음한다. 강요한, 뚜벅뚜벅 걸어와 좀도둑을 무표
정하게 내려다보더니, 옆에 쭈그리고 앉아 좀도둑의 소매를 천천히 걷
어 손목시계를 본다.

강요한   (차갑게) 이건 안 팔았네? 마음에 들었었나? (마약중독자인 좀도둑
　　　　 이 성당 화재 당시 희생자들의 귀중품들을 훔쳐다 팔았다)

좀도둑   (힘겹게 목소리를 낸다) 살…… 려…… 줘…… 살…… 려……

강요한, 손목시계를 풀어 주머니에 넣고는 좀도둑은 거들떠보지도 않
은 채 뒤로 돌아 성큼성큼 걸어간다. 무표정한 강요한의 얼굴 위로 타이
틀. 악. 마. 판. 사.

요한의 십자가

S#1. 대법정 (낮)

강요한   (카메라를 보며 단호하게) 그 어느 사건도 그대로 묻히게 두지 않을 겁니다. 정의는, 돈으로 살 수 없습니다.

방청석에서 박수와 환호가 쏟아져나오기 시작한다. PD, 신나서 팔을 마구 휘두른다. 더, 더, 열광하라는 듯이.

S#2. 대법정 뒤 (낮)

재판을 마치고 법정 뒤로 나오는 세 판사. 방송 스태프 모두 환호를 보내며 박수를 친다.

PD   (잔뜩 흥분해서) 판사님! 오늘 완전 최고였습니다! 시민 제보로

반전이 그냥 빡! 일어나는데 (스태프를 보며) 야, 그때 순간 최고 시청률 데이터 뽑아놨어?

오진주   (웃으며) 아이구 피디님~ 너무 흥분 마세요. 혈압 올라.

PD   (쑥스럽게 웃는다)

오진주   (강요한을 보며) 부장님…… (강요한이 쳐다보자 진지한 어조로) 저는 어제 합의서 들어왔을 때 그냥 이렇게 끝나는구나 생각했어요. (강요한의 두 눈을 보며) 부끄럽습니다. …판사로서. (천천히 강요한에게 고개를 숙인다)

정인석   (놀라며) 오판사님?

강요한   (오진주의 두 어깨를 부드럽게 붙잡으며) 부끄럽다뇨. (오진주를 응시하며) 우린 팀입니다. 알죠?

오진주   (생긋 웃으며) 네. 부장님.

PD   (뒤에 서서 코끝이 시큰한 표정으로 고개를 흔들며) 아, 에필로그까지 완벽해, 감동이야.

손에 작은 캠코더 들고 있던 스태프, PD에게 조용히 귓속말한다.

스태프   …방금 것도 찍었습니다.

PD   …잘했으. (엄지를 슬쩍 치켜올린다)

S#3. 대법정 (낮)

사람들이 모두 빠져나가고 텅 비어 있다.

이영민	나 어떡해? 나 감옥 가는 거야? 나 징역 100년, 200년 이렇게 때려 맞는 거야?
이재경	(분노한 표정으로) 걱정 마라! 이 정도 일로 감히 법무부장관 아들을 건드릴 수 있을 것 같으냐?
이영민	(버럭하며) 그 미친놈이 그런 거 따질 거 같아? 평민들 박수 받으려고 눈이 뒤집어진 놈이잖아!
이재경	방법이, 방법이 있을 거야. 방법이…… 다음 재판까진 아직 시간이 있어.

S#4. 강요한 부장판사실/법무부장관실 (낮)

다리를 책상 위에 올린 채 의자에 깊이 기댄 강요한, 전화를 받고 있다.

강요한	여보세요? …이거 참 의외네요. (입꼬리가 서서히 올라가며 차갑게 웃는다) 장관님.

굳은 표정의 차경희, 핸드폰을 들고 있다.

차경희	…대체 왜 이렇게까지 하는 겁니까.
강요한	그 말은 아드님에게 물으셔야 할 것 같은데요. 대체 왜 그렇게까지 한 겁니까. 그 수많은 사람들한테.
차경희	그 아이도 나름 힘든 일을 겪은 애예요. 순간 분을 못 참아서 그런 거지 천성이 나쁜 애는 아닙니다!
강요한	…검사 시절에 그런 변명을 들어주셨을지 궁금해지는데요? 장

관님.

차경희   (얼굴이 일그러진다) 이거 봐요. 강판사!

강요한   끊겠습니다.

차경희   (황급히) 만납시다! 잠깐이면 됩니다!

강요한   (묘한 미소를 띤다)

S#4-1. 강요한 부장판사실 (낮)*

차경희와 통화를 마친 후 바로 K에게 전화하는 강요한.

강요한   …차경희가 만나자는데?

K(F)   (원수인 차경희 일이라 마음이 흔들리지만 속내를 감추며) 네.

강요한   (무심하게) 자네도 오지 그래.

K(F)   (살짝 놀라며) 저도 말입니까?

강요한   응.

K(F)   (감정의 격동을 누르며) 고맙습니다.

강요한   (전화를 끊으려 한다)

K(F)   판사님!

강요한   왜?

K(F)   그 가짜 소방관, 찾았습니다.

강요한   (순간 눈빛이 타오른다) 어디서?

K(F)   형산동 빈민촌, 거기가 맞았습니다.

---

* 4부 4-1, 4-2, 4-3, 4-4신은 이영민 재판이 끝나고 차경희를 만나기 전까지의 시간에 벌어진 일인데, 이중
4-2, 4-3, 4-4신을 극적인 연출 효과를 위해 3부 엔딩에서 먼저 김가온 신과 교차로 보여주었다.

강요한   (표정이 서서히 굳어간다)

S#4-2. 형산동 빈민 집단거주지 (낮)

1부에서와는 다른 폐건물 안. 초췌한 노숙자 한 명(좀도둑)이 쭈그리고 앉아 허겁지겁 빵을 먹고 있다. 그의 소매 사이로 얼핏 보이는 고급 손목시계. 그런데 누군가 좀도둑의 어깨에 턱, 손을 올려놓는다. 놀라 돌아보는 좀도둑. 강요한이다.

좀도둑   누, 누구신지……?
강요한   (차갑게 웃으며) 오랜만이네. 소방관 아저씨. (사냥감을 찾은 맹수의 표정으로 변한다)

S#4-3. 형산동 빈민 집단거주지, 폐건물 옥상 (낮)

좀도둑   (겁에 질려) 오지 마! 오지 말라고! (뒤로 주춤주춤 물러나다가 발을 헛디디며) 으아아아악! (건물 아래로 떨어진다)

S#4-4. 형산동 빈민 집단거주지, 폐건물 바깥 (낮)

강요한, 손목시계를 풀어 주머니에 넣고는, 좀도둑은 거들떠보지도 않은 채 뒤돌아 성큼성큼 걸어간다. 무표정한 얼굴이다.

S#5. 한강 다리 밑 으슥한 곳 (밤)

차가 한 대 서 있고, 차경희가 밖에 나와 초조하게 누군가를 기다리고 있다. 잠시 후 강요한의 차가 와서 옆에 선다. 내리는 강요한. 한강 다리 기둥 옆에 서서 강을 바라본다.

차경희　와줘서 고마워요.

강요한　이거, 누가 봐도 부적절한 만남 아닙니까? 무슨 용건이신지.

차경희　어떻게 하면 됩니까?

강요한　뭘 말씀입니까.

차경희　내가 뭘 어떻게 하면 내 아들을 놔주겠냐고요!

강요한　아드님은 법의 심판을 받고 있을 뿐입니다만.

차경희　거짓말 마! 처음부터 날 목표로 내 아들을 추적한 거잖아.

강요한　…그렇게 생각하십니까?

차경희　내게 원하는 게 뭐야! 정의니 뭐니 뻔한 소리는 하지 말고.

강요한　……

차경희　…힘이지? 권력. 대중의 인기를 끌려고 이러고 있는 거잖아. 내가 더 큰 먹잇감을 주면 어때? 재벌? 대통령?

강요한　19년 전, 유망한 젊은 정치인을 수사하신 적이 있지요? 뇌물수수 혐의로.

차경희　(놀라며) 그게 무슨……

강요한　(O.L.) 그때 장관님은 그 정치인이 돈을 받지 않았다는 걸 뻔히 알면서도 강압수사를 해서 유죄로 만들어냈습니다. 대단한 솜씨였죠. 지시한 사람들이 다들 인정할 만큼.

차경희　지금 무슨 소릴 하는 거야!

강요한	도덕성이 트레이드마크였던 그 양반, 결국 자살했죠. 고등학생인 외아들을 남겨놓고. 장관님, 승승장구 달려온 19년 동안, 그때 그 일, 생각해본 적이 없으십니까. 한번도?
차경희	말도 안 되는 소리 하지 마! 그건 적법한 수사였어!
강요한	제 조건은 이겁니다. 그 사건의 진실을 언론에 고백하십쇼. 그렇게 하시면, 아드님은 놓아드리겠습니다.
차경희	(입을 굳게 다문 채 강요한을 노려본다)
강요한	(미소 지으며) 잘 생각해보시죠.

차경희, 굳은 표정으로 차에 타더니 사라진다. 강요한, 말없이 한강을 바라보다가 혼잣말처럼 내뱉는다.

| 강요한 | … 인간이란 쉽게 변하지 않는 법이야. 그치? |

다리 기둥 뒤 어둠 속에서 누군가 천천히 걸어나온다. K다. K, 묵묵히 강요한의 옆에 와 선다.

| K | …고맙습니다. |

강요한, 말없이 K의 어깨에 잠깐 손을 얹었다가 뒤돌아 차로 뚜벅뚜벅 걸어간다. 차를 운전하여 사라지는 강요한. 한강을 바라보는 K의 눈에 눈물이 한 줄기 흐른다.

S#6. 강요한의 저택 (밤)

생각에 잠긴 채 계단을 오르는 김가온. 강이삭의 방문 앞에 선다. (지영 옥에게 받은) 열쇠를 구멍에 넣어 돌리니 철컥 하며 문이 열린다. 문을 열고 들어가는 김가온.

S#7. 강요한의 저택, 강이삭의 방 (낮)

문을 열고 들어가 불을 켜니, 방이 넓다. 흰 천으로 가구를 온통 덮어놓 았다. 둘러보다가 피아노에 덮인 천을 걷어올리는 김가온. 피아노 위 사진 액자가 눕혀 있다. 액자를 돌려 다시 세워놓는 김가온. 가족 사진 이다. 함박웃음을 짓고 있는 삼십대 초반 젊은 아빠와 엄마, 그리고 어 린 딸(6세 엘리야). 그런데, 아빠의 얼굴이 지금의 김가온과 닮았다. 사 진을 멍하니 들여다보는 김가온. 이때, 뭔가 피아노로 날아와 와장창 부서진다. 놀라 돌아보는 김가온. 분노로 눈빛이 타오르는 엘리야가 장 식용 선반에 있던 도자기를 집어던진 것이다.

엘리야   …나가.

김가온   (놀라) 미안해, 난 그냥.

엘리야   (O.L.) 나가! (몸을 떨며 미친듯 소리지른다)

김가온, 얼른 방에서 나간다. 휠체어에 앉은 엘리야의 어깨가 조금씩 흔 들린다. 엘리야의 눈에서 눈물이 흘러내리고 그녀의 시선은 피아노 위 에 김가온이 세워놓은 가족 사진에 머문다. 활짝 웃는 아빠의 얼굴에.

S#8. 강요한의 저택, 주방 (밤)

퇴근 후 씻고는 널찍한 주방으로 들어오는 강요한. 인공지능 냉장고에게 말을 건다.

강요한   집사?

냉장고   네, 주인님.

강요한   배고픈데 오늘은 뭐 있어?

냉장고   조리할 재료로는……

강요한   (O.L.) 그런 거 말고 그냥 간단히 데워 먹을 거.

냉장고   피자하고 소고기덮밥이 있습니다.

강요한   소고기덮밥 좋네.

냉장고   (냉동실 문이 열린다) 3번 칸 아래쪽에 있습니다.

강요한, 냉동식품을 꺼내 전자레인지에 넣는다.

Cut to

혼자 식탁에 앉아 반찬도 없이 데운 소고기덮밥을 먹는 강요한.

김가온(E)   매일 그렇게 혼자 먹는 겁니까?

김가온이 주방 입구에 서 있다. 강요한은 어깨를 으쓱하고 다시 밥을 먹는다.

강요한	같이 먹으면 뭐가 달라지나?
김가온	이 큰 집에서 아무도 없이, 혼자?
강요한	제일 위험하고 해로운 게 인간이니까.
김가온	(강요한을 가만히 응시한다)
강요한	뭐 할말이라도 있는 건가?
김가온	…아닙니다.
강요한	(힐끗 김가온을 보더니 다시 꾸역꾸역 밥을 먹는다)

지켜보던 김가온, 말없이 돌아 나간다. 밥을 먹다가 문득 고개를 들어
김가온이 서 있던 곳을 물끄러미 보는 강요한.

냉장고	…외로우신가요?
강요한	(흠칫하며 살짝 당황한다) 뭐?
냉장고	음악이라도 틀어드릴까요?
강요한	(째려보며) 선 넘지 말라 그랬지.
냉장고	…넹. (불이 꺼진다)

S#9. 강요한의 저택, 주방 (낮)

텅 빈 주방으로 들어오는 엘리야. 콘플레이크 상자를 집어들고 휠체어를
돌려 나가려다가 식탁 위를 힐끗 보니 덮개가 있다. 다가가서 열어보니
김이 모락모락 나는 프렌치토스트 두 조각과 우유. 갸우뚱하는 엘리야.

S#10. 강요한의 저택, 서재 (낮)

엘리야, 서재로 들어온다. 무뚝뚝한 표정으로 책상을 닦고 있는 지영
옥.

엘리야   웬일이야?
지영옥   (계속 닦으며) 뭐 말씀입니까.
엘리야   맛있더라. 토스트. 웬일로 그런 걸 해놨어?
지영옥   전 방금 출근했습니다만.
엘리야   (당황하며) 어…… 그래?
김가온(E) 입맛에 맞았다니 다행이네.

엘리야, 돌아보니 김가온이 문가에 기대 서 있다가 씩 웃고는 사라진
다. 엘리야, 평소와 달리 어쩔 줄 모르는 어색한 표정이다.

지영옥   (신기하다는 듯 엘리야를 빤히 본다)
엘리야   (시선을 느끼곤 날카롭게) 뭘 봐! (휠체어를 휙 돌려 나간다)

S#11. 법무부장관실 (낮)

차경희   (불안 초조한 표정으로 손톱을 물어뜯고 있다)
비서   …장관님.
차경희   왜?
비서   아무래도 그분 도움을 받는 게 좋지 않겠습니까?

차경희	(짜증스럽게) 아 누구! (뭔가 떠오른 듯) 그 늙은이?
비서	네.
차경희	이 판국에 그게 무슨 소용이야!
비서	(여론조사 문건을 내밀며) 장관님, 이 폭동 전야 같은 대한민국에서 최근 신뢰도 90%를 넘긴 곳이 딱 두 군데 있습니다.
차경희	(문건을 받아 보더니) 사회적책임재단? (혀를 차며) 돈 나눠준다는데 싫어할 놈들 없지. 거지 근성하고는! (비서를 보며) 또 한 군데는?
비서	…시범재판부입니다.
차경희	(표정 일그러지며 팔걸이를 꽉 움켜쥔다) 개돼지들!
비서	…장관님, 외람됩니다만 현재 저희 검찰 신뢰도는 12%입니다.
차경희	(일그러진 표정으로) 으음……

S#12. 재단 이사장 부속실 (낮)

차경희의 전화를 받는 정선아.

| 정선아 | 네, 장관님. 어쩌죠? 명상중이셔서 아무 연락도 안 받으시는데…… (생긋 웃으며) 다음에 연락주시겠어요? (끊으려다가 멈추며) 네? 아…… 네. 그러시면 제게 말씀해주세요. 전해드릴게요. …네. (안타까움이 가득한 표정과 말투로) 네, 알죠! 그게 엄마 마음이죠! 왜 모르겠어요. …네. …네. 장관님, 바로잡아요. 우리 같이. (눈물을 닦는다) 네. 연락드릴게요. (전화를 끊는다) |

전화를 끊자마자 표정이 돌변하는 정선아, 찡그리며 어깨를 으쓱한다.

정선아   어우, 귀 아퍼. 1절만 하지, 쫌.

정선아, 잠시 생각하더니 책상 서랍에서 사회적책임재단 마크가 찍힌 초대장 봉투를 꺼내, 깃털 펜으로 멋들어지게 '강요한 판사님'이라고 쓴다.

정선아   아무래도 우리 좀 만나야 되겠는데요, 판사님? (초대장을 든 채 활짝 웃는다)

S#13. 강요한의 저택, 서재 (낮)

서성이며 생각에 잠겨 있는 김가온, 야옹 소리에 고개를 돌린다. 고양이가 발을 다쳤는지 구석에서 발을 할짝거리고 있다.

김가온   (다정하게) 다쳤니? (허리를 굽혀 고양이 쪽으로 손을 뻗는다)

고양이, 날카로운 소리를 내며 김가온의 손을 할퀸다. 피가 맺히는 김가온의 손. 김가온, 아파서 찡그리면서도 손을 거두지 않는다.

김가온   괜찮아. 괜찮아. (부드러운 미소를 짓고 참을성 있게 고양이를 바라본다)

털을 곤두세우던 고양이, 차츰 안정된다. 김가온, 조심스레 고양이를 안아 올려서는, 구급함에 있는 연고를 발라준다.

엘리야(E)	의외네.
김가온	(고개를 돌린다)
엘리야	걔, 낯선 사람한테 절대 안 가는데.
김가온	이래 봬도 나, 길냥이들한테 인기 최고야. 좋은 사람을 알아보는 거지.
엘리야	웃기시네.
김가온	(씩 웃으며) 둔한 녀석은 못 알아보겠지.
엘리야	(앙칼지게) 뭐야?
김가온	고양이 말이야. 고양이.
엘리야	(김가온을 째려보다가) 걔도 길냥이야.
김가온	진짜? (고양이를 보며) 얘, 엄청 비싸 보이는데……
엘리야	요한이 주워 왔어. (입을 삐죽이며) 안 어울리게 저런 건 자꾸 주워 온단 말야.
김가온	(엘리야를 가만히 보며) 왜 안 어울린다고 생각하지?
엘리야	(어이없다는 듯) 너 설마, TV에서 떠드는 것처럼 그렇게 생각하는 거야? 약자를 사랑하는 정의의 사도, 강요한 판사님?
김가온	(떠보려는 듯 능청스럽게) 아닌가?
엘리야	역시 바보구나, 너. (고양이를 턱으로 가리키며) 쟤, 먹이를 매일 주는데도 쥐를 잡아 와. 왜 그럴 것 같아?
김가온	…글쎄.
엘리야	재밌으니까. 그냥 재미로 그러는 거야. 심심해서.
김가온	(생각에 잠긴 채 혼잣말하듯) 정말 그런 걸까.

엘리야	요한이 어떻게 이 집 주인이 됐다고 생각해?
김가온	그게 무슨 소리야?
엘리야	난 그것만 생각해. 매일. (휠체어를 돌려 사라진다)
김가온	(엘리야가 남긴 말을 생각하며 멍하니 서 있다)

S#14. 강요한의 저택, 김가온의 방 (저녁)

윤수현과 통화중인 김가온.

김가온	응, 수현아. 십 년 전 그 화재 사건, 수사했던 분을 좀 만날 수 있을까? 응, 그게 말야. (방문 열리는 소리에 놀라 전화를 황급히 끊는다)
강요한	(방으로 들어오며) 뭐 중요한 전화라도 하고 있었나?
김가온	(강요한을 노려보며) 남의 방에 들어올 때는 보통 노크란 걸 하는 거 아닙니까?
강요한	잊고 있나본데 여기 내 집이야. 언제까지 그러고 있을 거지?
김가온	(머리를 굴리며) 며칠만 더 안정을 취하고 나가겠습니다. 아직 어지러울 때가 있어서……
강요한	집안은 잘 돌아다니는 거 같던데. 뭐 찾고 싶은 거라도 있는 건가?
김가온	남의 일에 그렇게 관심 많은 편은 아니라서.
강요한	(김가온을 빤히 보다가 픽 웃으며) 뭐, 그렇다 치고, 옷이나 좀 고를까.
김가온	예? 그게 무슨……

강요한   (미소 지으며) 나랑 갈 데가 좀 있거든.

S#15. 강요한의 저택, 드레스 룸 (저녁)

강요한, 문을 열자 엄청나게 큰 방 양쪽 가득히 한눈에 봐도 명품인 양복과 셔츠, 타이, 구두, 시계 등이 죽 진열되어 있다. 김가온, 놀라 입을 벌리고 있고, 완벽한 슈트 차림의 강요한, 드레스 룸 한가운데 서서 미소 지으며 김가온을 향해 손짓한다.

강요한   (김가온을 슥 훑어보더니 옷걸이에 걸려 있는 고급 슈트 중 한 벌을 꺼내
         김가온에게 휙 던진다)

김가온   (얼결에 받는다)

강요한   (서랍을 열어 좀도둑에게서 빼앗아 온 강이삭의 시계를 꺼내더니 김가
         온 옆 수납장 위에 툭 놓는다. 잠시 망설이더니 옷장 깊숙이 간직해온 강
         이삭의 코트도 꺼내 김가온 곁에 놓는다)

김가온   (한눈에 봐도 비싸 보여서 부담스럽다) 예? 이건 왜……

강요한   이제부턴 나와 같은 시간을 살아야 되니까. (팔짱을 낀다. 김가온에
         게 건넨 시계와 같은 걸 차고 있다. 멍한 표정의 김가온을 쳐다보며) 뭘
         기다리지?

김가온   네?

강요한   내가 입혀줘야 되나?

김가온   (얼굴을 붉히며 강요한을 노려본다) 입으면 될 거 아닙니까!

강요한   (새침한 표정으로 자기 손목시계를 슥 보더니 재촉하듯 검지로 시계를
         톡톡 친다)

김가온	(짜증스럽게) 네네. (슈트를 한쪽 옆에 걸쳐놓고 뒤로 돌아 바지를 벗 으려다가 곤란한 표정으로 강요한을 돌아보며) 어, 근데 저……
강요한	(피식 웃으며 뒤로 돌아선다) 별……
김가온	(얼른 바지부터 갈아입은 후 티셔츠를 훌렁 벗고 옷걸이에서 셔츠를 꺼 내 맨몸에 걸친다)
강요한	상처는 다 아물었네.
김가온	(단추를 꿰다가) 네? (돌아보니 팔짱을 끼고 선 강요한 앞 옷장에도 거 울이 달려 있다. 잠깐 찡그렸다가 얼른 넥타이를 대충 매고 양복 상의를 걸친다) 이제 됐습니까?
강요한	(김가온의 위아래를 훑어보더니 성큼성큼 김가온 앞으로 다가서, 어 설프게 맨 넥타이 매듭을 붙잡아 천천히 위로 올리며 놀리듯) 잘 어울 리네? 의외로.
김가온	(어깨 으쓱하며) 아직 젊으니까요. 누구완 달리.
강요한	뭐?
엘리야(E)	어이, 아저씨.
강요한	(휙 돌아본다)
엘리야	괜히 시비 걸지 마. 아저씨랑 오빠는 다른 거야.
강요한	(괜시리 큰 소리로) 너!
엘리야	(휠체어를 돌려 나간다)
김가온	(픽 웃고는) 엘리야~ 밥은 먹었니? (엘리야를 따라 나간다)
강요한	(성난 표정으로 아까 김가온 옆에 놓았던 시계를 들며) 이거는! (따라 가다가 옷장 거울에 비친 자기 얼굴을 본다. 눈가에 주름이 있나 유심히 살피며 나지막이 투덜댄다) 어디가 아저씨야.

S#16. 강요한의 저택, 차고 (밤)

강요한을 뒤따라 널찍한 차고로 들어온 김가온, 놀라 차고 안을 둘러본
다. 온갖 명차, 스포츠카가 열 대 정도 늘어서 있다. 강요한, 멍하니 서
있는 김가온에게 차 키를 휙 던진다. 얼결에 받는 김가온.

강요한 (운전석 옆자리에 앉아 있다) 안 갈 거야?

김가온 (잠시 망설이다가 조심스레 차 문을 열고 운전석에 앉는데 좌석이 위이
        잉 움직이며 체형에 맞게 자리를 자동 조정하자 화들짝 놀란다) 어어!

옆쪽으로 고개를 돌려 창밖을 보던 강요한, 픽 웃는다.

S#17. 재단 연회장 (밤)

단상이 마련되어 있고, 라운드 테이블이 널찍널찍하게 배치되어 있는
홀. 우아하고 세련되게 장식되어 있다. 십여 명의 재단 이사들이 고급
정장 차림으로 환담중이고, 핑거푸드 쟁반을 든 웨이터가 사람들 사이
를 누비며 음식을 권하는 중이다. 강요한이 반가워하는 중년 신사들과
악수하며 인사하는 사이, 우아한 차림의 중년 여성 서너 명이 김가온을
에워싼다.

정선아 (김가온에게 미소 지으며) 처음 뵙겠습니다. 사회적책임재단에서
        서정학 이사장님을 보필하는 정선아라고 합니다.

김가온 네, 반갑습니다. 김가온입니다.

피향미	(호들갑스럽게 끼어들며) 어머, 어쩜! 배우 하셔도 되겠어요, 판사님! 데뷔하시죠. 저희 방송국에서 모실게요. 시범재판, 저희 방송국에서 중계하고 있잖아요.
김삼숙	(눈살을 찌푸리며) 얘, 판사님 놀라시겠다.
김가온	(기세에 당황한다) 아 네……
정선아	(미소 지으며 피향미를 소개한다) 사람미디어그룹 박두만 회장님 사모님이세요. (김삼숙을 소개한다) 민보그룹 민용식 회장님 사모님이시고요.
피향미	요즘 완전 스타시던데, 우리 셀카나 한번 같이 찍어요.

피향미, 다짜고짜 김가온과 팔짱을 끼고 셀카를 찍으려 하는데, 옆에 있던 여성 서너 명도 끼어든다.

– 어머, 우리도요! 저도요!

당황하는 김가온. 순간 뒤쪽에서 팔이 쑥 뻗어나오더니 김가온의 어깨를 감싸며 자연스레 뒤로 밀어낸다. 김가온을 등뒤에 둔 채 여성들 앞으로 나서는 강요한.

강요한	이 친구, 잠시 빌려가겠습니다. 인사드릴 분이 많아서요.
정선아	(킥! 웃으며 툭 던지듯) 보호자가 오셨네요?
강요한	(정선아를 힐끗 보고는 김가온을 헤드테이블로 데려간다)
피향미	(웃는 표정 그대로 옆의 사모님들에게) 완전 앤데?
김삼숙	…강요한 밑에서 배겨낼 수 있을까 몰라?

S#18. 재단 연회장 (밤)

김가온   (몇 걸음 걷다가 강요한의 손을 툭 털어낸다)

강요한   (김가온을 힐끔 본다)

김가온   필요 없습니다. (강요한을 노려보며) 보호자 따위.

강요한   (어깨를 으쓱하며) 암사자 떼에 포위된 새끼 사슴 같던데?

김가온   (발끈하며) 제가 왜 새끼……

강요한   (O.L.) 박회장님, 일찍 오셨습니다.

박두만   (활짝 웃으며) 어서 오십쇼! 제가 우리 꽃미남 판사님들 덕분에 먹
          고살고 있는 박두만이올시다.

민용식   (비꼬는 말투로) 광고 판매가 쏠쏠한 모양입니다.

박두만   쏠쏠하죠! 허허허. 그래야 기부도 더 할 거 아닙니까! (김가온을
          향해) 아, 여기는 민보그룹 민용식 회장입니다.

김가온   (떨떠름하게 인사한다) 김가온입니다.

민용식   요즘 유명하신 김판사님이군요. 젊으시네. 공부 모임에 좀 나오
          시죠.

김가온   공부 모임이라시면?

민용식   나라 걱정하는 모임이죠. 재계, 정계, 학계의 뜻있는 사람들이 모
          여 세상 흐름에 대한 공부도 하고, 석학들 모셔서 강연도 듣고,
          뭐 그러고 있습니다.

박두만   (고개를 절레절레하며) 하이고, 나같이 무식한 장사꾼은 머리에 쥐
          만 나던데 말야.

정선아   (어느새 단상에 올라가 마이크를 잡고 있다) 대통령님, 입장하십니
          다.

모두가 일제히 일어나 박수를 보낸다. 손을 흔들며 입장하는 대통령 허중세와 영부인 도연정.

김가온   (놀라서 혼잣말로) 대통령까지? 대체⋯⋯

만면에 미소를 띤 채 장내를 둘러보며 손을 들어 인사하던 대통령과 영부인, 헤드테이블로 가서 앉는다.

S#19. 재단 연회장 (밤)

단상 위에서 마이크를 잡고 있는 정선아.

정선아   꿈터전 사업에 참여하신 영예로운 기부자분들을 모시겠습니다. 먼저 1억 원을 기부하신 분들.

조명이 연회장 끝을 비추자 자리 없이 서 있던 사람들 열 명이 허리를 굽신대며 앉아 있는 사람들에게 인사한다. 가슴에 황동색 배지를 달고 있다. 앉아 있던 사람들은 기립하지 않고 미소를 지으며 박수를 보낸다. 서 있는 사람들과 앉아 있는 사람들 사이에는 차단선이 있다.

정선아   다음으로 십억 원을 기부하신 분들.

이번에는 2열에 배치된 테이블에 앉아 있던 서너 명이 자랑스러운 표정으로 자리에서 일어선다. 가슴에는 은색 배지를 달고 있다. 자리 없이 서 있는 기부자들, 부러운 표정으로 박수를 보낸다. 2열 테이블과 1열 테이블 사이에도 역시 차단선이 있다.

정선아   그리고, (싱긋 웃으며) 정말 큰 사랑이죠? 백억 원을 내놓으신 분이 계십니다. 어디 계신가요?

헤드테이블 바로 옆 테이블에서 중년 남자가 일어선다. 가슴에 단 금색 배지가 빛난다.

정선아   큰 박수 부탁드립니다!

박수갈채 쏟아진다. 부러운 시선 속에서 의기양양한 중년 남자.

S#20. 재단 연회장 (밤)

정선아   (활짝 웃으며) 여러분, 서정학 이사장님을 모십니다!

두루마기 차림의 서정학, 뚜벅뚜벅 걸어서 단상 위에 선다. 허중세도 마뜩잖은 표정으로 천천히 일어나 형식적으로 박수를 친다.

서정학   (눈빛이 형형하다. 입을 꾹 다문 채 박수갈채를 보내는 좌중을 응시하다가 갑자기 버럭 소리를 지른다) 인!

사람들, 박수를 멈추고 서정학에 주목한다. 일시에 조용해지는 장내.

스크린 한가득 '仁'자가 새겨진다.

서정학   (힘있고 묵직한 어조로) 국난을 이겨낸 힘은 결국 어질 인, 이 한 글
자요. (좌중을 천천히 둘러보며 한 사람 한 사람 눈을 응시한다) 사람
이라면 마땅히 가지고 있는 본성이자 『맹자』「공손추편公孫丑篇」
에 나오는 사단四端의 으뜸인 측은지심惻隱之心! 불쌍히 여기는 마
음이 없으면 사람이 아니오. 그 마음이 우리 재단의 근본임을 잊
으면 안 돼!

사람들, 감동한 표정으로 기립박수를 보낸다.

S#21. 헤드테이블 (밤)

박수를 받으며 헤드테이블로 걸어와 허중세 맞은편에 털썩 앉는 서정
학.

허중세   선생님, 감명 깊었습니다. 측은지심. 우리가 국민들을 측은히 여
겨야 나라가 돌아가지 않겠습니까. 그런 의미에서 꿈터전 사업,
제가 팍팍 밀어드리겠습니다. 허허허허허.

민용식   (비꼬듯) 대통령님, 오늘은 어째 완전 다른 분 같으십니다.

허중세   응? 나야 늘 한결같이 나라 걱정뿐인데?

김가온, 돌아가는 모습 전체가 어딘가 기괴하고 불편해서 굳은 표정으
로 듣고 있다. 힐끗 옆을 보니 강요한은 아무렇지도 않은 듯 미소만 짓

고 있다.

박두만   자자, 나라 걱정은 그쯤 하시고, 우선 밥 먹고 합시다. 어이. (손
        끝을 까딱까딱한다)

몇 걸음 뒤에서 대기하던 웨이트리스들이 다가와서 음식을 내려놓는
다. 앳되어 보이는 웨이트리스, 조심스레 허리를 굽혀 서정학 앞에 놓
인 찻잔에 차를 따르는데, 테이블 아래에서 서정학의 손이 웨이트리스
의 다리를 천천히 훑어 치마 안쪽으로 올라간다. 놀라 움찔하지만 티를
내지 못하고 계속 차를 따르는 웨이트리스. 이마에 땀이 송골송골 맺히
고 손이 떨려 차가 잔 밖으로 튄다.

웨이트리스   죄, 죄송합니다.
김가온   (떨리는 웨이트리스의 목소리에 의아해서 서정학 쪽을 힐끗 본다)
서정학   (태연하게 미소 지은 채 고개를 끄덕이며) 괜찮으니 천천히, 천천히.
김가온   (울상인 웨이트리스가 영 이상해서) 저기, 잠시만요.
정선아   이사장님.
서정학   (돌아보니 정선아가 뒤에 와 있다) 왜?
정선아   (서정학 쪽으로 허리를 굽혀) 죄송합니다. 급한 연락이 와 있습니다.
서정학   그래? (허중세를 향해) 잠깐 실례하겠소.

공손하게 서정학을 안내하는 정선아, 유유히 뒤따르는 서정학.

S#22. 주방 (밤)

애써 침착한 표정을 유지하며 쟁반을 들고 주방으로 들어온 웨이트리스, 쟁반을 내려놓고는 다리가 풀린 듯 자리에 주저앉는다.

S#23. 재단 이사장실 (밤)

문을 열고 들어온 정선아, 그 자리에 딱 선다. 뒤따라 들어온 서정학, 밖에서와 달리 당황한 표정이다.

서정학   저, 저기 그게……

순간 정선아, 뒤로 돌며 서정학의 얼굴 한가운데를 주먹으로 강타한다.

서정학   어억!

피가 터지는 코를 감싸쥐며 주저앉는 서정학. 정선아, 고급 손수건을 꺼내 얼굴을 찡그리며 피 묻은 주먹을 닦더니 휙 휴지통에 던진다. 서정학, 겁에 질린 채 정선아 앞에 무릎 꿇고 머리를 조아린다.

서정학   주, 죽을죄를 지었습니다! 이 늙은 몸뚱이가 아직도 죄를 짓고……
정선아   (냉정한 표정으로 팔짱을 끼며) 영감.
서정학   (바닥에 머리를 처박으며) 예!
정선아   넌 대체 단 한 시간을 조신하게 못 있니? 어우 진짜 어떡하지 이

걸? (고개를 절레절레 젓는다)

서정학   (벌벌 떨며) 죄송합니다, 죄송합니다……

정선아   참회!

서정학   네! 참회! (얼른 머리를 조아려 바닥에 쿵쿵 내리찧는다)

정선아   …니가 누구지?

서정학   전 개새낍니다! (이마에 피가 맺혀 있다)

정선아   (생글생글 웃으며) 에이, 무슨 말씀을요. 노벨평화상 후보에도 오른 빈민운동가시잖아요.

서정학   아닙니다! 전 그냥 개새낍니다!

정선아   어머나? 국가원로이신 대철학자께서 웬 겸손?

서정학   아닙니다! 전 평생 세상을 속이고, (눈물을 흘린다) 더러운 육욕을 채워온 위선잡니다!

정선아   저기요, 대통령도 무시 못하는 숨은 실세, '서선생' 아니세요?

서정학   흐흑…… 저는 제 헛된 이름 뒤에 숨어, 힘없는 여인들을 더럽혀온, 헉! (자기도 모르게 해선 안 될 말을 하고 말았다는 공포로 얼어붙는다)

정선아   (순간 표정이 무섭게 굳는다)

서정학   (공포에 질려 벌벌 떨며 고개를 처박는다) 죽여주십쇼!

정선아   (서정학 앞에 천천히 앉는다) 영감?

서정학   네!

정선아   (표정이 다시 서서히 생글거리는 웃음으로 변하며 나긋나긋하게) 자기가 착각하는 게 있어. 개새끼가 사람을 문다고, (서정학의 뺨을 장난처럼 톡톡 때리며) 사람이 더럽혀지겠니? 개 따위가, (표정이 점점 매서워진다) 감히? 응?

서정학   그렇습니다, 그렇습니다…… 흐흐흑.

정선아	휴우, (미소 지으며) 참회하자. 이번엔 한 달쯤 하지 뭐. 또 나라를 위한 금식기도중이라고 해둘게.
서정학	예……
정선아	(활짝 웃으며) 그래도 오늘 할일은 잘했어. 너 말 잘하더라. 그 사자성어 그거 뭐라고? (갸우뚱하며 해맑게 생각해내려 애쓴다) 측…… 은지심? (서정학의 볼따구니를 꼬집으며) 잘했쩌!

S#24. 헤드테이블 (밤)

박두만	(냅킨으로 입가를 닦으며) 그런데 강판사님, 재판, 아주 씨원하게 잘하시더만요. 저희들도 감개가 아주 무량합니다. 십 년 전에 그 힘든 일을 겪으시고도 어떻게 이리 훌륭하게 대성하셨는지……
김가온	('십 년 전'이라는 말에 박두만을 힐끗 본다)
강요한	(미소 지으며) 별말씀을요. 다 덕분입니다.
허중세	맞아, 강판사 볼 때마다 짠한 게 있지. 우린 특히.
박두만	그러게요. 그런데 이번 재판 끝나고 나니까 주변에 걱정하는 분들이 좀 많더라고요.
민용식	그러잖아도 민심이 흉흉한데, 굳이 그 정도 일로 이렇게 요란하게……
도연정	영민이, 우리 애 동창이라 저도 알거든요. 어릴 땐 참 이쁘고 착했는데. 안됐어요.
김가온	(불편한 표정으로) 죄송합니다만 진행중인 재판에 대해 말씀하시는 건.
박두만	(O.L.) 뭐 사법 독립인가 침해다, 그런 말씀이십니까, 허허허.

아, 지금 나라가 비상인데 나라 안정이 먼저죠.

민용식 재단 이사분들 불만이 많습니다. 시범재판이 당초 취지대로 되는 거 맞냐, 자꾸 서민들 자극해서 무슨 일이라도 나면 (위협적으로 강요한을 쳐다보며) 강판사님이 책임이라도 질 거냐!

김가온 (성난 표정으로) 이보세요! 지금.

강요한 (O.L.) 꼭 차경희라야 되는 겁니까?

순간 정적이 흐른다. 김가온도 놀라 강요한을 쳐다본다.

민용식 (당황하며) 어, 아니 그게 무슨……

강요한 다들 아시잖습니까. 차경희는 적도 많고 흠도 많은 사람입니다. 여러분의 재산을 지켜줄 사람이 꼭 차경희여야 되는 겁니까? (좌중을 둘러본다)

허중세 (갑자기 웃음을 터뜨린다) 푸하하하핫!

도연정 (남편을 쏘아본다) 여보!

허중세 어 쏘리 쏘리. (고개를 절레절레 흔들며) 역시 우리 강판사는 못 당하겠어. 아주 창의적인 또라이야.

강요한 (싱긋 웃는다)

허중세 그래, 꼭 차장관일 필요는 없지. 차기 대권. (강요한을 보며) 서민들한테 인기 있고, 스토리가 있는 사람. 요즘 시대엔 그런 사람이 나을 수 있지. 나도 그래서 된 거잖아? 하하하하.

박두만 (피식 웃으며) 뭐, 장사꾼 입장에서야 살아남는 놈한테 베팅하는 게 낫긴 합니다. 누가 살아남을지는 모르지만.

허중세 어, 말 막하네? 듣는 놈 기분 나쁘게? (사람들, 폭소를 터뜨린다)

김가온, 충격과 실망으로 믿어지지 않는 눈앞의 풍경을 멍하니 본다. 김가온의 의자만 뒤로 빠져나와 멀리서 그로테스크한 연극 무대를 보고 있는 것 같다. 서커스 같은 음악이 흐른다. 박장대소하는 재벌들과 대통령 부부. 그리고 그들 사이에서 공범처럼 미소 짓는 강요한!

S#25. 연회장 화장실 (밤)

세면대를 붙잡고 서 있는 김가온, 거울을 본다. 충격과 분노가 가득한 표정이다.

S#26. 화장실 앞 (밤)

굳은 표정으로 화장실에서 나오는 김가온.

정선아(E)　속이 안 좋으신가봐요?

김가온　(돌아본다) 정이사님?

정선아　(김가온을 물끄러미 보더니) 여기서 본 강판사님 모습, 낯설지 않으세요?

김가온　무슨 말씀이시죠?

정선아　(한숨 쉬며) 저야 이사장님 심부름이나 하는 처지지만, 어쩔 수 없이 보고 듣게 되는 것들이 있어서요. 바깥 세상에 알려진 그분 이미지하곤 영 달라서……

김가온　(주변을 살핀 후) 제게 말씀해주실 게 있으십니까?

정선아 (고민하는 표정으로) 휴우……

김가온 비밀은 보장해드리겠습니다.

정선아 (고민하다가) 십 년 전 성당 화재 사고는 알고 계시죠?

김가온 네.

정선아 언론에 보도는 안 됐는데, 실은 그날 거기서 강판사님 형님분이 저희 재단에 전 재산을 기부하기로 하는 협약식 행사가 열리고 있었어요.

김가온 (놀란다) 네? 강이삭씨가?

정선아 하필 그날 큰불이 나버린 거죠. 낡은 건물이 무너지는 바람에 사람이 매몰되고, 강이삭씨 부부도 돌아가셨어요. 그런데 기적적으로 목숨을 건진 강판사님이 퇴원 후에 맨 처음 한 일이 뭔 줄 아세요?

김가온 (이야기에 집중하며) 뭐였죠?

정선아 형님이 하신 기부 약정을 취소시키셨어요. 형이 신경쇠약으로 의사 능력이 없었다. 진단서까지 제출해서.

김가온 (표정이 굳는다)

정선아 그게 일반적인 사람이 할 수 있는 일일까요? 형과 형수가 비참하게 돌아가신 직후에? 전 시범재판 볼 때마다 자꾸만 그 생각이 나서 가슴이 답답해져서요……

S#27. 올림픽대로 (밤)

한강 야경을 배경으로 달리고 있는 강요한의 스포츠카.

S#28. 강요한의 차 안 (밤)

입을 꾹 다문 채 운전하고 있는 김가온. 편한 자세로 창밖을 보고 있는 강요한, 김가온을 힐끗 본다.

강요한	…표정이 왜 그래?
김가온	(묵묵부답)
강요한	…귀도 어두워졌나?
김가온	(묵묵부답)
강요한	(빤히 보다가 갑자기 한 손으로 핸들을 옆으로 휙 돌린다)
김가온	헉! (차가 옆으로 휘청하자 놀라서 필사적으로 차를 똑바로 되돌려놓는다. 빠앙! 사방에서 다른 차들의 경적이 울리고 상향등이 켜진다)
강요한	워후!
김가온	뭐하는 겁니까!
강요한	(싱글거리며) 그러게 대답을 하지 그랬어.
김가온	(굳은 표정)
강요한	세상의 진짜 모습을 보니까 실망스러운가?
김가온	(냉담하게) 부자들의 진짜 모습이겠죠.
강요한	(피식 웃으며) 가난한 자들이라고 다를 거 같아? 인간은 평등해. 탐욕 앞에서. (서서히 눈빛이 분노로 불타오른다)
김가온	(처음 보는 강요한의 표정에 놀란다) 무슨 일이라도 있었던 겁니까?
강요한	(쓸쓸하게 웃으며) 운전이나 하지.

각자 생각에 잠긴 두 사람, 그리고 묵묵히 밤길을 달리는 스포츠카.

S#29. 법무부 건물 앞 (낮)

관용차로 출근중인 차경희. 차 안 모니터로 뉴스를 보고 있다. 심각한 표정이다.

아나운서   검찰은 아직도 이영민씨 사건에 대한 공소장을 변경하지 않고 있습니다. 현직 법무부장관 자제에 대한 봐주기가 아니냐는 비난 여론이 높아지는 가운데……

이때, 갑자기 차 전면 유리창에 계란이 날아와 퍽! 터진다. 놀라 쳐다보는 차경희. 건물 앞에서 기다리던 성난 표정의 시위대가 일제히 계란을 집어던진다. 계란이 퍽! 퍽! 퍽! 마구 날아와 차창을 뒤덮는다. 공포에 질린 표정의 운전기사. 이때 누군가 차경희 바로 옆 창문을 쾅쾅 주먹으로 내리친다. 차경희, 놀라 옆을 보니 붉은 글씨로 '법 앞에 평등!'이라고 쓴 천을 머리에 질끈 두른 노인이 눈을 부릅뜨고 차경희를 노려보고 있다. 자전거에 폐지를 싣고 가던 노인이다.

S#30. 법무부장관실 (낮)

전화를 끊는 차경희. 참담한 표정이다. 후우, 깊은 한숨을 쉰다.

비서   재단에서 뭐라고 하나요?
차경희   능구렁이 같은 놈들! 알아서 하라고 발을 빼는 분위기야.
비서   하아, 큰일이네요……

차경희	(일그러진 표정으로 강요한이 내건 조건을 생각한다)
강요한	(V.O.) 제 조건은 이겁니다. 그 사건의 진실을 언론에 고백하십쇼. 그렇게 하시면, 아드님은 놓아드리겠습니다.
차경희	(눈을 질끈 감는다)

S#31. 차경희의 집, 안방 (밤)

굳은 표정으로 앉아 있는 차경희.

이재경	여보, 도대체 강요한이 뭘 요구한 거야? 만나준 걸 보면 뭔가 바라는 게 있는 거잖아.
차경희	으음……
이재경	(눈물이 맺힌다) 우리 회사 다 팔아서 넘겨줘도 좋으니 영민이는 살려줍시다. 걔가 이렇게 된 것도 다 우리 책임이잖아.
차경희	…휴우.
이재경	(눈물 흘리며) 어릴 때부터 애 혼자 버려놓고 우리 둘 다 밖으로만 나돌았잖아. 애가 얼마나 힘들어하는지도 모르고. 애가 약 먹었던 날 기억해? 죽어버리겠다고?
차경희	그 얘긴 또 왜 꺼내는 거야! (진저리를 치며) 생각하기도 싫어.
이재경	여보, 돈이고 지위고 뭐가 중요해. 우리 새끼, 지킵시다. 걔 감옥 들어가면 하루도 못 견뎌. 알잖아. (흐느낀다)
차경희	(눈물 맺히며) 후우…… (이재경의 손을 잡으며) 그래. 여보. 자식보다 중요한 게 어딨겠어. 걱정 마. 내가 영민이, 구해낼게. 내가 희생해서라도.

이재경   여보······ (차경희를 끌어안고 운다)

S#32. 배석판사실 (낮)

일하는 오진주와 정인석.

오진주   (기지개를 켜며) 재판, 벌써 내일이네. 아우, 뭐 별일 없겠지?

정인석   (핸드폰을 보더니) 어?

오진주   왜?

정인석   긴급 기자회견이 있다는데요? 차경희 장관.

오진주   뭐라구? (얼른 일어나 TV를 켠다)

화면에는 차경희가 비장한 표정으로 기자회견장에 서서 플래시 세례를
받고 있다.

차경희   국민 여러분, 저는 한없이 죄스러운 마음으로 이 자리에 섰습니다.

S#33. 강요한 부장판사실 (낮)

강요한, 차경희의 회견을 지켜보고 있다.

S#34. 기자회견장 (낮)

차경희   제 못난 자식의 소행으로 국민 여러분께 심려를 끼쳐드린 점 깊이
사죄드립니다. 모두 자식을 잘못 가르친 제 불찰이고, 잘못입니
다. (고개를 깊이 숙였다가 다시 들고 카메라를 보며) 감히 용서를 구
하진 않겠습니다. 검찰은 오늘 이영민 피고인에 대해 공소장 변
경 신청서를 제출했습니다. 상습폭행으로 죄명도 변경하고 추가
로 밝혀진 범죄 사실도 모두 포함시켰습니다.

S#35. 차경희의 집, 거실 (낮)

이재경, TV를 지켜보다가 경악하며 벌떡 일어선다.

이재경   뭐야! 이게 무슨 소리야!

이영민   (경악과 혼란으로 몸을 떨며) 엄마⋯⋯

S#36. 기자회견장 (낮)

차경희   내일 법정에서 엄정한 처벌이 내려지기를 기다리겠습니다. 죄를
지었다면, 그 누구든 그에 합당한 벌을 받아야 한다는 제 소신은
변함이 없습니다. (카메라를 정면으로 보며) 그것이 제가 꿈꾸는 대
한민국입니다!

S#37. 차경희의 집, 거실 (낮)

이영민, TV 화면 가득한 엄마의 얼굴을 멍하니 보다가 기절한다.

이재경　(놀라 이영민을 끌어안으며) 영민아! 영민아!

S#38. 강요한 부장판사실 (낮)

강요한　(감탄했다는 표정으로) 이야, 정치적 야심이 모성애를 이긴 건가?
　　　　　인간이란 참 흥미롭단 말이야.

S#39. 법무부장관실 (낮)

회견장에서 돌아온 차경희, 장관실 소파에 앉는다.

차경희　휴우…… (고통스러운 표정이다)
비서　(걱정스레) 정말 괜찮으시겠습니까? 하나뿐인 아드님인데.
차경희　…어떻게 여기까지 왔는데. (매서운 눈빛으로 단호하게) 희생 없이
　　　　　얻는 영광은 없어.
비서　(고개를 숙이며) 네, 장관님.

S#40. 강요한의 저택, 김가온의 방 (아침)

김가온, 창가에 서서 강요한이 차를 몰고 출근하는 것을 보고 있다. 강요한의 차가 사라지자 핸드폰을 꺼내 전화를 거는 김가온.

김가온   수현아.

S#41. 대법정 (낮)

겁에 질린 표정으로 피고인석에 앉아 있는 이영민. 카메라가 온통 이영민에게 집중되어 있다.

변호인   피고인은 잘못을 모두 인정하고, 깊이 반성하고 있습니다. 다만, 피고인에게도 참작할 만한 사정이 있음을 알아주십시오.

강요한   어떤 사정입니까? 변호인.

변호인   피고인은 어릴 때부터 유난히 예민하고 외로움을 많이 타는 성격이었습니다. 이맘때 애들은 누구나 부모 사랑을 듬뿍 받고 크는 거 아니겠습니까?

강요한   (묘한 미소를 지으며) 물론입니다. 안 그런 애들이 있겠습니까?

변호인   (맞장구쳐주니 기세가 올라서는) 그렇죠! 그런데 유감스럽게도, 피고인은 부모를 이 사회에 양보해야 했습니다. 모친은 공직자로서, 부친은 산업 역군으로서, 나라를 위해 봉사하느라 피고인 곁에 있어주지를 못했습니다.

강요한   (고개를 끄덕이며) 저런…… 많이 힘들었겠군요.

변호인	네! 피고인은 큰 집에서 가정부와 함께 외롭게 컸습니다.
강요한	(기록을 넘기며) 정확히 하자면 가정부 2명, 요리사 1명, 정원사 1명이네요. (싱긋 웃으며) 뭐 중요한 건 아닙니다만.
변호인	(당황하며) 아, 네. 숫자가 중요한 건 아니죠. 게다가 피고인은 어려서부터 몇 번이나 가정부들이 집안 물건을 좀도둑질하는 모습을 봐야 했습니다. 가난한 사람들에 대한 두려움이 생길 수밖에 없지 않겠습니까? 피고인의 피해 강박과 공격성이 형성된 이유입니다. 이에 관해서는 저명한 아동심리학자들과 정신과 의사들이 작성한 소견서를 제출하니 참조해주십시오.

법정 스크린에 각종 소견서, 진단서 여러 개가 휙휙 날아와 겹쳐진다. 배석판사석의 정인석, 공감되는 듯 자기도 모르게 고개를 끄덕거리다가 오진주가 노려보자 얼른 멈춘다.

S#42. 치킨집 (낮)

치이익~ 치킨을 튀겨내고 있는 박중선, 이마에 땀이 송골송골하다.

윤수현	힘드시죠?
박중선	힘들긴요. 형사질이 훨씬 힘들었지. 윤형사님이 더 잘 아실 텐데. (이마의 땀을 닦고는 윤수현과 김가온이 앉아 있는 테이블로 와 앉는다) 그런데 그 옛날 일을 왜 새삼스럽게?
김가온	에휴, 법원도 별 수 없어요.
박중선	예?

김가온	(천연덕스럽게) 대법원에서 난리예요. 우리 부장님 홍보할 거리 좀더 찾아보라고. 물 들어올 때 노 젓자, 이거죠.
박중선	쯧쯧쯧, 거기도 막내는 고생이네요.
윤수현	(김가온의 능숙한 연기에 어이없다는 표정으로 김가온을 쳐다본다)
김가온	(윤수현만 보이게 씩 웃는다)
박중선	하긴, 끔찍한 화재 현장에서 살아 돌아온 생존자, 먹히는 얘기긴 하지.
윤수현	성당이었다면서요.
박중선	부친 때부터 다니던 데였나봐요.
윤수현	그런데 알아보니까 그날은 미사가 있는 날도 아니더라고요. 무슨 기부 행사였던 거 같은데, 참석자 파악도 안 되어 있는 것 같고.
박중선	(경계하는 눈초리로) 글쎄, 그게 홍보하고 무슨 상관이오?
김가온	에이, 무슨 미담거리가 없나 해서 그렇죠. 인터뷰 딸 일이 있을 수도 있고. 그나저나 화재 원인은 끝내 안 밝혀졌다면서요?
박중선	(김가온의 표정을 살피며) 옛날 초등학교를 개조한 성당이라 목조 건물이었거든. 홀랑 다 타버리고 무너져버려서 남은 게 있어야지. 담뱃불이 커튼에라도 옮겨붙은 건지 뭐가 합선된 건지.
윤수현	강요한 판사 진술은 들으신 거죠? 혹시 뭐 본 거 없다고 하던가요?
박중선	아니 뭐 병실엔 한 번 가봤지. 별로 기억하는 게 없으시더라고. 그러지 않겠어? 지붕이 무너져서 깔리고 생난리가 났는데. (생각난 듯) 아, 그러고 보니 오늘도 강판사님 재판 중계한다매. (리모컨을 들어 TV를 켠다) 이거나 좀 보고 합시다.

김가온과 윤수현, 곤란한 표정으로 눈빛을 교환한다.

S#43. 대법정 (낮)

변호인 물론 그렇다고 피고인의 잘못이 정당화될 수는 없습니다. 하지만 우리 모두가 아이를 키우는 부모 아닙니까. 아이가 비뚤어졌다고 해서 무조건 사회와 격리하는 것이 능사일까요? 부모가 미처 보살피지 못한 아이입니다.

강요한 (고개를 끄덕이며) 사랑의 매 한번 맞지 못했겠군요.

변호인 그렇습니다! 아이 하나 키우는 데 온 마을이 필요하다는 말이 있습니다. 성장기에 부모의 사랑과 훈육을 받지 못한 피고인의 일탈을, 조금만 더 넉넉한 품으로 품어줄 수는 없을까요?

피고인석의 이영민, 고개 숙인 채 눈물을 훔친다. 방청석 맨 앞줄의 이재경, 오열한다.

이재경 영민아, 영민아……

강요한 (생각에 잠겨 손으로 법대를 톡톡 치고 있다)

변호인 (자신감이 올라 무대 한가운데로 걸어나가며 말을 이어간다) 사실, 이런 건으로 피고인을 장기간 교도소에 가둔다? 감정적인 포퓰리즘이 아니고 뭐겠습니까!

강요한 (끄덕이며) 하긴, 교도소도 공짜가 아니지요.

변호인 (신이 나서) 맞습니다! 그게 다 국민 혈세입니다. 이런 사건은 그냥 피해자들한테 충분히 금전적으로 보상이나 하도록 하는 게 낫지 않겠습니까? 아니 막말로, (이영민을 가리키며) 이 사람 하나 감옥에 보낸다고 피해자들한테 밥이 나옵니까, 쌀이 나옵니까? (씩 웃으며) 다들 먹고살기 힘든 세상 아닙니까?

성난 표정으로 웅성대는 방청석.

강요한   (변호인을 쳐다보다가 미소를 짓더니) 명변론이네요. 잘 들었습니다. 변호인.

변호인   다소 지나쳤다면 죄송합니다, 재판장님.

강요한   아닙니다. 논리적이에요. 아주 논리적인 변론입니다. 저도 공감합니다.

놀라 웅성거리는 법정. 오진주도 놀라 강요한을 쳐다본다.

강요한   변호인의 주장을 듣다보니, 이 사건에 가장 맞는, 합리적인 처벌이 있긴 하네요.

변호인   (영문을 몰라) 네?

강요한   국민의 혈세 부담도 없고, 피고인을 장기간 사회와 격리시키지도 않으면서, 아주 짧은 시간 안에 잘못에 합당한 고통만을 가하고 끝내는, 가장 효율적이고 경제적인 형벌.

잠시 말을 끊자 의아해하는 모두의 시선이 강요한에게 집중된다.

강요한   (미소 지으며) 태형입니다.

변호인   (경악하며) 네?

S#44. 치킨집 (낮)

TV 화면의 강요한을 보며 경악하는 김가온과 윤수현. 박중선은 감탄한 듯 고개를 끄덕거리고 있다.

S#45. 대법정 (낮)

이재경과 이영민, 소스라치게 놀라고 방청석 여기저기서도 탄성이 나온다.

강요한 (미소 지으며) 변호인 말씀대로 부모의 사랑과 훈육을 받지 못한 피고인에게, 우리 사회가 사랑의 매를 드는 것입니다. 아이 하나 키우는 데 온 마을이 필요하다고 하셨지 않습니까.

변호인 (당황하며) 그, 그건 말도 안 됩니다! 21세기에 사람을 묶어놓고 때리겠다고요? 그런 야만적인!

강요한 (O.L.) 그건 지금도 이 형벌을 시행하고 있는 많은 훌륭한 나라들에 대한 모독인 것 같은데요? 게다가 바로 여기 피고인의 모친이신 법무부장관께서 추진한 법질서 강화 특별법에 근거도 있고 말이죠. (카메라를 쳐다보고 싱긋하며) 안 그렇습니까?

S#46. 법무부장관실 (낮)

TV로 지켜보던 차경희, 자신을 정면으로 쳐다보는 듯한 강요한의 얼굴이 클로즈업되자 낯빛이 파랗게 질린다.

차경희   이…… 이 미친 새끼! (울상이 되며) 영민아!

S#47. 대법정 (낮)

이영민, 갑자기 피고인석에서 뛰쳐나와 무대에서 무릎을 꿇는다.

이영민   살려주세요! 제가 잘못했습니다! (울면서) 제발 살려주세요……
        으흐흑…… (고개를 떨군다)
강요한   (싱긋 웃으며) 너무 걱정 마십시오. 아주 인도적인 방법으로 집행
        될 겁니다. 현장에 의료진이 대기하다가 출혈이 과다하면 즉시
        중단하고 아주 정성스레 치료한 후 마저 집행할 겁니다. 자, 그럼
        국민 여러분의 뜻을 여쭤볼까요? (카메라를 보며) 어떻습니까. 이
        것이 피고인에게 합당한 형벌이라고 생각하십니까?

        순간 무서운 속도로 올라가는 빨간색 그래프. 63%, 72%, 84%, 91%.

S#48. 시내 곳곳 (낮)

거리에서, 식당에서, 지하철에서, 가정에서, 다양한 시민들이 디케 앱
의 빨간 버튼을 미친듯이 눌러댄다. 그중에는 이영민에게 폭행당했던
피해자들의 모습도 보인다.

S#49. 대법정 (낮)

조명과 카메라, 방청석 모두 강요한의 입만 쳐다보고 있다. 이영민, 벌벌 떨며 자리에서 일어나 선고를 기다리고 있다.

강요한 (준엄하게 좌중을 둘러본 후) 본 재판부는 국민의 뜻을 받들어, 피고인에게 태형 30대를 선고합니다.

그 순간, 방청석의 이재경, 혼절한다. 이영민은 다리에 힘이 풀려 주저앉는다.

강요한 피고인이 행한 여러 범행들에 비하면, 그야말로 최소한의 인도적인 처벌이라고 봅니다. 국민의 뜻에 따라 이루어진 처벌이니만큼, 그 집행도 온 국민이 지켜볼 수 있도록 공개적으로 투명하게 하는 것이 합당할 것입니다. 형 집행을 담당하는 법무부는 유념해주십시오.

S#50. 치킨집 (낮)

굳은 표정으로 강요한의 얼굴을 응시하고 있는 김가온.

박중선 (주먹을 불끈 쥐며) 이야! 역시 화끈하시네! 그래, 저런 개망나니는 개 패듯 패는 게 맞지. 저런 분이 대통령이 돼야 되는데 말야. 쓰레기들, 아주 그냥 싹 쓸어버리게!

김가온   (박중선을 굳은 표정으로 보다가) 강판사님이 퇴원한 후에, 형이 했
          던 기부 약정을 취소했다는 건 알고 계십니까.

박중선   (표정 변하며) 응? 이 양반이 지금 무슨 엉뚱한 소리를……

김가온   엉뚱하다? (날카롭게 응시하며) 범행 동기가 될 수 있는 일을, 엉
          뚱하다?

박중선   (벌컥 화내며) 뭐야? 당신 미쳤어?! 지금 저 양반 음해하는 거야?
          당신 돌 맞아 죽어! 이 개 같은 세상에, 강판사님 보는 맛에 사는
          사람들이 얼마나 많은 줄 알아? (달려들어 김가온의 멱살을 잡는다)

윤수현   그만하시죠! (재빨리 박중선의 팔을 밀어내고 김가온을 보며) 일단
          가자.

김가온   (굳은 표정으로 문 쪽으로 간다)

윤수현   (따라 나가다가) 아, (돌아서서) 그런데 박형사님, 이 가게는 어떻
          게 차리셨죠?

박중선   뭐? 어떻게는 어떻게야! 퇴직금으로 차렸지!

윤수현   거 묘하네요. 제가 알아본 바로는 빚이 많으셨던데. (박중선의 눈
          을 보며) 도박 빚.

박중선   (윤수현의 시선을 피한다)

김가온   (문 앞에 서서 박중선을 보고 있다)

윤수현   원인 불명으로 사건 종결하고 두 달 만에 갑자기 퇴직, 도박 빚
          은 없어지고 목 좋은 곳에 가게 오픈. 퇴직금이 엄청나셨나봐요?
          (박중선을 뚫어져라 보며) 박형사님.

S#51. 법무부장관실 (낮)

머리를 감싸쥐고 책상 앞에 앉아 있는 차경희. 책상 위에는 결재 서류가 놓여 있고 비서가 그 앞에서 기다리고 있다.

비서   (걱정스레) 장관님.

차경희 (신음한다) 으으으……

비서   힘드시겠지만, 형 집행장에 사인해주셔야 됩니다. 이제 와서 물러서시면……

차경희 (고통스러운 표정으로) 하나님! (사인하는 손이 벌벌 떨린다)

S#52. 공개 태형장 (낮)

구경하는 사람들과 카메라, 기자들로 북적인다. 연단처럼 형 집행을 위한 무대가 설치되어 있고, 이영민이 상체를 드러낸 채 십자가형 형틀에 묶여 있다. 무대 위 책상에는 의료진과 교도관이 앉아 있고, 형틀 옆에는 제복을 입은 당당한 체구의 집행관이 긴 몽둥이를 들고 서 있다.

교도관 시작하시죠.

집행관, 고개를 끄덕이더니 심호흡을 한 후 온 힘을 다해 몽둥이를 뒤로 젖혔다가 달려들면서 등을 내리친다.

이영민 으아아악!

교도관   (서류에 메모하며 사무적으로) 한 대.

집행관, 한 발 물러서 호흡을 가다듬은 후 교도관이 고개를 끄덕이자 다시 온 힘을 다해 달려든다. 집행관의 무시무시한 표정 클로즈업.

S#53. 길거리 (낮)

행인들, 발걸음을 멈추고 태형 집행 장면을 지켜보고 있다. 숨죽인 분위기. 행인들 중에는 김가온과 윤수현도 있다. 충격받은 표정으로 태형 장면을 보는 김가온과 윤수현. 그 옆에는 머리를 빡빡 깎은 청년(죽창), 그리고 비슷한 몇 명, 강요한 얼굴이 새겨진 시커먼 티셔츠를 맞춰 입고 서 있다. 전광판을 지켜보다가 그중 한 명 갑자기 외친다.

죽창   대~ 한, 민, 국!
청년들   (피식 웃더니 박수를 친다) 짝짝짝 짝짝!
죽창   (좀 더 크게) 대~ 한, 민, 국!
청년들   (함께 박수) 짝짝짝 짝짝!

김가온, 굳은 표정으로 죽창과 청년들을 본다.

S#54. 공개 태형장 (낮)

이영민, 기절해 있다. 의료진이 상태를 보고 있다.

교도관	(서류에 적으며) 일곱 대. (머리를 긁적이며 의료진에게) 다음주로 속행할까요?
의사	네. 충분히 치료하고 다시 하시죠.
교도관	(툴툴거린다) 에이, 담주 휴가 내고 애랑 캠핑 가기로 했는데.

S#55. 강요한 부장판사실 (낮)

의자를 뒤로 젖힌 채 TV로 형 집행 장면을 무표정하게 지켜보는 강요한.

S#56. 강요한의 저택, 서재 (밤)

퇴근한 강요한, 상의를 옷걸이에 걸고는 의자에 앉는다.

김가온(E)	…만족합니까?

돌아보는 강요한. 굳은 표정의 김가온이 서 있다.

강요한	…만족 못 할 이유는 또 뭐지?
김가온	이게 무슨 잔인한 짓입니까!
강요한	잔인? 난 국민 다수의 뜻을 따랐을 뿐이야. 그게 민주주의 아닌가?
김가온	위선 떨지 마! 당신은 그냥 재미로 이러는 거잖아! 당신은 냉혹한 괴물이야! 재미로 사냥하고, 방해되면 제거하고.

강요한	(굳은 표정으로 김가온을 노려본다)
김가온	형도, …당신 형도 그래서 죽인 거야?

강요한, 순간 무시무시한 표정으로 다가와 죽일 듯 김가온의 멱살을 잡고 벽에 밀어붙인다. 쿵 소리가 나도록 벽에 부딪히는 김가온.

강요한	(눈이 이글이글 타오른다. 한 팔로 김가온의 목을 누르며) 다시 말해봐.
김가온	(숨이 막혀 버둥거린다) 컥……
강요한	(당장 죽일 듯한 눈빛으로) 다시 말해보라고!
김가온	(필사적으로 강요한의 팔을 밀어내려 애쓰며) 형도 죽인 거냐고! 그렇게 당신을 아끼고 사랑했던 형을!

강요한, 죽일 듯이 노려보다가 조금씩 차분해지더니 천천히 김가온을 내려놓는다. 컥컥대며 고통스럽게 기침하는 김가온.

강요한	…잔인하다고? 뭐가 진짜 잔인한 건지 알아? (김가온을 가만히 응시한다)

S#57. 강요한의 회상, 서재 (밤)

웅크리고 앉은 강이삭의 뒷모습. 강이삭 앞에 서 있는 강요한.

강요한	…정말 그러려고?

강이삭   (끄덕이며) 오래전부터 생각했던 일이야. 아버지가 모은 돈, 남들
        피눈물이잖아. 더러운 돈이지만 값있게 쓰였으면 좋겠어. (고개
        를 들어 강요한을 보며) 괜찮겠니?

강요한   난 상관없어. 형 돈이잖아. 마음대로 해.

강이삭   (뭉클하다) 요한아.

S#58. 강요한의 회상, 성당 예배당 (낮)

'사회적책임재단 기부 협약식' 플래카드가 걸려 있고, 활짝 웃는 재단
인사들(서정학, 박두만, 피향미, 민용식, 김삼숙, 차경희, 이재경, 허중세,
도연정)이 강이삭 가족을 에워싸고 있다. 그 외에도 카메라맨 등 십여
명의 참석자들이 모여 있다.

서정학   (흡족한 표정으로 고개를 끄덕인다) 잘~ 결심하셨소.

박두만   아이고, 존경합니다. 쉽지 않은데.

강이삭   (당황해서 허리를 깊이 굽히며) 아이구, 아닙니다. 그런 말씀 마세
        요, 이사님.

차경희   나눔과 비움, 사랑의 실천, 이게 얼마나 어렵고도 귀한 일입니까.
        (강이삭의 손을 잡고 있는 엘리야의 머리를 쓰다듬으며) 아유, 이뻐
        라. 얘, 니네 아빠가 얼마나 훌륭한 분인지 아니? 성자나 다름없
        으신 분이야.

허중세   (싱글거리며 허리를 굽혀 엘리야와 눈을 맞추려 하며) 어우, 넌 커서
        배우 해야겠다. 아저씨 회사랑 계약할래? (손을 내민다)

엘리야   (질색하며 쪼르르 도망간다)

도연정   (허중세 허리를 쿡 찌르며) 애한테 뭐래.

웃음을 터뜨리는 사람들. 강이삭을 에워싼 사람들이 함께 박수를 친다.
강요한은 멀찌감치 서서 이 모습을 지켜보고 있다.

허중세   어이! 자네도 와서 같이 사진이나 찍지 그래.

강요한에게 허중세가 오라고 손짓하고 있다.

강요한   (살짝 목례하며) 전 괜찮습니다.
허중세   아, 그러지 말고!

이때 강요한, 뭔가 눈에 띈 듯 놀란 눈으로 옆을 보는데 갑자기 비명과
불이야! 소리가 들려온다. 창문 커튼에 불길이 확 퍼지고 있다. 천장과
벽을 따라 번지는 불길. 사람들, 비명을 지르며 앞다퉈 문 쪽으로 달려
간다.

강요한   (강이삭을 보며) 형!

엘리야가 와서 강이삭의 손을 잡으려 하는데, 허중세와 차경희가 앞다
퉈 나가려 하면서 마주보고 서 있던 강이삭을 밀친다.
- 비켜!
그 바람에 강이삭과 엘리야가 밀려 바닥에 넘어진다. 쓰러진 엘리야의
다리를 차경희가 모질게 밟으며 달려간다. 엘리야가 비명을 지르고, 강
이삭과 그의 아내는 필사적으로 엘리야를 몸으로 가리며 보호하려 한

다. 하지만 눈이 뒤집힌 재단 인사들이 몸싸움을 벌이며 서로 먼저 문으로 가려 다투는 통에 웅크린 강이삭 가족은 바닥에 깔려 마구 짓밟힌다.

강요한　형! (좀비 떼처럼 달려드는 사람들을 헤치며 형에게 간다)

온 성당으로 불길이 번지고 불꽃이 떨어져내리는 가운데, 밀치고 머리채를 잡고 악을 쓰면서 문으로 가려는 사람들. 강요한, 미친듯이 사람들을 헤치며 가까스로 강이삭 앞으로 간다. 형수는 이미 정신을 잃었다.

강이삭　(필사적으로 품에 안고 있는 엘리야를 강요한 쪽으로 밀며) 요한아, 제발, 제발…… (갑자기 강요한 뒤를 보며 경악한다) 아악!

강요한, 놀라 돌아보니 제단 위 불붙은 십자가가 앞으로 쓰러지고 있다. 강이삭을 향해 넘어지는 십자가를 등으로 막은 채 이를 악물고 버티는 강요한. 그 앞에는 겁에 질려 말도 못하는 엘리야를 껴안고 공포에 질려 있는 강이삭이 있다. 살갗이 지글지글 타들어가는 소리.

강요한　으으으. (필사적으로 버티다가 있는 힘껏 일어나 십자가를 옆으로 밀쳐낸다)

강요한, 강이삭의 팔을 잡고 일으키려 하는데, 강이삭, 고개를 저으며 엘리야를 필사적으로 강요한의 품으로 밀어낸다. 이때, 우르르 소리를 내며 무너져 내리는 천장과 구조물들, 강요한과 강이삭을 덮친다.

S#59. 강요한의 회상, 성당 (밤)

어두컴컴한 사고 현장. 무너진 구조물에 깔린 채 필사적으로 엘리야를 품에 안고 있는 강요한. 정신을 잃고 있다가 불빛에 조금씩 눈을 뜬다. 소방관으로 위장한 초라한 사내(좀도둑)가 무너진 구조물에 깔려 움직이지 않는 강이삭 앞에서 웅크리고 뭔가를 하고 있다.

강요한 (힘겨운 목소리로) 형! 형!

강이삭의 손목시계를 벗기던 좀도둑, 화들짝 놀란다. 강요한의 눈이 분노로 타오른다.

강요한 뭐하는 짓이야!

좀도둑 (움츠리며) 미안합니다, 미안해요…… 목구멍이 포도청이라……

얼른 시계를 주머니에 넣고는 일어나 가버리는 좀도둑.

강요한 이봐! 돌아와! 돌아와!

강요한의 흐릿한 시야에 바닥에서 지갑, 반지 등을 주우며 멀어져가는 좀도둑이 들어온다. 다시 의식을 잃는 강요한.

Cut to

소방관(E) 여기 생존자가 있다!

소방관의 목소리에 힘겹게 눈을 뜨는 강요한. 시야 가득히 들어오는 플래시 불빛과 다가오는 소방대원들.

S#60. 강요한의 회상, 성당 밖 (밤)

기절한 엘리야를 안은 채 걸어나오는 강요한. 온통 먼지와 상처투성이다. 구급대원이 들것을 가져오지만 고집스럽게 고개를 젓는 강요한. 강요한이 문밖으로 나오자 기자들이 달려들고 플래시가 터진다.

기자1   한말씀해주시죠!
기자2   지금 심정이 어떠십니까!

기자들을 무섭게 노려보는 강요한. 기자들 주춤한다. 이때 민방위복을 입은 공무원이 얼른 달려온다.

공무원   시장님 오십니다!
시장   (민방위복을 입고서 강요한 곁에 바짝 붙어 어깨를 감싼다) 아이구, 얼마나 고생이 많으셨습니까! (카메라를 향해 포즈를 취한다. 터지는 플래시)
강요한   (시장을 노려보더니, 시장 얼굴에 피 섞인 침을 뱉는다)
시장   어이구! (놀라 엉덩방아를 찧는다)

엘리야를 안은 강요한, 벌레 보듯 혐오감에 가득찬 눈초리로 허둥지둥하는 공무원들, 기자들, 구경꾼들의 아수라장을 파노라마처럼 죽 둘러본다. 지옥도가 따로 없다.

S#61. 강요한의 저택, 서재 (밤)

충격받은 표정으로 멍하니 서 있는 김가온. 강요한, 천천히 셔츠 단추를 풀더니 뒤로 돌아 셔츠를 벗는다. 등 한가운데 남아 있는 십자가 모양의 끔찍한 흉터. 김가온, 멍한 채 자기도 모르게 강요한에게 다가가 흉터 쪽으로 손을 뻗다가 흠칫하며 멈춘다.

김가온　(심호흡을 하며 애써 진정하고는) 미안합니다. 제가 지나쳤습니다.

김가온, 강요한에게 고개를 숙이고는 뒤돌아 나간다. 말없이 처연한 표정으로 서 있던 강요한, 천천히 어두운 창밖, 밤이 깃든 세상을 바라본다. 창문에 비친 비통한 표정이 서서히 지우개로 지운 듯 사라지더니 아무것도 없는 텅 빈 표정만이 남는다.

강요한　…역시 인간들이란, 이런 이야기를 좋아한단 말야.

거울에 비친 무표정한 강요한의 얼굴 위로 타이틀, **악. 마. 판. 사.**

5부

가위손

S#1. 강요한의 저택 (아침)

고풍스럽고 커다란 침대에서 고통스러운 표정으로 신음하고 있는 강요한. 악몽에 시달리고 있다. 이마에 진땀이 맺혀 있고 몸을 뒤틀고 있다.

강요한   <u>으으으</u>……

S#2. 강요한의 악몽, 화재 사건 당시 현장 (밤)

현실과 환상이 뒤얽힌 듯한 악몽 속. 단편적으로 번쩍이며 이미지가 교차되는 가운데 시뻘건 불길과 무너지는 기둥, 그리고 그을리고 피 흘리며 안타깝게 강요한을 바라보는 강이삭의 얼굴이 나타난다.

S#3. 강요한의 저택, 강요한의 침실 (아침)

땀이 송골송골 맺힌 강요한.

강요한   (얼굴을 잔뜩 찡그린 채 몸부림치며) <u>으으으</u>······

강요한, 고통스러워하다가 설핏 눈을 뜬다. 비몽사몽간에 흐릿한 시야
로 방금 꿈에서 보던 강이삭의 얼굴이 보인다. 아직 꿈이 계속되고 있는
걸까, 안타까운 마음에 자기도 모르게 형에게로 손을 뻗어보는 강요한.
그런데, 순간, 이게 꿈이 아니라 현실임을 깨닫고는 소스라치게 놀라
자기도 모르게 뒤로 물러나 침대 머리맡 벽에 쿵! 부딪히는 강요한!

강요한   (공포에 질린 듯) 혀······ 형······!

강이삭의 손이 강요한의 얼굴 쪽으로 천천히 뻗어온다. 공포에 질리는
강요한.

김가온(E)   ···악몽이라도 꾼 겁니까?

정신을 차리고 다시 쳐다보니 김가온이다.

강요한   (아직도 혼란스럽고 이마에 땀이 흐른다)
김가온   몸이 안 좋은 것 같은데······ (침대에 손을 짚은 채 강요한에게 다가
           가서 이마를 짚어보려 손을 뻗는다)
강요한   (몸서리를 치며 얼른 손을 쳐낸다) 내 몸에 손대지 마!

김가온   (걱정스레) 왜 그러시죠?

강요한, 혼란한 표정으로 김가온을 쳐다본다.

엘리야(E) …니네 지금 뭐하는 거니?

강요한   (문 쪽을 보니, 어이없다는 표정의 엘리야가 둘을 관찰하고 있다) 넌 또
          왜……

엘리야   (피식 웃으며) 눈치 없게 방해했나?

강요한   (엘리야를 노려본 후 굳은 표정으로 김가온에게) 여기서 뭐하는 거
          지?

김가온   …할말이 있어서 왔는데, (강요한을 힐끗 보며) 좀 이따 하는 게 낫
          겠네요. 컨디션이 별로이신 것 같으니. (방을 나간다)

엘리야   (김가온이 나간 후) 아까 왜 그랬어?

강요한   뭘?

엘리야   잠 깨서 말야.

강요한   (흠칫한다)

엘리야   뭘 그렇게 놀랬어? 요한답지 않게.

강요한   ……

엘리야   완전 당황했던데.

강요한   …하고 싶은 말이 뭐지?

엘리야, 강요한의 속을 읽으려는 듯 빤히 쳐다본다. 무표정하게 마주보
는 강요한.

엘리야   꼭. (강요한을 노려본다)

강요한	(마주 응시한다)
엘리야	…자기가 죽인 사람 얼굴이라도 본 것같이.
강요한	(순간 표정이 무섭게 변한다)
엘리야	(지지 않고 강요한을 사납게 마주 쏘아본다)

맹수 두 마리가 서로 으르렁대는 듯 살벌한 분위기.

강요한	(천천히 입꼬리를 올리며 냉혹한 미소를 짓는다) 글쎄. 난 이미 죽인 놈 따위는 신경 안 쓰는데.
엘리야	(분노로 눈은 이글거리고 두 손은 휠체어를 꼭 움켜쥔다)
강요한	(싱긋 웃으며) 내가 죽였다면 말야.
엘리야	(강요한을 노려보다가 휠체어를 돌려 방을 나간다)

엘리야가 나가자 강요한, 고통스러운 표정으로 윗옷을 벗고는 조심스레 등의 십자가 흉터를 만진다. 흉터에서 불타는 듯한 고통이 느껴져 얼굴을 찡그리고 몸을 비트는 강요한.

| 강요한 | …또 시작이군. |

천장 높고 커다란 방을 천천히 둘러보는 강요한. 방이 커서 더 썰렁하다. 체념한 듯 한숨을 쉬더니 다시 자리에 눕는다.

S#4. 강요한의 저택, 서재 (낮)

> 서가 앞에 서서『동물행동학』을 넘겨보는 강요한. 서가에는 비슷한 책
> 이 가득 꽂혀 있다. 서재로 들어와서 강요한 앞에 서는 김가온.

김가온   (무거운 표정으로 고개를 숙이며) 죄송합니다. 재판부에서 쫓아내
          셔도 할말은 없습니다.

강요한   (천천히 책을 덮고 서가에 꽂으며) 쫓아낸다고? 왜지?

김가온   (차마 입을 떼지 못하고 망설인다)

강요한   (김가온을 빤히 쳐다보며 기다린다)

김가온   (괴로운 표정으로) 그런 고통을 겪은 분한테, (입술을 깨물며) 형
          을, 죽였다는 말을…… (고개를 푹 숙이며) 죄송합니다.

강요한   (굳은 표정으로 다가서서 김가온의 턱을 슬쩍 들어올리며) 그래. 이 얼
          굴로 듣고 싶은 말은 아니지.

김가온   (고개를 슬쩍 돌려 강요한의 손을 뿌리치며, 이해한다는 듯) 절 보는
          게 괴로우시죠. 재판부에서 나가겠습니다.

강요한   (피식 웃으며) 우연에 대해 사과할 필요는 없어. 닮은 얼굴 따위
          우연일 뿐이잖아.

김가온   그뿐만이 아닙니다.

강요한   그러면?

김가온   아시잖습니까. 제가 부장님을 의심하고 추적하는 거.

강요한   (피식 웃으며) 얼마나 알아냈는지 궁금한데.

김가온   오래 준비한 사냥이라는 거?

강요한   그래?

김가온   부장님 옛날 재판 기록을 다 찾아봤습니다. 전에는 전혀 튀지 않

고 관행대로만, 기계처럼 재판하셨던데요.

강요한   ……

김가온   사냥꾼은 철저히 자기 냄새를 숨기죠. 때가 무르익을 그날까지.

강요한   (무표정이다)

S#5. 강요한의 회상, 5년 전 법정 (낮)

강요한, 무표정하게 판사석에 혼자 앉아 메모를 하며 피고인의 이야기를 듣고 있다. 초라한 행색의 사십대 남성 피고인, 피고인석에서 흐느껴가며 열심히 이야기중이다.

피고인   으흐흑. 제가 그날 왜 그랬는지 저도 모르겠습니다. 판사님……
            늘그막에 낳은 그놈이 제 목숨줄같이 귀한 놈인데, 그놈의 술 때
            문에 저도 모르게 손이……

강요한   (무표정하게 손에 든 볼펜 윗부분을 딸깍거리고 있다)

검사   (벌떡 일어서며) 애를 반 죽도록 때려놓고 그걸 변명이라고 하는
            겁니까!

피고인   죽여주십쇼! 으흐흑, 직장에서 잘리고, 반지하방을 전전하고, 그
            놈의 돈 때문에 사는 게 사는 게 아니다보니 제가 제정신이 아니
            었나봅니다. 으흐흑……

강요한   (여전히 아무 표정 변화 없이 볼펜만 딸깍거린다)

피고인   (흐느끼다가 고개를 번쩍 들며 호소하듯) 판사님!

순간, 강요한, 순식간에 피고인 앞에 서서 손에 든 볼펜을 거침없이 피

고인의 눈에 푹 찔러 넣는다.

피고인   아아아악!

Cut to

피고인은 좀전과 마찬가지로 흐느끼고 있고 강요한, 기계적으로 판결
문을 낭독하고 있다.

강요한   피해자 가족들이 피고인의 선처를 탄원하고 있는 점, 피고인이
               범행 당시 술에 만취해 있었던 점을 참작하여, 피고인에 대한 위
               징역형의 집행을 유예한다.

검사   (벌떡 일어서며) 판사님!

강요한   (무표정하게 일어나 법정을 나간다)

법대 위를 보면 격렬하게 좌우로 그은 선들로 메모지가 찢겨 있고, 볼펜
도 부서져 나뒹굴고 있다.

S#6. 강요한의 저택, 서재 (낮)

강요한   (굳은 표정으로 과거의 기억을 떠올리고 있다)

김가온   딱 하나, 동기를 모르겠더라고요. 도저히 이해가 안 가서.

강요한   (피식 웃으며) 그렇겠지.

김가온   (강요한을 쳐다보다가) 그런데, 분노.

강요한	(순간 눈빛이 날카로워진다)
김가온	그건 이해합니다.
강요한	⋯이해한다고?
김가온	(눈빛이 담담하지만 깊어진다) 이 세상 아무도 이해 못해도, 전, 이해합니다. 그 감정만큼은.
강요한	(태연한 척하지만 순간 눈빛이 흔들린다)
김가온	⋯그래도 아닌 건 아닌 겁니다. 재판을 도구로 이용하는 건, (강요한을 응시하며) 범죄예요.
강요한	(김가온의 얼굴을 물끄러미 바라본다. V.O.) 닮았네. 고지식한 것까지. (괴로운 표정으로 바뀐다)
김가온	⋯⋯?
강요한	(차가운 표정으로 돌아오며) 웃기는군. 난 이해해달라고 부탁한 기억이 없는데?
김가온	⋯⋯!
강요한	이해 따윈 필요 없고, (김가온을 노려보며) 선택하지? 내 앞을 막아설지. 내 곁에 설지.
김가온	(표정이 굳는다)
강요한	참고로 난 내 앞을 막는 것들을 치우는 데 아무 망설임이 없어.
김가온	잘 알고 있습니다.
강요한	(의자에 앉으며) 그럼 나가봐.
김가온	(목례하고 나가려 한다)
강요한	(책장을 넘기며) 쫓아내진 않을 거야. 재판부에 복귀해.
김가온	(돌아보며 의아해한다)
강요한	(김가온을 쳐다보며) 재밌거든. 너랑 있는 거. (싱긋 웃는다)
김가온	(얼굴 찡그리면서 한마디 쏘아붙이려다가 참고 나간다)

강요한, 김가온이 나간 자리를 물끄러미 본다. 미소가 천천히 사라진다.

강요한(N)   …인간이란, 자기가 겪은 고통에 대해 공감 능력이 높아진다.

플래시백 > 1부 12신, 강요한 부장판사실.

강요한, 책상 아래쪽 서랍을 열더니 파일을 하나 꺼내 펼친다. 한쪽에는 김가온의 사진이 붙은 인사기록 카드가 있고, 다른 쪽에는 낡은 신문 기사가 있다.

'서민 위한 사회적기업 내세운 다단계 사기범에 속아 전 재산 날린 식당 주인 자살. 충격으로 병석에 누운 부인도 16세 아들을 남긴 채……'

강요한   (생각에 잠겨 책상을 톡톡 건드리며) 예측한 대로긴 한데.
K(E)   그런데 왜 그러고 계십니까.
강요한   (돌아본다. 어느새 조용히 옆에 와 선 K를 보고는 어깨를 으쓱하며) 글쎄. 너무 격렬하게 공감받으니까 좀 당혹스럽다고 해야 되나.
K   ……
강요한   (쓸쓸한 표정으로) 그래 본 경험이 별로 없어서 말야.
K   …판사님.
강요한   (의자를 K 쪽으로 돌리며) 그보다, 차경희 쪽 움직임은?

S#7. 구치소 안 (밤)

작은 창에 쇠창살이 있는 독방 앞, 교도관이 의자를 놓고 앉아 잡지를 넘기고 있다. 스카프를 머리에 쓰고 마스크를 한 수수한 차림의 차경희, 긴 구치소 복도를 뚜벅뚜벅 걸어온다. 하품을 하다가 차경희를 힐끗 보는 교도관.

교도관   (의아한 표정으로 일어서며) 이봐요, 아줌마!

교도관 앞에 딱 멈추는 차경희.

교도관   (짜증내며) 여기 아무나 왔다갔다하는 데 아니에요. 누가 들여보낸 거야?

차경희   (천천히 마스크를 벗는다)

교도관   빨리 안 나가고 뭐하는…… (순간 차경희를 알아보고 당황해서 얼른 경례한다) 어? 자, 장관님!

차경희   (차가운 눈초리로 독방 문을 향해 눈짓한다)

교도관   (곤란한 표정으로) 저, 아직 태형 집행이 다 끝나지 않아서 가족 면회가 안 됩니다만……

차경희, 매서운 눈초리로 노려본다. 움찔하는 교도관.

차경희   (교도관 제복 가슴팍의 명찰을 검지로 천천히 좌에서 우로 훑으며) 9급 김용민 교도관?

교도관   네!

차경희   교정본부 조직도를 본 적 있나?

교도관   (어리둥절해서) 네?

차경희   (천천히) 여기 책임자가 구치소장이지? 그 위에 구치소 교도소를

총괄하는 지방교정청장이 있어. 다시 그 위에 전국 지방교정청장
들을 총괄하는 교정본부장이 있는 거고.

교도관   (긴장하며) 네, 알고 있습니다!

차경희   (점점 눈빛이 불을 뿜는다) 그 교정본부장을 지휘하는 게 나야. 난
수용자 가족이 아니라 대한민국 교정행정 총책임자로서 여기 왔
다. 썩 비켜!

교도관   네!

교도관, 겁에 질려 얼른 비키더니 주섬주섬 열쇠를 꺼내 독방 문을 열려
하는데, 차경희가 손을 붙잡는다. 고개를 흔드는 차경희. 교도관, 문은
놔둔 채 뒤로 물러선다. 차경희, 독방 앞으로 다가가서는 쇠창살이 있
는 작은 창문으로 안을 본다. 독방 안에는 환자복 차림의 이영민이 침대
위에 엎드려 있다. 태형 집행한 부위가 붕대와 거즈로 감겨 있다. 창 안
을 들여다보는 차경희의 엄격한 표정, 서서히 무너진다. 입술이 바르르
떨리고 눈에는 눈물이 고인다.

이영민   <u>으으으</u>…… (제정신이 아닌 듯 신음 소리를 내며 고통스러워한다)

눈물이 떨어지려는 순간 고개를 들고는 눈을 깜박이는 차경희. 뒤돌아
서는데, 어느새 무표정한 얼굴로 돌아와 있다.

차경희   형 집행 끝날 때까지 잘 관리해.

교도관   (경례하며) 알겠습니다!

다시 복도를 뚜벅뚜벅 걸어가는 차경희.

S#8. 강요한의 저택, 주방 (밤)

저녁식사 재료를 준비하고 있는 지영옥. 호박을 동동동 썰고 달걀물을 휘젓는다.

김가온   오늘은 웬일로 요리를 다 하시네요?

지영옥   (무뚝뚝하게) 일단은, 손님이 있으니까요.

김가온   네? (갸우뚱하다가 자기 얘기인 걸 알고 고마워서) 아······ 에이, 저야 뭐.

지영옥   (딱 자르듯) 물론 불청객이지만.

김가온   (그럼 그렇지 하는 말투로) 아, 예에.

지영옥   근데 한식 좋아하십니까? 제가 한식밖에 할 줄 몰라서.

강요한(E) (O.L. 차가운 목소리) 지금 뭐하는 거지?

지영옥   (강요한을 보고 얼굴이 굳으며) 죄송합니다. 도련님. 그래도 손님이 오셨으니 한 번은.

강요한   해 진 후에는 이 집에 남아 있지 말라고 했지.

지영옥   (강요한을 응시하다가) 죄송합니다. (도마 위에 칼을 내려놓은 뒤 앞치마를 벗어놓고는 주방을 나간다)

김가온   (놀라서 강요한을 힐끗 보고는 지영옥을 따라 나간다) 아주머니.

S#8-1. 강요한의 저택, 현관 앞 (밤)

김가온   (괜시리 미안해서) 일부러 마음 써주셨는데 도대체 왜 저러는 건가요?

지영옥	(마음 상한 표정으로) 독이라도 탈까 의심하나보죠. 저지른 짓이 있으니 무서운 게지.
김가온	(물끄러미 지영옥을 보다가) 진짜 부장님이 그랬다고 생각하세요? 아주머니가 젖 먹여 키웠던 아이가?
지영옥	(눈빛이 흔들린다)
김가온	(그런 지영옥을 가만히 보다가 나지막이) 사실은 아주머니도 믿고 싶지 않은 거죠?
지영옥	(흠칫했다가 평소의 무표정으로 돌아오며) 죄송하지만 음식하던 건 버려주십쇼. 벌레가 꼬여서. (목례하고 나간다)
김가온	(가만히 지영옥의 뒷모습을 본다)

S#9. 청와대 관저 내실 (낮)

소파와 흔들의자, TV 등이 있는 고급한 관저 내실. 개인방송용 카메라를 들고 이리저리 만지고 있는 허중세. 도연정, 짜증스러운 표정으로 팔짱을 끼고 서 있다.

도연정	아, 진짜! 청와대에서 꼭 이런 거까지 해야겠어?
허중세	허니, 우리 위기야. 강요한 그 새끼 땜에 존재감이 제로라구. 뭐라도 해야지. (카메라가 작동하자 얼굴 환해지며) 어! 됐다. 처박아 놨더니 고장난 줄 알았네.

허중세, 카메라를 셀카 찍듯 들어 자신의 얼굴을 향하게 한다.

허중세 〈허중세의 개사이다〉 구독자 여러분, 오랜만에 인사드립니다! 여기가 어딘지 아시겠어요? 놀라지 마십쇼! 대한민국 최초 독점 공개! 청와대 대통령 관저입니다!

유튜브 화면의 댓글이 빠르게 올라간다.
– 대박! – 청와대다! – 대통령 브이로그 생중계 실화가요? – 역시 우리 각하!

허중세 (의기양양하게) 초심을 잃지 않겠다고 약속드렸었죠? 썩어빠진 대한민국을 근본부터 바꿔놓겠다는 저의 약속! 저는 잊지 않고 있습니다. 대통령이 별거고, 청와대가 별겁니까? 저는 국민 여러분의 종에 불과합니다. 제가 원래 머슴 체질 아닙니까? (씩 웃으며 카메라를 도연정 쪽으로 향하며) 허니?

도연정 (카메라가 다가오자 화사한 미소를 띠며) 오랜만이에요 여러분~ 안녕들 하시죠? (핸드폰을 쥐고 영상을 보며 손을 흔든다) 어머, 고맙습니다. (댓글을 읽는다) 미모 실화냐, 클래스는 영원하다…… 다 여러분의 사랑 덕분이죠.

허중세 (카메라로 내실 이곳저곳을 비추며) 어떠십니까, 청와대라고 별거 없죠? 당연합니다. (낡고 해져서 때운 자국이 있는 소파를 클로즈업해서 보여주며) 관저 리모델링 한다길래 제가 비서관을 아주 혼쭐을 냈습니다! 나라가 어려운데 종이 사치해서야 되겠습니까? 국민의 혈세로? 전임자들은 어쨌는지 몰라도, 저 허중세는 다릅니다! 아예 그냥 관저도 작은 데로 옮기고 여기 복지시설을 지을까 생각중…… (갑자기 흡, 숨을 들이마신다)

도연정 (화사하게 웃으며) 어머, 언제 그렇게 훌륭하신 생각을…… (밑으

로는 허중세의 옆구리를 매섭게 꼬집고 있다)

허중세   (애써 웃으며) 하하핫! 신중하게 검토중입니다.

도연정   (카메라를 붙잡아 방 안쪽으로 끌고 가며) 자자, 청와대 살림살이 궁
         금하시죠? 이쪽은 제가 쓰는 공간이고요. (슬쩍 화장대 위를 훑어
         보여주는데, 국산 화장품들이다. 댓글을 보며) 네? 눈도 밝으셔라.
         저야 당연히 우리나라 제품만 쓰죠. (보란듯이 로션을 얼굴에 바르
         며) 세계 최고잖아요. K-뷰티.

허중세   (어이없다는 듯 도연정을 보다가 카메라를 다시 자기 얼굴로 돌리며)
         자, 국무회의가 있어서 아쉽지만 오늘은 여기까집니다. 오랜만
         에 한번 외쳐볼까요? 대한민국을 바꾼다, 허중세의 개사이다! 애
         국자들 다 같이 구독, 댓글, 좋아요! (카메라를 끄고 도연정을 보며)
         허니야, 협찬을 그렇게 대놓고 하면 어떡하니?

도연정   (로션 바른 뺨을 문지르며 무표정하게) 나 이 나라 국모야. 내 나라
         제품 쓴다는데 문제 있어?

허중세   (한숨 쉬더니 신경질적으로 비서관에게) 뭐해! 얼른 치우지 않구!

비서관   네! 대통령님!

얼른 두 명의 비서관이 들어와 낡은 소파를 치우고 고급 가죽 소파를 놓는
다. 소파에 앉아 TV를 켜는 허중세. 화면을 보더니 눈이 휘둥그레진다.

허중세   어?

화면에는 주부 대상 아침 토크쇼에 출연한 차경희가 나온다!

S#10. 토크쇼 스튜디오 (낮)

MC   (동정심 가득한 표정으로) 아무리 그래도 엄마 마음이 어떠시겠어요……

차경희   (슬픔이 가득한 표정이지만 단호하게) 아닙니다. 저는 엄마이기 이전에 정의를 바로 세울 책임이 있는 사람입니다. 저는 어떤 예외도 없이, 제 책임을 다할 뿐입니다.

MC   (감동한 목소리로) 어쩜, 이런 공직자가 또 계실까요? 여러분, 우리 차경희 장관님께 뜨거운 박수 부탁드립니다!

주부 방청객들, 열광적으로 박수를 보낸다.

MC   자, 잠시 전하는 말씀 듣고 갈까요.

S#11. 스튜디오 뒤편 (낮)

무표정한 얼굴로 스튜디오에서 내려오는 차경희.

정선아(E)   역시 대단하세요. 위기를 기회로?

차경희   (휙 돌아 화사한 미소를 짓고 있는 정선아를 보며) 내 방식대로 살아남아야지. 재단에선 구경이나 할 모양이던데.

정선아   제가 아는 장관님 방식은 수비보단 공격인 것 같은데요.

차경희   (정선아를 묵묵히 보다가 툭 던지듯) 준비해놓은 거라도 있다는 얼굴이네.

정선아	(미소 지으며) 역시. (시계를 보더니) 다시 올라가보셔야죠. 쇼 아직 안 끝났는데. (재밌어 죽겠다는 듯 천진난만한 표정으로 두 주먹을 불끈 쥐며 파이팅 포즈를 취한다)
차경희	(무표정하게 정선아를 보다가 아무것도 묻지 않고 스튜디오로 올라간다)

S#12. 토크쇼 스튜디오 (낮)

MC	말씀드리기 조심스럽습니다만, 이번 태형 건에 대해서는 우려하는 여론도 있더라고요. 저희가 입수한 사진이 하나 있는데요.

화면에 등장하는 사진은 독방 침대에 엎드린 이영민. 그런데 차경희가 아까 본 깔끔하게 잘 치료되고 있는 모습과 달리 등 전체에 굵고 끔찍한 상처와 핏자국이 선명하다(정선아가 조작한 사진이다). 차경희, 순간 놀라지만 내색하지 않는다. 방청객들, 질색하며 얼굴을 찌푸린다. ―어우. ―끔찍해.

MC	너무 심한 것 아닌가, 21세기에 이건 너무 야만적인 것 아닌가, 이런 반응도 나오고 있습니다.
차경희	(스튜디오 구석에 기대서서 싱글거리는 정선아를 보더니 침통한 표정을 지으며) 아닙니다. 마땅히 받아야 될 벌이죠. (입을 꾹 다물며 눈을 질끈 감는데 눈가에 슬쩍 눈물이 맺힌다. 기다렸다는 듯 카메라가 차경희를 클로즈업한다)

방청객들, 한숨 쉬며 눈물을 글썽인다.

MC   반면, 아무리 재판이지만 좀 비인간적인 건 아닌가 싶은 장면도 있더라고요.

화면에 비치는 태형 재판 당시의 상황.

Cut to

강요한   바로 여기 피고인의 모친이신 법무부장관께서 추진한 법질서 강화 특별법에 근거도 있고 말이죠. (카메라를 쳐다보며 싱긋 웃는다) 안 그렇습니까?

싱긋 웃는 강요한의 표정에서 멈추는 화면. 고통스러운 표정의 차경희와 대조된다. 차경희에게 윙크하며 씩 웃는 정선아.

S#13. 강요한의 저택, 서재 (낮)

TV로 자신과 차경희의 대조적인 모습을 지켜보고 있는 강요한.

강요한   (굳은 표정으로) 대중은 변덕스럽다. 제법이네. (핸드폰을 들어 K에게 전화한다) 차경희 뒤에 누가 있는지 알아봐야겠어.

S#14. 배석판사실 (낮)

안경을 쓴 채 열심히 기록을 넘기며 일하던 오진주, 문이 열리는 소리에
고개를 들더니 금세 얼굴이 환해지며 벌떡 일어나 문 앞으로 달려간다.

오진주   김가온! (웃으며 인사하려는 김가온을 다짜고짜 덥석 끌어안는다)
김가온   아, 아직 아픈데요, 저.
오진주   (눈물까지 글썽이며) 어머 그래? 미안. 내가 얼마나 걱정했는데!
김가온   고맙습니다.
오진주   (고개를 저으며) 나도 나지만. (김가온의 책상 쪽을 가리킨다)

김가온, 자기 책상을 보고 놀란다. 한가득한 손 편지에 온갖 선물 꾸러
미, 법정 들어서는 김가온 사진으로 만든 '우윳빛깔 김가온' 대형 브로
마이드, 법정에서 주일도 변호인을 강하게 노려보는 김가온 얼굴 액자
('나는 반대한다온!'이라는 글씨가 쓰여 있다) 등이 놓여 있다.

오진주   (얼떨떨한 김가온을 향해 윙크하며) 받아들여. 자기 이제 아이돌이
          야.
김가온   아니 근데 도대체 왜?
오진주   (정색하며) 지나친 겸손도 오만이야. 알아?
김가온   (황당하다) 네?
오진주   (진지하게) 우리같이 남의 시선을 끌게 태어난 사람들은 항상 책
          임감을 가져야 돼.
PD(E)   바로 그겁니다! 스타의 책임감!
김가온   (돌아보니 PD가 큼지막한 꽃다발을 들고 감동한 표정으로 서 있다) 아,

　　　　　감독님. 안녕하세요.

PD　　　(감격한 목소리로) 그러잖아도 이렇게 눈에 띄는 분이! 충격적인 폭발물 테러에서 몸을 던져 동료를 구하고! 사경을 헤매다 기적적으로 법정에 복귀!

오진주　　감독님, 김판사 생환 기원 특집방송, 완전 감동이었어요.

김가온　　(황당하다) 아니 생환은 무슨, 저 죽을 정도는 아니었……

오진주　　(O.L.) 작은 디테일에 집착하지 마. 영웅의 위기는 심각할수록 좋은 거야.

PD　　　(감탄하며) 역시 우리 오판사님은 스토리텔링을 아셔! 타고나셨다니까!

오진주　　(무릎을 살짝 숙이며 우아하게 답례 인사를 한다) 마에스트로.

PD　　　(허리를 굽히며 우아하게 귀족같이 답례하며) 디바.

김가온　　(황당해하며 두 사람을 번갈아 본다)

PD　　　(저 혼자 벅차올라) 제 인생에 이런 작품을 연출할 기회가 또 있을까요? 저 정말 목숨걸고 찍어볼랍니다. (두 판사를 보며 주먹을 불끈 쥔다) 파이팅!

오진주　　(활짝 웃으며) 파이팅! (웃음기가 가시면서) 저, 근데 감독님? 그거 괜찮을까요?

PD　　　네? 아, 그 아침 토크쇼. 너무 걱정 마십쇼. 원래 프로그램이 잘되려면 초기에 논란도 좀 있고 그래야죠. 노이즈 마케팅.

김가온　　(갸우뚱하며) 무슨 말씀이죠?

오진주　　어, 별거 아냐. 신경쓰지 마. 아직 몸도 아프잖아.

김가온　　……?

PD　　　(오진주에게 소곤거린다) 근데 그렇게 상처가 심할까요?

오진주　　(속삭이며) 알 수가 있나요. 수형자 관리는 법무부 소관이니. (근

심 가득한 표정이다)

S#15. 대법원장실 (낮)

강요한   (서류 파일을 열며) 이번 시범재판은 이 사건으로……

지윤식   (고개를 저으며) 이번엔 다른 사건을 합시다.

강요한   (의외라는 듯) 다른 사건이라시면……

지윤식   꼭 하고픈 사건이 있답디다. 검찰 쪽에서.

강요한   …그렇습니까.

지윤식   한 기관만 스포트라이트를 받는 거, 좋은 일만은 아니에요. 그쪽
         에도 기회를 줍시다. 앞으로 시범재판 회부 사건은 사전 조율을
         거치기로 했으니 그리 아세요.

강요한   이제 겨우 시작인데, 우선 흥행이 잘되는 게 낫지 않겠습니까.

지윤식   사회 안정이 우선입니다. 정 동의하기 어렵다면, (탁자를 톡톡 치
         며) 강부장만큼은 아니더라도, 우수한 재판장은 많이 있지요. 이
         나라 사법부에.

강요한   그렇습니까?

지윤식   (차를 마시며) 인사권자가 누군지 잊지 마세요. 강부장.

강요한   명심하겠습니다. (미소 지으며) 역시 대법원장님께서는 잊지 않으
         시네요. 본인 인사권자가 누군지.

지윤식   (찻잔을 딱 내려놓으며 불쾌한 표정으로) 강부장!

S#16. 법원 옥상 (낮)

먼 곳을 바라보던 김가온, 핸드폰을 꺼내 버튼을 누른다.

김가온   수현아.

S#17. 낡은 건물 바깥 (낮)

전화 받는 윤수현 얼굴 클로즈업된다. 헬멧을 쓰고 있어 스피커폰 모드다.

윤수현   어, 가온아.

S#18. 법원 옥상 (낮)

김가온   이따 저녁 괜찮아?

S#19. 낡은 건물 바깥 (낮)

윤수현   어, 그럴까? 오늘 모처럼 한가해.

화면 거꾸로 뒤집히면서 줌아웃하면, 윤수현, 로프에 연결된 채 건물

외벽에 거꾸로 매달려 있다. 특수제복 차림이다.

윤수현   (씩 웃으며) 메뉴는 내가 정할게. 그럼. (숨을 크게 들이쉬더니 발로 벽을 밀어내며 반동을 얻어서는 그대로 건물 창문을 부수며 안으로 뛰어든다. 옆에서도 다른 대원들이 뛰어들고 있다)

S#20. 대법원 주차장 (저녁)

굳은 표정으로 주차장으로 들어오는 강요한. 순박한 인상에 나이 많은 법원 운전원이 땀을 흘리며 강요한의 차 유리창을 열심히 닦고 있다가 강요한을 보더니 인사한다.

운전원   퇴근하십니까, 판사님.

강요한   (미소 지으며) 수고 많으십니다. (운전원이 얼른 운전석으로 가려 하자 손을 들어 제지하며) 괜찮습니다. 퇴근하시죠.

운전원   (꾸벅 인사하며) 고맙습니다.

강요한, 운전석에 올라 차를 몰고 나간다. 그런데, 운전원의 표정이 묘하게 변하더니 품에서 핸드폰을 꺼내 어딘가로 전화를 건다.

S#21. 한적한 도로(소월길) (밤)

서울의 불빛이 내려다보이는 남산 소월길. 차를 세워놓은 채 이야기중인 강요한과 K.

K	검찰 내부에 있는 조력자들을 동원해봤는데, 차경희 배후 인물을 알아내는 데는 실패했습니다.
강요한	그래?
K	차경희 단독 행동 아닐까요?
강요한	(고개를 저으며) 태형 상처 사진을 조작해서 직접 방송에 뿌린다. 차경희는 그렇게 요란한 스타일이 아냐. 증거 남길 일을 할 리 없어.
K	더 알아보겠습니다.
강요한	(생각하다가) 몸통부터 치자. 재단 꿈터전 사업, 선 닿는 실무자는 찾아봤지?
K	네. 한 명 확보했습니다.
강요한	토요일 4시, 지난번 거기서.
K	네.

누군가 두 사람을 관찰하고 있다!

S#22. 강요한의 저택, 주방 (밤)

퇴근한 강요한, 지친 표정이다. 코트 차림으로 주방에 들러 찬장에서 컵라면을 꺼내려다가 문득 보니 식탁 위에 음식이 차려 있고 덮개로 씌워놓았다. 덮개를 열어보니 밥과 된장찌개, 달걀말이 등 간단한 반찬이 있다.

냉장고   가온 주인님이 남긴 메시지가 있습니다.

강요한   메시지?

냉장고 인공지능 스크린에 김가온 얼굴이 뜬다.

김가온   밥하고 찌개만 데워서 드시면 됩니다. 남기지 말고 다 드세요.
          (잠깐 망설이다가) 그래야 잠도 깊게 잘 수 있을 겁니다. (화면 사라
          진다)

강요한, 꺼진 화면을 물끄러미 보다가 천천히 식탁에 앉는다. 밥그릇
뚜껑을 열다가, 크기만 하고 텅 빈 식탁을 슥 둘러보고는, 다시 덮고 일
어선다.

냉장고   가온 주인님이 남긴 메시지가 있습니다.

다시 스크린에 뜨는 김가온 얼굴.

김가온   (안 먹을 것을 예상한 듯한 심술궂은 표정으로) 식사 자꾸 거르면 주
          름살 늘어납니다. 나이를 생각하세요.

강요한   (순간 발끈한다) 내가 주름살이 어디……

냉장고   주. 름. 살. 피부 노화에 의해서 피부 탄력이 떨어져 피부가 접히
          는 현상.

강요한   (냉장고를 노려보며) 집사?

냉장고   네, 주인님.

강요한   가온 주인님? 언제부터 너한테 주인이 또 있었지?

냉장고	(반응이 없다)
강요한	(냉장고를 향해 뚜벅뚜벅 걸어가며) 니 멋대로 주인을 정하는 건가? 매뉴얼엔 그런 기능 없던데.
냉장고	(갑자기 치익치익 노이즈와 함께 화면이 일그러지고 말소리가 기계음처럼 이상하게 변한다) 주, 인, 님…… 주, 인, 님…… 주…… (그러다가 강요한이 냉장고 앞에 딱 서니 갑자기 화면이 블루스크린으로 바뀌며 오류 코드가 뜬다)
강요한	(냉장고를 퍽 치며) 또 고장난 척할래!
냉장고	(뽀로롱 소리 나며 화면 꺼지고 먹통이 된다)

강요한, 쓴웃음을 짓더니 돌아본다. 김가온이 차려놓은 밥상을 가만히 보다가 식탁으로 걸어가 앉는다. 데우지도 않은 채 묵묵히 식사를 시작한다.

Cut to

어느새 김가온이 준비한 음식을 깨끗이 비운 강요한. 머그컵에 커피를 타서 한 모금 마시며 밥상을 물끄러미 본다.

강요한	…맛있네. (입꼬리에 미소가 머문다)

S#23. 박중선의 치킨집 (밤)

땀흘리며 기름통 앞에서 치킨을 튀기는 박중선. 문을 열고 들어오는 김가온과 윤수현을 보며 표정이 굳는다.

윤수현　박형사님, 우리 할 얘기가 남았잖아요? 그 후한 퇴직금의 출처가 어딘지.

박중선　(험상궂게) 꺼져. 난 할말 없어.

윤수현　할말 없긴. 내가 다 확인해봤어. 당신 도박 빚에 이 가게 개업 자금까지 합치면 십억이 넘던데, 언제부터 경찰 퇴직금이 그렇게 후했지?

박중선　(무시하며 계속 치킨을 튀긴다. 밑간한 치킨을 펄펄 끓는 기름에 던져넣자 무시무시하게 울리는 치이익~ 소리)

윤수현　내가 맞혀봐? 사건 은폐 대가로 강요한이.

김가온　(손을 들어 제지하며 O.L.) 내가 맞혀볼게.

윤수현　……?

김가온　얼마나 받은 겁니까. (박중선을 천천히 응시하며) 재단에서.

박중선　(순간 얼굴이 흙빛으로 변하며 몸이 굳는다)

윤수현　(놀라며) 재단이었어? (박중선 쪽으로 한 걸음 내딛는다)

순간, 박중선, 프라이팬을 집어 펄펄 끓는 기름을 윤수현 쪽으로 퍼붓는다!

김가온　수현아!

박중선을 주시하던 김가온, 온몸으로 윤수현을 덮치며 바닥으로 같이 쓰러진다.

윤수현	가온아!
김가온	(얼굴을 찡그리며) 괜찮아. 빨리!

윤수현, 얼른 일어서서 밖으로 도망가는 박중선을 쫓는다.

S#24. 인근 동네 일각 (밤)

용산역 뒷동네. 미래도시 고층 빌딩들의 야경을 원경으로 하는 재개발 구역, 허름한 동네의 기찻길 건널목.

윤수현	거기 서!

윤수현, 필사적으로 박중선을 쫓다가 거리가 좁혀지자 온몸을 던져 태클한다. 쓰러지는 박중선. 두 사람, 바닥을 뒹굴며 몸싸움을 하는데 박중선이 매섭게 팔꿈치로 윤수현의 배를 때려 가까스로 빠져나온다.

김가온	(뒤따라 뛰어오면서) 수현아!

윤수현, 고통에 찡그리지만 오뚝이처럼 일어나 다시 박중선을 쫓는다. 그런데, 도망가는 박중선 앞 기찻길 건널목 차단기가 내려오고 경보음이 울려댄다. 박중선, 당황하며 건널목 앞에 멈춰 뒤를 돌아본다.

윤수현	(주먹을 불끈 쥐며) 그렇지!

그런데 박중선, 차단기를 뛰어넘어 기찻길로 뛰어든다! 경악하는 윤수현과 김가온. 아슬아슬하게 열차에 부딪히지 않고 앞으로 굴러 빠져나가는 박중선. 긴 열차가 건널목을 지나는 동안 더이상 쫓지 못하는 윤수현과 김가온. 박중선은 흔적도 없이 사라졌다.

윤수현   도대체, 왜 저렇게까지……
김가온   (멍한 상태다)
윤수현   김가온, 너 대체 뭘 알아낸 거야!
김가온   ……

S#25. 용산역 앞 잔디밭 (밤)

고층 빌딩으로 에워싸인 용산역 앞 잔디밭을 터덜터덜 걸어가던 윤수현, 잔디밭에 털썩 주저앉는다. 김가온도 따라 앉는다.

윤수현   (충격받은 표정으로) 지독한 얘기네.
김가온   (끄덕인다)
윤수현   …근데 그걸 어떻게 믿지? 강요한의 일방적 진술일 뿐인데.
김가온   맞아. 그래서 확인하러 온 거고.
윤수현   (생각에 잠겨) 사실 나도 마음에 걸리는 건 있었어.
김가온   뭔데?
윤수현   그 화재 사건 참석자고 뭐고 싹 다 은폐된 거. 그건 십 년 전 강요한 위치에서 할 수 있는 일은 아니거든. 경찰도 언론도 싹 막아야 되니까.

김가온	그렇지.
윤수현	(여전히 강요한에 대한 의심을 거둘 수 없다) 그렇긴 해도 기부 약정 취소시킨 건? 형 재산을 노린 거 아냐?
김가온	…그럴 수도 있지. 근데 강요한이 말한 게 사실이라면, 나라도 당장 취소시킬 거야. 그런 쓰레기들한테 기부한 거.
윤수현	(강요한에 공감하는 김가온에 놀라 걱정스레) 뭐가 어찌 됐든, 확실한 건 강요한 그 인간, 지금 위험한 짓을 벌이고 있다는 거야. 이 일은 내가 맡을 테니 넌 그 인간이랑 거리 둬.
김가온	(걱정이 가득한 윤수현의 표정을 보며 미소 짓는다) 예전 그대로구나.
윤수현	응?

S#26. 김가온의 회상, 고등학생 시절 학교 벤치 (낮)

단정한 교복 차림의 윤수현, 걱정이 가득한 표정으로 김가온의 얼굴 상처에 약을 발라주고 있다. 흐트러진 교복 차림의 김가온, 몸싸움한 흔적이 역력하고, 지금과는 완전히 다른 거친 눈빛이다.

윤수현	(등짝을 찰싹 치며) 내가 뭐랬어! 걔네들, 위험한 애들이라니까!
김가온	(상처가 쓰린 듯) 아야.
윤수현	싸움도 못하면서 싸움질도 그만 좀 하고! 너 그러다 진짜 큰일난다! 하늘에 계신 아주머니, 아저씨 생각 좀 해! (눈물을 훔친다)
김가온	수현아. (우는 윤수현의 등에 손을 올리려다가, 살짝 한숨을 쉬며 도로 내린다)

S#27. 용산역 앞 잔디밭 (밤)

김가온   (미소 지으며) 너무 걱정 마. 조심할게.

윤수현   (김가온을 바라보다가) 그리고 너 착각하면 안 돼.

김가온   착각?

윤수현   강요한한테 무슨 사정이 있다 해도 달라지는 건 없어.

김가온   ……

윤수현   사정 없는 사람이 어딨어. 그렇다고 누구나 다 법을 어기는 건 아니잖아.

김가온   (착잡한 표정으로) 그렇긴 하지. (씁쓸한 미소를 지으며) 역시 훌륭한 경찰이다 넌.

윤수현   (시선을 피하며) 훌륭하긴 개뿔.

S#28. 윤수현의 회상, 고등학생 시절 교무실 (낮)

담임교사   (환한 표정으로) 성적이 또 올랐네. 수현아, 너 정말 대단하다. 진짜 경찰대 갈 수 있겠다, 너.

윤수현   정말요, 쌤?!

담임교사   그럼! 근데, 수현아, 꼭 경찰대 가야 되겠니? 이 정도면 어디든 해볼 만한 거 같은데.

윤수현   쌤, 저, 꼭 거기 가야 돼요.

담임교사   왜?

윤수현   거기 가서 열심히 일해서 출세한 다음에.

담임교사   경찰청장 되려고?

윤수현   (쑥스러운 미소를 띠고 고개를 저으며) 아뇨.

담임교사   그럼?

윤수현   (고개를 숙이며) 누구 하나, 꼭 빼주고 싶은 사람이 있어서요.

담임   (어리둥절해서) 빼준다고?

윤수현   계속 사고 치는 인간이 하나 있는데, 걔 하나만은 제가 어떻게
           든…… (간절한 표정이다)

S#29. 용산역 앞 잔디밭 (밤)

윤수현   (한숨을 쉬며) 나, 사실 그렇게 좋은 경찰 아냐.

김가온   (피식 웃으며) 정 그러시면 후진 경찰인 걸로.

윤수현   (째려보며) 뭐야?

김가온   (진지하게) 윤수현, 이번엔 진짜 후진 경찰 돼주라.

윤수현   ……?

김가온   일이 너무 커져버렸어. 언론사주, 법무부장관에 대통령까지. 방
           금 그 형사 봤지? 난 무섭다. 너한테 무슨 일 생길까봐.

윤수현   쫄긴.

김가온   우리 그냥, 후지고 비겁해지면 안 될까?

윤수현   (결심한 듯 단단한 의지가 엿보이는 말투로) 그러기엔, 늦은 거 같은데.

잔디밭에 주저앉은 작은 두 사람을 죽 둘러싸고 위압적으로 내려다보
는 거인들 같은 고층 빌딩 숲.

S#30. 대법정 (낮)

아나운서   시청자 여러분! 드디어 고대하시던 시범재판이 곧 시작됩니다. 오늘은, 죽음을 이겨내고 우리 곁으로 돌아오신 김가온 판사님도 함께하십니다!

PD, 방청석을 향해 미친듯 팔을 돌리면 방청객들 환호한다. 강요한, 오진주, 김가온에게 조명이 집중되면 셋은 무대 위로 올라온다. 김가온, 환호에 놀라 방청석을 쳐다본다.

S#31. 번화가 길거리 (낮)

빌딩 대형 전광판에 김가온 얼굴 클로즈업되자 귀청이 떨어질 듯한 외침과 환호가 터진다. 김가온 팬클럽이 거리 응원에 나섰다. '나는 반대한다온!' 브로마이드도 눈에 띈다. 풍선을 흔드는 여성 팬들.

S#32. 대법정 (낮)

세 판사가 자리에 앉는다.

아나운서   오늘 재판의 피고인은, 놀라지 마십시오! 톱스타! 국민배우! 남석훈입니다!

조명이 한쪽을 비추자 당당한 체구, 남성적인 외모의 사십대 미남 배우가 고급 양복 차림으로 피고인석에 와 선다. 옆에는 변호인이 있다. 방청객들, 놀라 웅성댄다. 시범재판부 전담 공판검사 이도진, 의기양양하게 일어선다.

이도진   영화계, 방송계에 만연한 성폭력, 저희 검찰이 뿌리 뽑겠습니다! 국민의 이름으로, 고통받아온 모든 여성들의 이름으로, 피고인 남석훈을 상습적인 성폭력 범죄자로 기소합니다!

강요한   (의기양양한 이도진을 힐끗 보더니 입가에 차가운 미소가 어린다. V.O.) 권력자 대신 연예인인가.

S#33. 대법정 (낮)

강요한   (공소장을 넘겨보며) 단역 배우, 스타일리스트, 보조 출연자······ 세 건의 성폭행과 두 건의 강제추행이군요. 피고인, 공소사실을 인정합니까?

남석훈   (고개를 푹 숙이며) 인정합니다.

방청석이 다시 웅성거린다. 이도진은 자백을 받아내 뿌듯한 듯 씩 웃는다.

S#34. 과거 회상, 검사실 (낮)

남석훈   인정 못합니다! 제가 술김에 한두 번 실수는 했습니다만 성폭행
               이라뇨!

이도진   (묘하게 웃으며) 실수라……

S#35. 과거 회상, 호텔방 (밤)

가운 차림의 남석훈, 함께 촬영하는 단역 배우와 통화중이다.

남석훈   선배가 오라면 오는 거야! 연기 합을 맞춰봐야 될 거 아냐!

Cut to

다른 방에 있는 단역 배우, 전화를 받으며 부들부들 떨고 있다.

단역 배우   네, 선배님…… 그런데 지금 시간이 너무 늦어서요. 내일 찾아뵈
               면 안 될까요. 네! 네, 죄송합니다. 가겠습니다! (전화기를 내려놓
               고는 망연자실 눈물만 흘린다) 엄마, 나 어떡해……

S#36. 과거 회상, 검사실 (낮)

이도진   그게 실숩니까? 남석훈씨?

남석훈   아니 걔가 먼저 꼬리 쳤다니까요? 제 눈에 들려고 애쓰는 애들이 한둘인 줄 아세요? 저도 딸 키우는 아빱니다. 나보고 강간범이라니, 어이가 없어서.

이도진   (노려보더니 구타당해서 얼굴이 온통 멍투성이인 단역 배우의 사진 한 장을 내민다) 먼저 꼬리를 쳤다고요?

남석훈   (헛기침하며 당황하다가) 이게 내가 그런 거라는 증거 있어요?! 딴 데서 맞은 건지 지가 자해한 건지 내가 어떻게 알아! 여하튼 난 절대 인정 못하니까, 내 변호사랑 얘기하세요! 아니면 당신네 지검장이랑 얘기해보든가! (이도진을 깔보듯이 보며) 내가 법무부 홍보대사를 몇 년 했는데 어디서 감히 초임 검사가……

이도진   (뜬금없이) 요즘 기술이 참 좋아졌죠?

남석훈   뭐요?

이도진   저도 깜짝깜짝 놀란다니까요. 망치로 두들겨서 버린 하드디스크, 이런 것도 귀신같이 복원하더라고요.

남석훈   (얼어붙은 표정이다)

이도진   우리 국민배우님은, 취향이 좀 독특하시더라고요?

남석훈   (무너지듯 앉으며 절박하게) 저기요, 검사님.

이도진   (남석훈을 차갑게 바라보며) 어린이날 홍보대사시죠? …애들을 참 사랑하시나봐요. 그렇죠?

남석훈   (하늘이 무너지는 듯한 충격을 받고 벌벌 떨며) 아니 저 그, 그게 아니라요. (정신이 난 듯 또 뻔뻔하게) 그 노트북 내 거 아니라 매니저 거야! 증거 있어? 내 거라는 증거 있냐고!

이도진   (아랑곳 않고 차갑게 노려보며) 취미생활이 공개되면 가족분들이 좀 놀라시겠네요. 안 그런가요?

S#37. 대법정 (낮)

남석훈, 고개를 푹 숙이고 있고, 이도진은 싱글거리고 있다.

이도진 (자리에서 일어나 카메라를 보며) 검찰은 연예계에서의 권력을 이용
　　　　하여 상습적으로 성폭력을 일삼아온 피고인에게 징역 12년과······

남석훈 (체념한 듯 눈을 질끈 감는다)

이도진 다시는 이런 범죄를 저지르지 못하도록 성충동 제거 치료 명령을
　　　　신청합니다!

남석훈 (놀라 눈을 번쩍 뜨며) 뭐라구요!

이도진 (의기양양한 미소로 터지는 카메라 플래시를 즐긴다)

김가온 (경악하며) 설마?

강요한 성충동 제거라면, 화학적 거세를 말하는 겁니까?

이도진 화학요법은 비용도 많이 들고, 근본적인 해결책은 못 됩니다.

강요한 ···이거 놀랍군요. 그럼 검찰은 지금.

이도진 (O.L.) 네! 검찰은 피고인에 대한, (자신에게 집중되는 카메라를 죽
　　　　둘러보고는) 물리적 거세를 신청합니다!

남석훈 (얼굴이 하얗게 질리며 작게 혼잣말로) 뭐야, 이건 얘기가 다르잖
　　　　아······

변호인 (벌떡 일어서며) 재판장님! 이건 말도 안 되는!

이도진 (O.L.) 짐승에게는!

변호인 (말문이 막혀서 이도진을 쳐다본다)

이도진 인권이 없습니다. 그것이 대다수 국민의 뜻입니다. (강요한을 쳐
　　　　다보며) 그렇지 않습니까, 재판장님?

김가온 (강요한을 보며) 부장님!

강요한, 의기양양하게 처다보는 이도진과 자신에게 집중된 카메라, 환호하고 박수하는 방청석을 찬찬히 둘러본다. 그때 박수하는 방청석 가운데 미소를 띠고 앉아 있는 정선아를 발견하곤 멈칫한다. 찰나지만 둘의 눈이 마주치고, 강요한, 그제야 알겠다는 듯 씩 웃으며 미소를 띤다.

변호인   (애타게) 재판장님!

강요한   (방청석에서 고개를 돌리며) 변호인측 주장은 다음 기일에 차분히 듣겠습니다. 오늘은 여기까지 하죠. (자리에서 일어선다)

남석훈은 패닉 상태가 되고, 소란스러운 법정 속에서 흥미진진하다는 표정으로 앉아 있는 정선아, 생각에 잠긴다.

차경희   (V.O.) 내 손으로 그런 도박을 해보라고?

S#38. 정선아의 회상, 토크쇼 스튜디오 뒤편 (낮)

정선아   도박이라기보단 숙제를 한번 내는 거죠, 강요한한테.

차경희   그러다 강요한이가 진짜 그렇게 판결을 하면?

정선아   아까 아드님 사진 뜰 때 반응 보셨죠? 상상했을 때 속시원한 거랑 진짜 그 꼴을 보는 건 달라요. (눈살을 살짝 찌푸리고는 미소 지으며) 아우, 생각만 해도 좀 징그럽네요. 강판사도 잘 알 거예요. 똑똑한 사람이니까.

차경희   (알겠다는 듯 끄덕거리며) 그렇다고 반대하면.

정선아   실망하겠죠. 강요한 판사도 다를 게 없구나.

차경희   더 센 걸 기대할수록, 실망하기도 쉽겠지. 어려운 숙제 맞네.

정선아   (미소를 띤다)

S#39. 강요한의 저택, 서재 (밤)

강요한, 책상에 앉아 휘파람을 불며 외과수술용 가위로 신문기사를 오려내고 있다.

김가온   (차갑게) 그게 뭐죠.

강요한   (김가온을 힐끗 보더니 가위를 들어 보이며) 이거? 잘 들지? 백년 된 독일 업체인데, 장인들이 직접 한 땀 한 땀……

김가온   (O.L.) 그거 말고요! 지금 무슨 기사를 보고 있는 겁니까!

강요한   (오려내던 기사를 들어보인다) 이거? (동물 중성화 수술에 대한 기사다)

김가온   (강요한을 노려보며) 설마……

강요한   무슨 소린지 모르겠네? 난 원래 동물에 관심이 많아.

김가온   인간도 동물의 하나고?

강요한   (손에 든 가위를 보며) 저런. 설마 인간의 존엄성을 해치는 상상이라도 하는 거야?

김가온   ……

강요한   (미소 지으며) 너무하는데. 날 괴물로 보는 시선 익숙하긴 한데, (김가온을 보며) 그 얼굴로 그렇게 보니까, 좀 아프네. (쓸쓸한 표정이다)

김가온   (당황하며) 미안합니다. 그런 뜻은 아니었고요.

강요한(N)	(슬픈 표정을 지은 채 건조하게) 이렇게 말하면 흔들린다.
김가온	(애써 해명하는 말투로) 전 그저……
강요한	(일어서며 O.L.) 아니. 오해가 아닌지도 몰라. 인간 중 일부는 괴물로 태어나니까.
김가온	부장님.
강요한	(미소를 띠고) 그중에는 복수심을 핑계 삼아 재미로 사냥하는 종류도 있을 수 있고. 본능이란 강력한 거거든.
김가온	센 척하지 말아요!
강요한	(무표정한 채 말이 없다)
김가온	피해자보단 괴물이 낫다 이겁니까?
강요한	(흠칫 놀란다)
김가온	자기 상처를 인정할 용기도 없는 주제에, 괴물?
강요한	(무서운 표정으로 가위를 움켜쥐며 벌떡 일어선다)
김가온	(그런 강요한을 보며) 이렇게 말하면 흔들리는군요?
강요한	(예상치 못하게 허를 찔려 멈칫한다)
김가온	(마치 강요한처럼 씩 웃고 나간다)

강요한, 복잡한 표정으로 잠시 김가온이 사라진 자리를 보고 있다가 무심코 책상 쪽을 돌아본다. 어린 시절(3부 70-5신)이 현재인 것처럼 강요한 앞에 펼쳐진다. 책상에 엎드려 티셔츠를 걷어올린 어린 강요한. 드러나는 등에는 시커먼 상처 자국이 가득하다. 강지상, 강요한을 노려보더니 코트 주머니에서 가죽장갑을 꺼내 손에 끼고는, 책상 위에 놓여 있던 큼지막한 철제 자를 집어들고 무시무시한 표정으로 강요한에게 다가서며 철제 자를 높이 치켜올린다. 공포와 분노가 뒤섞인 강요한의 얼굴. 입가가 부들부들 떨린다. 강요한, 눈을 질끈 감았다 뜨고 과거의

망령들은 사라진다.

강요한   (착잡한 표정으로 한숨을 쉰다) 지긋지긋한 놈의 집구석. (불을 탁
         끄고는 서재에서 나간다)

S#40. 강요한의 저택, 강요한의 침실 (아침)

또 악몽에 시달리다 찡그린 채 일어나는 강요한. 바깥에서 들려오는 웃
음소리에 일어나 창가로 향한다. 창문을 열고 정원을 내다보는 강요한.
환하게 햇살이 비추는 가운데 김가온이 환하게 웃으며 고양이들과 놀
고 있다. 김가온의 다리에 얼굴을 비벼대며 가르릉거리는 고양이들. 그
앞에는 휠체어를 탄 엘리야가 쑥스럽게 웃으며 김가온을 보고 있다. 멍
하니 이 풍경을 바라보는 강요한. 김가온의 환한 얼굴 위로 형 강이삭의
얼굴이 오버랩된다. 김가온, 문득 시선을 느꼈는지 강요한이 서 있는
창가 쪽으로 고개를 돌리는데, 강요한, 차가운 표정으로 커튼을 탁 치
고 돌아선다.

S#40-1. 강요한의 저택, 주방 (아침)

강요한이 혼자 식탁에 앉아 식빵에 잼을 바르고 있다. 엘리야가 조금 전
까지 정원에서 김가온과 놀다가 배가 촐촐했는지 주방으로 들어오는
데, 평소와는 달리 밝은 표정으로 노래를 흥얼거리다가 강요한과 눈이
마주친다.

강요한	(빵 접시를 엘리야 쪽으로 밀며 어색한 미소를 짓는다) 같이 먹을까?
엘리야	(샐쭉해지며 휙 돌아선다) 배 안 고파. (나가려 한다)
강요한	(황급히) 잠깐만.
엘리야	(돌아본다)
강요한	(순간 엘리야의 관심을 끌 좋은 생각이 떠올랐다) 나 좀 도와줄래?
엘리야	(어이없다는 듯) 내가 왜?
강요한	(묘한 미소를 띠며) 딱 니 취향인 일인데. 재밌는 일.
엘리야	(재미있다는 소리에 본능적으로 눈을 반짝이며) 재밌다고?
강요한	(씩 웃으며 빵에 잼을 듬뿍 발라 엘리야 쪽으로 놓는다)

S#41. 민정호 대법관실 (낮)

민정호	어째 요즘 통 소식 듣기가 힘드네. 강요한 집에 들어간 다음부터.
김가온	(눈을 피하며) 그랬나요? 아무래도 몸이 영 안 좋아서…… (강요한에 대한 연민 때문에 마음이 복잡하다)

그런 김가온을 보던 민정호, 자리에서 일어나 겉옷을 챙긴다.

민정호	오케이. 식사나 하지. 이 동네 기가 막힌 제육볶음집을 찾아냈어.
김가온	(미소 지으며) 올 아버지 것보다 나은가요?
민정호	(진지하게) 친구니까 매일 간 거지, 솔직히 사람 먹을 거였나 그게?
김가온	(어이없다) 교수님!

S#42. 대법원 정문 (낮)

김가온과 민정호, 정문 쪽으로 걸어가는데 정문 앞에 배달 오토바이 한
대가 서 있다. 배달원, 수위실에 음식을 배달하고 있다. 김가온, 오토바
이를 물끄러미 바라본다.

김가온(N)   서스펜션, 엔진, 프레임…… 배달용으로는 과한데.

민정호, 앞서 걷다가 그런 김가온의 시선을 눈치챈다.

민정호   달리고 싶나?
김가온   (시선을 돌리며) 에이, 아니에요.
민정호   아니긴, 맞구만.

S#43. 김가온의 회상, 경찰서 정문 (밤)

교복 차림의 김가온, 얼굴 곳곳에 피멍이 들고 상처가 나 있다. 굳은 표
정의 민정호, 묵묵히 자기 차 쪽으로 간다.

김가온   (오토바이 앞에서 멈추며) 전 이거 타고 가면 돼요.

민정호, 멈춰 서더니 자기 차로 가서 트렁크를 연다. 트렁크에서 골프
채를 꺼내 와서는, 그대로 김가온의 오토바이를 내리치는 민정호! 김가
온, 기세에 눌려 멍하니 바라보고만 있다. 민정호, 굳은 표정으로 연거

푸 오토바이를 내리친다.

민정호   (애써 화를 억누르며) 너 한 번만 더 오도바이 타다가 사고 치면 니
        부모 묘 앞에서 나랑 같이 죽는 거다.
김가온   (기세에 압도당해 멍하니 서 있다)

민정호, 자기 차 쪽으로 걸어간다.

민정호   뭐해! 집까지 걸어갈 거야?
김가온   (나직하게) 깡패도 아니고……

S#44. 대법원 정문 (낮)

김가온, 민정호의 엄한 표정을 보며 픽 웃는다.

김가온   하나 뽑으면 태워드리죠.
민정호   뭐야 인마!
김가온   여기 대법원 앞입니다. 언행에 주의해주시죠. 대법관님.

아웅다웅 다투며 정문을 빠져나가는 두 사람. 그런데, 배달통을 닫고
있던 오토바이 배달원, 조끼 주머니에서 핸드폰을 꺼내 민정호와 김가
온을 몰래 촬영한다. 오토바이에 올라타서 두 사람을 천천히 따라가는
배달원.

S#45. 식당 밖 (낮)

허름한 식당 밖. 평상 위에 배추가 쌓여 있고 대여섯 살배기 여자아이
셋이서 천진난만하게 인형놀이를 하고 있다. 허술하게 쌓인 배추가 아
이들 쪽으로 무너지려는 순간, 김가온이 재빠르게 무너지는 배추를 막
고는 다시 쌓아준다. 아이 한 명이 일어나 배꼽인사를 한다.

아이   고맙습니다~

김가온   (흐뭇하게 웃으며) 별말씀을요.

민정호도 옆에서 미소 짓는다. 식당으로 들어가는 두 사람.

S#46. 식당 안 (낮)

TV를 보고 있는 식당 아주머니. 묵묵히 제육볶음 백반을 먹고 있는 김
가온과 민정호.

민정호   그 집에서 무슨 일이 있었는지는 모르겠지만.

김가온   (고개를 숙이고 국물을 떠먹고 있다)

민정호   넌 중립일 수가 없는 위치다.

김가온   (동작을 멈추고 고개를 든다)

민정호   넌 이미 그 재판부의 일원이야. 선택해야 될 거다. 공범이 되든,
고발자가 되든.

김가온   (굳은 표정으로 민정호를 응시한다)

강요한   (V.O.) 선택하지? 내 앞을 막아설지, 내 곁에 설지.

김가온   (날 선 말투로) 애초에 그 위치로 절 밀어넣은 게 누구죠?

민정호   가온아.

김가온   (답답한 듯 자기 가슴을 툭툭 치며) 여기 맺힌 거 다스리며 사는 것만
         도 버거운데, 제가 왜 세상 짐을 다 떠안고 살아야 됩니까!

민정호   (안타까워하며) 가온아!

아주머니(E) 에유, 끔찍해.

아주머니가 보는 TV 화면 쪽으로 고개를 돌리다가 놀라는 김가온. 이
영민의 끔찍한 상처 사진이 클로즈업되어 있다.

아나운서(E) 태형을 둘러싼 논란이 확산되고 있는 가운데, 이번에는 물리적
         거세가 화제가 되고 있는데요.

아주머니   (TV를 끄며 투덜댄다) 테레비만 틀면 저 소리야. 징그럽게.

김가온   (충격받은 표정이다)

S#47. 식당 밖 (낮)

무거운 표정으로 나오던 김가온, 놀라 어딘가를 쳐다본다. 김가온의 시
선을 따라가보면, 평상 위에서 놀던 아이 중 하나가 엎드려 있고, 아까
배꼽인사를 하던 아이가 엎드린 아이 등을 막대기로 장난스럽게 때리
며 숫자를 세고 있다.

아이   아홉 대! 열 대!

깔깔대며 손뼉 치고 있는 또 한 아이. 김가온, 군은 표정으로 다가가서 막대기를 확 빼앗아버린다. 어리둥절해서 김가온을 쳐다보는 아이들. 배달원, 맞은편 건물 간판 뒤에 숨어서 두 사람을 지켜보는데 귀에는 리시버를 꽂고 있다.

S#48. 강요한 부장판사실 (낮)

군은 표정으로 모니터를 보고 있는 강요한. 유튜브 화면이다.

S#49. 유튜브 화면 (낮)

신이 나서 떠드는 유튜버는 태형 집행 당시(4부 53신) 길거리에서 '대한민국'을 외치며 환호하던 청년 중 가운데 있던 인물, 닉네임 '죽창'. 강요한 얼굴이 새겨진 시커먼 티셔츠 차림에 머리를 빡빡 밀었다. 두 손에 커다란 가위 모형을 들고는 드렁큰타이거의 〈Monster〉에 맞춰 건들거리고 있다.

음악(E)　　　빰, 빰바바밤 밤!
죽창　　　　짤라버려! (원래 가사 '발라버려'에 맞춰 가위를 힘껏 움직인다)

댓글창이 '짤라버려!'로 도배되고 있다

죽창　　　　(신이 나서는) 요한이 형! 믿어도 되지? 아, 그런 쓰레기 쉐끼 꺼,

걍 짤라버려! 남자 망신 다 시키는 짜식! 우리 강요한 판사님께서 응징하시리라! (두 손을 번쩍 들어 경배하듯 강요한 포스터에 몇 번이고 절한다)

S#50. 강요한 부장판사실 (낮)

어이없다는 표정의 강요한. 죽창 유튜브 화면 옆에 띄워놓은 다른 화면으로 시선을 돌린다. 5부 31신 길거리 응원중인 김가온 팬클럽 여성 팬들이 보인다. 풍선을 흔들며 웃는 여성 팬들.

강요한　(강요한 포스터를 향해 절하고 있는 죽창의 유튜브 화면을 확 꺼버리며) 난 왜 이런 새끼들만.

S#51. 강요한의 저택, 엘리야의 방 앞 복도 (낮)

김가온, 엘리야의 방 앞을 지나다가 들리는 소리에 활짝 열린 문 사이로 방안을 힐끗 본다. 엘리야, 책상 위에 노트북을 놓고 보고 있는데, 정장을 입은 미국인과 영어로 대화중이다. 내용은 잘 들리지 않는다. 엘리야도 단정한 재킷 정장 차림이다.

S#52. 강요한의 저택, 거실 (낮)

최신형 청소기로 청소중인 지영옥.

지영옥   뭐해. 니넨 놀지 말고 소파 밑 해.

(지영옥이 밀고 있는 청소기와 별도로) 작은 로봇청소기 두 대가 양쪽 소파 밑으로 들어가 청소한다.

김가온   아주머니.

지영옥   (무뚝뚝하게) 네, 도련님.

김가온   도련님 소리는 빼시라니까요.

지영옥   죄송하지만 그 얼굴을 보면서 다른 호칭을 붙이는 건 무립니다.

김가온   (졌다는 듯) 알았어요. 알았어. 근데 엘리야가 뭐하고 있는 거죠?

지영옥   (무심하게 계속 청소하며) 대학생이니 강의 듣겠죠.

김가온   외국인하고 얘기하는 거 같던데?

지영옥   스탠퍼드 대학이니까요.

김가온   네에? 걔가 몇 살인데.

지영옥   이 댁 혈통이 좀 성급해요.

김가온   아니, 성급하다고 갈 수 있는 데가 아니고. 여하튼, 수업은 따라가요?

지영옥   컴퓨터공학과 장학생입니다. 성적 우수.

김가온   (황당하다) 아 네네. 천재 혈통이네요. 그래도 그렇지, 학교에 가지도 않고 집에서 정식 학위 따는 게 가능해요?

지영옥   요한 도련님한테 물어보시죠. (어깨 으쓱하더니) 대학 홈페이지에 들어가보시든지.

김가온   (핸드폰을 꺼내 대학 홈페이지를 이리저리 둘러보다가, 대학 캠퍼스 사
          진을 죽 확대해서 유심히 본다. 멋들어진 신축 건물 벽에 'Elijah Hall'이
          라고 새겨져 있다. 황당한 표정으로) 엘리야 홀? (지영옥을 돌아본다)

지영옥   (청소기를 쓱쓱 밀며) 요한 도련님은 엘리야 아가씨 일에는 이성을
          좀 잃는 경향이 있어서요.

김가온   (어이없다) 네……

지영옥   (계속 청소하며) 그보다요.

김가온   네?

지영옥   잘라버리세요.

김가온   예? 뭘요?

지영옥   뭐긴 뭡니까. 그 인간 말이죠. 남석훈.

김가온   (청소하는 지영옥을 멍하니 본다)

지영옥   (무표정하게) 내가 직접 잘라버리고 싶네. 개노무 시키.

S#53. 교도소 면회실 (낮)

남석훈   대체 어떡할 겁니까?

변호인   아무리 강요한이라도 거기까지는 못할 겁니다.

남석훈   (초조한 듯 손톱을 깨물며) 아이씨, 검사 이 자식이 비겁하게 협박
          해서 인정했는데.

변호인   검사가 무슨 협박을 했습니까? 폭로할까요?

남석훈   (난감해하며 변호인의 시선을 피한다)

S#54. 배석판사실 (낮)

김가온   도대체 검찰은 무슨 생각인 걸까요?

오진주   뭐긴 뭐겠어. 관심받고 싶은 거지. 일단 던져놓으면 박수는 받을
          거니까.

김가온   그렇다고 우리가 진짜로.

오진주   (O.L.) 그건 아니지. 판사로서, 그건 아니긴 한데.

김가온   (오진주를 쳐다본다)

오진주   시민의 한 사람으로선, 솔직히 모르겠다. 와이 낫? 왜 안 될까.
          …그런 쓰레기. (고민하며 한숨 쉰다)

김가온   (고민하다가 입을 연다) 저도 그런 심정이긴 한데, 괜찮겠습니까?

오진주   (어리둥절해서) 응?

김가온   정말 괜찮은가요? 국가가 직접 사람 몸에 칼을 대도? 그걸 허락
          해도 괜찮으시겠어요?

오진주   (허를 찔린 듯 김가온을 쳐다본다)

김가온   저는 범죄자들만큼이나 이 '국가'라는 것도 무섭습니다. (오진주
          를 쳐다본다)

오진주   (말없이 번민한다)

S#55. 대법정 (낮)

변호인   징역형으로도 충분히 처벌 효과를 낼 수 있습니다!

이도진   모범수로 지내다가 가석방을 노리겠죠. 나오면 또 같은 짓을 저
          지를 겁니다!

변호인	그렇다고 사람을 거세합니까?
이도진	그건 속된 표현일 뿐이고요, 어디까지나 치룝니다! 자기 스스로 충동을 통제하지 못한다고 하니, 국가가 치료해주겠다는 거 아닙니까!

순간, 대형 스크린에 빨간 그래프가 무서운 속도로 올라간다. 디케 앱 참여자 숫자도 급증한다. 방청객 중 일부가 일제히 큼지막한 가위 모형을 머리 위로 들어올려 가위질을 척척 해댄다. 방청객들의 열망이 담긴 뜨거운 눈길이 강요한에게로 집중된다.

남석훈	(본능적으로 다리를 오므린 채 몸을 벌벌 떤다) 으으으으……
변호인	판사님! 그건 야만입니다! 아무리 범죄자라도 인권이 있는 거고요!
강요한	(5부 5신에서처럼 무표정하게 손에 든 볼펜 윗부분을 딸깍거리고 있다. 피고인 눈에 볼펜을 찔러 넣던 강요한의 상상이 연상되는 분위기)
변호인	대한민국같이 범죄율이 낮은 나라에서 범죄자 교화 대신 보여주기식 엄벌을 한다는 건!
오진주	(O.L.) 어디 사세요?
변호인	네?
오진주	변호사님, 어디 사시냐고요.
변호인	(어리둥절하다) 네? 저야 그냥 아파트……
오진주	(O.L.) 철통같은 보안을 자랑하는, 그런 데 사시잖아요. 안 열어주면 아무도 못 들어가고, 경비원 잔뜩 있는.
변호인	뭐, 그렇긴 합니다만……
오진주	변호사님, 제가 머리가 별로 안 좋아서요, 공부를 좀 오래했거든

요?

변호인   네? 그게 무슨 상관……

오진주   (O.L.) 돈도 별로 없어서 고시원에서 주로 살았어요. 제가 자는 방문 바로 앞까지 아무나 올 수 있는, 그런 데요.

변호인   (괜히 헛기침한다) 으흠.

오진주   흉악범이 동네에 이사 왔다는 통지, 받아보셨어요?

변호인   ……

오진주   한 번도 못 받아보셨죠? 변호사님 동네에는 아무나 못 살거든요.

변호인   ……

오진주   전 맨날 받았어요. 옆 동네에서 살인 사건 난 것도 봤고요. 변호사님 평소 인권운동 하시는 거, 늘 존경해왔어요. 근데요.

PD   (초집중한 채로 카메라를 향해 손짓하며) 지금이야!

오진주   범죄율 낮은 나라요? 다 같은 나라 사는 거 아니에요. 돈 없는 서민들이 사는 나라, 변호사님이 사는 나라랑 달라요. 그분들 인권도 좀 생각해주시죠. 제발요.

화면에 크게 클로즈업되는 오진주의 당당한 얼굴, 방청석에서 박수와 환호가 쏟아진다.

변호인   (말문이 막힌 듯) 그, 그게……

강요한   (오진주를 흥미롭다는 듯 쳐다본다)

남석훈   (변호인을 째려본다)

변호인   (다시 벌떡 일어서며) 그런 비인간적인 처벌을 하는 건 국가 이미지에도 득 될 게 없습니다! 피고인은 영향력 있는 한류 스타입니다. 그러잖아도 나라 상황이 안 좋은데 굳이 이런 형벌을……

강요한   (무표정하게 볼펜을 딸깍거리다가 탁 내려놓으며) 잘 알겠습니다.

변호인   (놀라서 쳐다보며) 재판장님!

강요한   충분히 들은 것 같습니다. 잠시 휴정한 후에 선고하겠습니다.

방청객들 자리에서 일어서고, 세 판사 퇴정한다. 강요한의 자리를 보면, 볼펜으로 거칠게 좌우로 죽죽 그어놓은 메모지, 그리고 부러진 볼펜이 놓여 있다.

S#56. 판사실 복도 (낮)

강요한   잠깐만 쉬었다가 들어갑시다.

오진주   네, 부장님.

김가온   …네.

S#57. 배석판사실 (낮)

어색한 분위기의 오진주와 김가온. 말없이 각자의 자리에 앉는다. 김가온, 오진주를 힐끗 보더니 피곤한 듯 몸을 의자에 기댄다.

S#58. 대법정 (낮)

다시 법정으로 들어오는 세 판사, 자리에 앉는다.

강요한	판결을 선고하겠습니다. 남석훈 피고인.
남석훈	(벌벌 떨며 일어선다) 네.
강요한	피고인을 징역 20년에 처합니다.
남석훈	…네. (떨며) 그리고?

강요한, 남석훈을 가만히 보며 침묵한다. 침묵이 길어지자 방청석이 웅성대기 시작한다. 뭐라 소곤대며 카메라를 강요한에게 맞추는 PD와 카메라맨들.

강요한	(가만히 방청석을 둘러본 후) 이상입니다.
이도진	(벌떡 일어서며) 재판장님!

방청석에서 볼멘소리가 터져나온다.
-뭐?!
-그게 다야?
-이게 뭐야!

강요한	(무시하며 자리에서 일어선다)

남석훈, 그제야 만면에 웃음을 띠며 변호인에게 연신 고개를 숙인다. 가위 모형을 들고 온 사람들, 화난 표정으로 일어나 가위 모형을 집어던진다.

S#59. 구치소 (밤)

독방으로 돌아온 남석훈. 죄수복 차림이다.

남석훈　…하마터면 큰일날 뻔했네. 이제 돈 좀 써서 어떻게든 가석방이
라도 빨리…… (갑자기 얼굴을 찡그리며 배를 움켜쥔다) 아야야. 죽
겠네. 갑자기 왜 이러지? (바닥을 뒹군다) 사람 살려! 사람 살려!

S#60. 병동 복도 (밤)

남석훈, 침대에 누운 채로 수술실로 이동중이다. 간호사들이 침대를 밀
고 가고 있다.

남석훈　ㅇㅇㅇ……
간호사　급성 맹장이니까 걱정 마세요. 수술은 간단해요.

S#61. 수술실 (밤)

수술대에 누워 있는 남석훈. 마스크를 낀 의사가 들어온다. 마취 때문
에 정신이 몽롱해지는 남석훈의 시야.

Cut to

수술대에 고정되어 있는 남석훈, 서서히 다시 눈을 뜬다. 그런데, 아직도 수술이 진행중인지 서걱서걱 가위질 소리가 들린다.

남석훈 (당황해서) 저기, 선생님, 저 깨버렸는데요?

의사   걱정 마세요. 금방 끝나요.

남석훈 저, 간호사분은 왜 안 계시고 선생님 혼자……

의사   에이, 걱정 마시라니까.

남석훈 (애써 조금씩 목을 들어 아래쪽을 보려 애쓰며) 저기요, 그런데 지금 어디를 수술하고 계시는 건지……

의사   (고개를 들더니 마스크를 내리는데, 강요한이다!) 어디긴. (씩 웃는다)

남석훈 (공포로 커지는 두 눈) 다, 당신은!

강요한 (윙크하며) 걱정 마. 이쁘게 해줄게. (가위를 들어 보이는데, 피가 묻어 있다) 이거 독일 장인들이 정성껏 만든 명품이야.

남석훈 으아아악!

S#62. 배석판사실 (낮)

의자에 앉은 채 벽에 기대 잠깐 잠들었던 김가온, 기겁을 하며 깨어난다.

김가온 안 돼!

오진주 (픽 웃으며) 얼랠래? 고새 꿈까지 꿨어?

김가온 (눈을 껌뻑이며 주변을 둘러본다) 어?

오진주 아직 몸 상태가 그렇지? 이제 다시 들어가자.

김가온   어…… 네. (얼떨떨한 채 일어선다)

S#63. 대법정 (낮)

법정으로 들어오는 세 판사. 일어서는 방청객들.

강요한   (방청석을 죽 둘러본 후) 가장 적절한 형을 찾기 위해 재판부가 고
          심을 많이 했습니다. 피고인?

남석훈   (벌벌 떨며 일어선다) 네!

강요한   의견이 엇갈려서, 결국.

강요한의 입만 쳐다보며 초집중하는 방청객들과 카메라.

강요한   …징역형만 선고하기로 했습니다.

이도진   (벌떡 일어서며) 재판장님!

방청석에서 볼멘의 소리가 터져나온다.
-뭐?!
-그게 다야?
-이게 뭐야!

김가온   (판사로서의 소신으로 물리적 거세에 반대하지만 남석훈의 파렴치한 짓
          에 대한 분노는 어쩔 수 없기에 착잡한 표정이다)

오진주   (분한 듯 입을 꾹 다문 채 남석훈을 노려본다)

남석훈, 얼른 고개를 숙이지만 입가에 안도의 미소가 감돈다.

강요한   다만.

남석훈   네?

김가온   (놀라서 강요한을 본다) ……?

강요한   성범죄에 대해 가장 전문성이 높은 곳에서 복역하게 될 겁니다.

남석훈   그, 그게 무슨 말씀이신지……

강요한   (미소 지으며) 보시죠. (대형 스크린을 가리킨다)

스크린에 삼엄한 교도소 시설 여기저기가 보이는데, 총을 든 교도관들도 죄수들도 외국인들이다.

강요한   미국 텍사스주에 있는 상습 성범죄자 교도솝니다.

김가온   (놀란 채 멍하니 강요한을 본다)

강요한   양국 사법부가 특별히 MOU를 맺고 앞으로 성범죄 처벌에 대해 협력하기로 했습니다. 피고인과 같은 문제로 고민하는 동료들과, 오래오래, 함께 노력하기 바랍니다. 20년 동안.

화면에 미국 죄수들 네댓 명 잡히는데, 엄청난 덩치에 문신, 칼자국…… 무시무시한 모습들이다. 그런데 하나같이 너무나 행복한 표정으로 해맑다. 다들 신나 죽겠다는 듯 활짝 웃으며 화면을 향해 손을 흔들고 있다. 가장 험상궂은 죄수가 남석훈의 사진을 품에서 꺼내 카메라를 향해 들어 보이며, 키스를 날린다.

남석훈   (비명 지르듯) 안 돼!

강요한   (미소를 띠고) 한류가 대단하죠? 역시 국민배우시네요. 자랑스럽
         습니다.

         남석훈, 공포에 질려 쓰러지고, 변호인도 주저앉는데, 스크린에서는
         미국 죄수들이 해맑게 웃고 있다.
         -Bye bye~
         -See you soon~
         저마다 손을 열심히 흔들며 인사한다.

김가온   (졌다는 듯 고개를 절레절레 저으며 쓴웃음을 짓는다)
오진주   (강요한을 반한 표정으로 쳐다보고 있다) 부장님……

         환호성을 지르는 방청객들. 방청석 구석에 앉아 있던 정선아, 눈을 반
         짝이며 재미있다는 표정을 짓는다.

정선아   (혼잣말로) 숙제를 이렇게 푼다…… 강요한 학생, 선생님을 놀랠 줄
         도 아네?

S#64. 강요한의 저택, 서재 (낮)

         강요한, 휘파람을 불며 가위로 신문기사를 오려 스크랩중이다.

김가온   (팔짱을 낀 채 벽에 기대서서) 기분이 좋으신가봐요?
강요한   뭐, 가끔 온정을 베푸는 것도 기분이 나쁘진 않은데?

김가온	(어이가 없다) 온정이라고요?
강요한	그보다. (싱긋 웃으며) 이상한 꿈을 꿨다면서? 휴정중일 때.
김가온	…예.
강요한	에이, 날 뭐로 보는 거야. 어떻게 그런 짓을 하겠어. (가위를 들어 보이며) 이 귀한 아이로 그런 불결한 걸? (눈살을 찌푸리며) 그건 아니지.
김가온	(황당할 뿐이다) 네네. 그러시겠죠. 근데 엘리야는 종일 자네요?
강요한	(다시 기사를 오리며) 토요일인데 푹 자게 놔둬. 요즘 잠이 부족했을 거야.
김가온	예?
강요한	미국 교도소 다 뒤져서 적당한 데 찾아내고, 목소리 변조해가며 주 법무부랑 협의한 게 누굴 거 같아?
김가온	예에에?

씩 웃는 강요한.

S#65. 강요한의 저택, 서재 문 앞 (낮)

강요한, 외출(5부 21신에서 한 K와의 약속) 준비를 마치고 나가려는 데, 지영옥이 들어온다.

지영옥	(무뚝뚝하게 손에 든 우편물을 내밀며) 이런 게 왔습니다. 도련님. (강요한이 우편물을 받아들자 돌아서 나간다)
강요한	('사회적책임재단' '강요한 판사님께'가 얼핏 보이는 초대장을 들어 무

심히 보며) 초대장?

S#66. 도시 외곽 (낮)

컨테이너 박스가 양쪽으로 줄지어 서 있는 도시 외곽 공간. 그 사이로 나타나는 강요한의 차. 강요한, 차에서 내려 무표정하게 주변을 둘러보고는 발걸음을 내딛는데, 갑자기 뒤에서 누군가 강요한의 머리를 강하게 내리친다! 시야가 어두워지며 쓰러지는 강요한.

S#67. 정선아의 집, 주방 (밤)

얼마나 시간이 지났을까. 힘겹게 다시 뜨는 강요한의 눈꺼풀 사이로 흐릿하던 시야가 조금씩 또렷해진다. 주방이다. 순간, 충격으로 커지는 강요한의 눈동자! 한 치 오차 없이 진열되어 있는 정교한 앤티크 은 세공품들과 최고급 접시들, 찬장과 진열장까지 모든 것이 어린 시절 강요한의 집 주방 그대로다! 믿을 수 없어 멍하니 쳐다보다가 몸을 움직이려는데 꼼짝할 수가 없다. 흐트러진 셔츠 차림으로 고정된 의자에 결박되어 있는 강요한. 온몸에 힘을 주어보는데, 강요한의 목 양옆으로 뱀처럼 매끄럽고 흰 두 팔이 뻗어나와 강요한을 감싼다. 그리고, 강요한의 귓가에 속삭이는 목소리.

정선아(E)   …여전히 이쁘네?

순간 경직된 강요한 앞으로 서서히 돌아나오는 사람은, 아름답게 차려
입은 완벽한 모습의 정선아다.

강요한   (믿어지지 않는다) 설마?
정선아   (킥, 천진난만하게 웃더니) 안녕, 도련님?

정선아, 씩 웃더니, 갑자기 한 손으로 강요한의 뒷머리를 거칠게 붙잡
으며 격렬하게 강요한의 입술을 덮쳐 물어뜯듯 키스를 퍼붓는다! 경악
한 강요한의 두 눈 위로 타이틀, **악. 마. 판. 사.**

6부

아킬레스건

S#1. 강요한의 저택, 김가온의 방 (밤)

침대에 누워 자고 있는 김가온. 그런데 누군가 김가온을 흔들어 깨운다.

김가온 (눈을 뜨며 보더니) 엘리야?

엘리야 (입을 꾹 다물고 있다)

김가온 웬일이야? 이 시간에.

엘리야 …요한이 없어.

김가온 뭐?

엘리야 (짜증인지 투정인지) 들었잖아. 요한이 없다고! 자고 일어나 보니 없어.

김가온 (어이없어서 픽 웃으며) 요한이 없어서 무서웠어?

엘리야 무섭긴 누가!

김가온 (싱글거리며 인형을 꼭 껴안고 있는 엘리야를 바라본다)

엘리야 (퍼뜩 인형을 뒤로 치우며) 어디 간 거야?

김가온	글쎄…… 애인이라도 만나나?
엘리야	(찡그리며) 요한은 한 번도 집을 비운 적 없어! (힘겹게 내뱉듯) 그 사고 후로.
김가온	(놀라며 안타깝게 엘리야를 바라본다)

S#2. 강요한의 저택, 서재 (밤)

김가온, 엘리야 앞에 김이 나는 밀크티를 내려놓는다.

엘리야	(따뜻한지 환한 얼굴로 찻잔을 두 손으로 감싸고 있다가 김가온이 쳐다보자 괜히 투덜대며) 무슨 집이 난방도 잘 안 돼. 쓸데없이 크기만 하고.
김가온	(가만히 엘리야를 보다가) 너, 알고 보면 요한이 좋은 거 아냐?
엘리야	(빽 화를 내며) 뭐야!
김가온	그렇잖아. 미국 교도소 찾는 것도 돕고. 아마 너도 의미 있는 일이라서 그랬겠……
엘리야	(O.L. 멀뚱히) 재밌잖아.
김가온	재미?
엘리야	(눈이 반짝인다) 응! (아깝다는 듯) 에이, 그냥 잘라버리는 게 더 재밌었을 것 같은데.
김가온	(어이없다는 듯 보다가) 역시 핏줄이구나. 닮았다.
엘리야	(순간 김가온을 노려보지만 복잡해지는 마음에 시선을 돌리며) 그런 소리 하지 마.
김가온	……?

엘리야	요한은 곁에 있는 건 뭐든 망가뜨려. 난 그런 사람 되기 싫어.
김가온	그게 무슨 소리지?
엘리야	아줌마한테 못 들었어? 요한은 어릴 때부터 그랬대. 자길 좋아하던 하녀를 2층에서 뛰어내리게 만들고.
김가온	(흠칫하며 지영옥에게 들었던 이야기를 떠올린다)
엘리야	(분노와 슬픔이 차오르며) 아빠도, 그리고…… (자기 두 다리를 가만히 본다)
김가온	(안타깝게 엘리야를 바라본다)

S#3. 정선아의 집, 주방 (밤)

강요한이 얼굴을 돌려 피하자 씩 웃으며 물러서는 정선아. 강요한, 차가운 눈빛으로 생글거리는 정선아를 쳐다본다.

강요한	(냉소적으로) 버릇은 여전하네? 주제 파악 못하고 아무거나 손대는 버릇.
정선아	어머, 도련님, 이제야 겨우 알아봐주는 거야?
강요한	(정선아를 노려본다)
정선아	(생긋 웃는다)

S#4. 정선아의 회상, 강요한 저택 주방 (낮)

순진해 보이는 어린 하녀(정선아), 눈이 휘둥그레진 채 주방에 죽 진열

된 정교한 앤티크 은 세공품들과 최고급 접시들을 만지고 있다.

정선아　세상에, 어쩌면 이렇게 이뻐요? (은 세공품을 황홀해하며 만지작거리다가 주방을 둘러보며) 전 이런 세상이 있는 줄도 모르고 살았네요. 이쁜 것들로만 된 세상.

지영옥　호들갑 떨지 말고 일이나 잘 배워.

정선아　(넋이 나간 듯) 어떻게 하면 이렇게 살 수 있을까요? 다시 태어나야 되나?

지영옥　(혀를 차며) 회장님은 말 많은 애를 제일 싫어하신다. 쫓겨나기 싫으면 입 좀 닫아.

정선아　네에. (또 눈을 반짝이며) 요한 도련님은 또 어떻고요! 세상에, 어쩜 그렇게 이쁘고 잘생기셨어요? 보석같이 반짝반짝, 어떻게 그런 분을 지하실에…… (안쓰러운 표정을 짓는다)

지영옥　좀! (째려본다)

정선아　(목을 움츠리며 입을 닫는다)

S#5. 정선아의 회상, 지하실 (밤)

지하실 야전침대에 누워 책을 읽고 있는 어린 강요한(12세). 정선아, 강요한 옆에 쟁반을 내려놓는다. 밥과 국, 반찬이다. 고개를 돌려 쳐다보는 강요한.

정선아　좀 드셔보세요, 도련님. 제가 준비해봤어요.

강요한　(정선아를 묵묵히 보다가) 고마워. (수저를 든다)

정선아   (강요한이 밥 먹는 모습을 멍하니 보다가) 회장님 안 계실 때는 좀 밖
          에 나와 계세요. 제가 망봐드릴게요.

강요한   (힐끗 보더니 고개를 끄덕인다)

정선아   (수줍게 웃는다)

S#6. 정선아의 회상, 서재 (낮)

서가에 기대서서 책을 읽고 있는 강요한. 청소하다 말고 문가에서 그런
강요한을 멍하니 보고 있는 정선아. 멀리서 지영옥, 정선아를 부르려다
가 한숨을 쉬며 고개를 절레절레 흔든다.

S#7. 정선아의 회상, 강요한 저택 앞마당 (낮)

지영옥, 빨래를 들고 나오다가 강요한을 힐끗 본다. 앞마당 흔들의자에
앉아 책을 읽고 있는 강요한의 뒷모습. 그런데 강요한, 책을 덮더니 위
쪽을 보며 불쑥 내뱉는다.

강요한   내가 좋아?

지영옥, 놀라 강요한의 시선을 따라가니 2층 창가에서 창문을 닦다 말
고 또 넋을 놓고 강요한을 내려다보는 정선아가 보인다.

정선아   …네.

강요한	얼마나 좋아?
정선아	네?
강요한	내가 얼마나 좋냐구. (홀릴 듯한 미소를 짓는다)
정선아	…많이요. 아주, 아주 많이.
강요한	그래? 그럼 거기서 뛰어내릴 수 있어?
정선아	네?
강요한	날 위해 그럴 수 있어? 정말?

강요한이 계속 쳐다보자 정선아, 정신이 나간 듯 창가로 다가서더니 뛰어내린다. 지영옥, 놀라 달려간다. 다리가 뒤로 꺾인 채 고통스러워하는 정선아. 강요한, 차가운 눈초리로 정선아를 힐끗 보더니, 다시 책을 읽기 시작한다. 그런 강요한을 소스라치며 쳐다보는 지영옥.

S#8. 정선아의 집, 주방 (밤)

정선아	(한숨 쉬며) 너무했어. 난 그렇게 좋아했었는데.
강요한	(피식 웃으며) 어이없네. 니가 좋아한 건 다른 거였을 텐데?

강요한, 정선아를 노려본다. 무슨 소리냐는 듯 딴청 피우는 정선아.

S#9. 강요한의 회상, 강요한 저택 주방 (낮)

정선아, 주변을 살피더니 작은 은 세공품 하나를 집어들어 황홀한 눈으로 쳐다보다가 품안에 숨긴다.

강요한(E)   나라면 그러지 않겠어.

정선아   (놀라 돌아본다) 도련님!

강요한   들키면 좋게 끝나지 않을 거야. 그 사람은 용서하는 법이라곤 없
           거든.

정선아   (강요한에게 다가오더니) 절 걱정해주시는 거예요? 이뻐라……
           (강요한의 볼을 가만히 쓰다듬는다)

강요한   (정선아의 손을 쳐내며 싫은 표정을 짓는다) 이러지 마.

정선아   (또 강요한의 볼을 만지며 묘한 미소를 짓는다) 전 도련님이 이렇게
           좋은데, 도련님은 싫으세요? 네?

강요한   (표정이 굳는다)

S#10. 강요한의 회상, 강요한 저택 주방 (밤)

지영옥   (진열장을 살피며) 이상하다……

정선아   왜 그러세요?

지영옥   요즘 자꾸 뭐가 없어지는 것 같은데. (정선아를 응시한다)

정선아   (놀라며) 정말요? 사실, 저도 좀 마음에 걸리는 게 있었는데……

지영옥   뭐니.

정선아   이런 말 하기 조심스러운데요, 요한 도련님이 요즘 자꾸 밖에 나
           와서 돌아다니세요. 회장님이 지하실에 있으라고 하셨는데……

주방 밖, 벽에 기대앉아 무표정한 얼굴로 듣고 있는 강요한.

S#11. 강요한의 회상, 강이삭의 방 (낮)

정선아, 주변을 살피더니 장식장 작은 서랍을 열어 뭔가를 꺼낸다. 황홀한 표정으로 정교한 세공이 되어 있는 십자가 목걸이를 쳐다본다.

강요한(E) 그건 안 돼.

정선아 (휙 돌아 노려본다)

강요한 그건 형 엄마가 남긴 유품이야. 그걸 손대면 내가 본 걸 다 얘기할 거야.

정선아 (얼른 목걸이를 서랍에 집어넣고 생긋 웃으며) 에이, 이뻐서 그냥 본 거예요. 사모님 걸 손댔다가는 회장님 손에 죽을 텐데요. (생각만 해도 무서운지 몸서리를 친다) 제가 미쳤나요.

강요한 (차가운 눈초리로 정선아를 쳐다본다)

S#12. 강요한의 회상, 강이삭의 방 (밤)

조심조심 몰래 들어오는 정선아, 장식장 서랍을 열고 십자가 목걸이를 꺼낸다. 황홀한 듯 쳐다보다가 주머니에 넣고 나가는 정선아.

S#13. 강요한의 회상, 강요한 저택 앞마당 (낮)

정선아, 기분 좋은 얼굴로 휘파람을 불며 창문을 닦다가 문득 아래를 본다. 앞마당 흔들의자에 앉아 책을 읽고 있는 강요한. 그런데, 강요한,

천천히 셔츠 앞주머니에서 뭔가를 꺼내 위로 치켜든다. 정선아가 훔쳐서 숨겨두었던 목걸이다! 공포로 얼어붙는 정선아. 강요한, 책을 덮더니 천천히 정선아를 보며 묘한 미소를 짓는다.

강요한   내가 좋아?

정선아   (얼굴이 일그러지며 어쩔 수 없이) 네.

강요한   얼마나 좋아?

정선아   네?

강요한   …내가 얼마나 좋냐구. (무시무시한 눈빛이다)

S#14. 정선아의 집, 주방 (밤)

정선아를 차갑게 노려보는 강요한.

정선아   (그제야 생각났다는 듯 장난스럽게 웃으며) 어머, 그랬었나? 도련님 기억력 좋다. 역시 똑똑해!

강요한   (뭐 이런 신박한 미친년이 있나 싶다)

정선아   (생긋 웃으며) 그래도 좋아한 건 맞아. 난 반짝반짝하는 건 다 좋아하거든. 예나 지금이나.

강요한   (정선아의 집에 가득한 수집품들을 슥 보며 피식 웃는다) 그래, 열심히 사나보네. 이젠 재단에서 하녀 노릇하며 좀도둑질하는 건가?

정선아   (순간 표정이 무섭게 일그러지며 강요한의 목을 조르듯 움켜잡았다가, 비웃듯 쳐다보는 강요한을 보더니 다시 생긋 웃으며) 에이, 도련님이야말로 대단하지. 바보 형을 제거하고는, 의심 안 받도록 그 딸내

미를 멋있게 안고 나와서 영웅 코스프레. 어우, 정말 반할 수밖에
없다.

강요한   (알 수 없는 표정으로 비웃듯 입꼬리를 올리며 차가운 미소를 짓는다)

S#15. 강요한의 저택, 서재 (밤)

김가온   왜 요한이 그랬다고 생각하니. 계기가 있었을 텐데.

엘리야   ···컴퓨터.

김가온   컴퓨터?

엘리야   열두 살 때 장난으로 요한의 컴퓨터 보안을 풀어봤거든. 숨겨놓
은 폴더가 있길래 설마 요한도? 하면서 뒤져봤지. 근데, (굳은 표
정으로) 거기에 있었어. 기부 약정 취소 신청서.

김가온   ······!

엘리야   게다가, 최초 작성 날짜가, (김가온을 쳐다보며) 불나기 일주일 전
이야.

김가온   ······!

엘리야   ···나한텐 요한밖에 남은 게 없었는데, (이를 악물어보지만 울음이
배어나오고 만다) 나한텐······

김가온, 흐느끼는 엘리야에게 다가가 가만히 안고는 천천히 등을 토닥
여준다. 어린애처럼 서럽게 우는 엘리야.

S#16. 정선아의 집, 주방 (밤)

강요한 ⋯옛날 얘긴 됐고, 용건이나 얘기하지?

정선아 재판 놀이를 하든 차경희를 찜 쪄 먹든 상관없는데, 우리 재단에
는 관심 좀 끄면 좋겠네? 지금 도련님은 남이 공들여 가꿔놓은 양
떼 목장을 건드리려 하고 있어.

강요한 (피식 웃으며) 꿈터전 어쩌고 하는 게 꽤나 반짝반짝한 사업인가
보네.

정선아 우리는 비슷한 종류잖아. 서로 영역만 침범 안 하면 재밌는 일을
많이 할 수⋯⋯

강요한 (O.L.) 나라면 그러지 않겠어.

정선아 ⋯⋯?

강요한 (묘하게 허무한 미소를 짓는다) 이런 시간 낭비. 그냥 기회 있을 때,
지금 죽이는 게 빠를걸. 다시는 날 이런 식으로 잡을 순 없을 테니
까.

정선아 (강요한을 노려보며) 정 그런 식이면.

강요한 (O.L.) 협박 같은 거 의미 없어. 나한텐, (텅 빈 눈빛으로) 아무것
도 지킬 게 없거든.

정선아 그래? (강요한의 볼을 쓰다듬으며) 아까워라. (순간 주머니에서 작은
주사기를 꺼내 강요한의 팔에 꽂는다!)

강요한 ⋯⋯!

정선아 어우. (오만상을 찌푸리며 외면한다)

강요한 (고통스러운 표정을 지으며 서서히 고개를 떨군다)

재희 (구석에서 걸어나오며) 자기가 찌르면서 그게 무슨 리액션?

정선아 (부르르 떨며) 난 세상에서 주삿바늘이 젤루 무서워! (주사기를 휙

던져버린다)

재희   (어이없다) 아, 네네.

정선아   (생긋 웃으며) 재희야, 우리 판사님, 다시 자기 차에 갖다놔줘.

재희   본인 말대로 그냥 지금 끝내는 게 어때?

정선아   (미소 지으며 고개를 젓는다) 양치기 개한테는 늑대도 필요한 거야. 강요한이 설쳐댈수록 재단 꼰대들은 나한테 의지할 수밖에 없다구.

재희   (걱정스레) 그래도 이 친구, 너무 겁이 없던데.

정선아   (기절한 강요한을 보며 픽 웃는다) 아무것도 지킬 게 없다구? (천천히 강요한의 셔츠 팔소매를 걷어 손목에 감겨 있는 십자가 목걸이를 보더니, 풀어서 자기 손에 쥐고는) 그런 인간은 없어. (묘한 미소를 띤다)

S#17. 강요한의 저택, 서재 (밤)

지친 기색의 강요한, 목걸이가 없는 손목을 힐끗 본 후, 굳은 표정으로 서재로 들어오다가 흠칫 놀란다. 담요를 뒤집어쓴 채 소파에 앉아 김가온의 어깨에 기대 쌔근쌔근 잠들어 있는 엘리야. 담요는 전부 엘리야에게 덮어주고 옆에 앉아 추운지 몸을 움츠리고 잠든 김가온. 문가에 서서 평화롭게 잠든 둘을 가만히 쳐다보는 강요한.

S#18. 강요한의 저택, 서재 (낮)

햇살에 눈을 뜬 김가온, 자기 몸에 담요가 덮인 걸 보고 놀라 옆을 보니 엘리야가 없다. 두리번거리며 엘리야를 찾으려 일어서다 샤워를 했는지 가운 차림에 머리가 젖은 강요한과 마주친다.

김가온	엘리야는요? 어젯밤엔 대체 어딜……
강요한	(O.L.) 이제 내 사생활까지 궁금한 건가?
김가온	(말문이 막힌다)
강요한	(싱긋 웃으며) 좀 터프한 여자랑 있었는데. 디테일하게 얘기해줄까? 밧줄도 사용하고.
김가온	(질색하며) 됐네요. 됐어. (나가버린다)
강요한	(피식 웃는다)

S#19. 강요한의 저택, 주방 (낮)

식탁에 앉아 재판 기록을 보는 김가온. 자다 깬 듯 부스스한 모습의 엘리야가 휠체어를 타고 스윽 들어오더니 컵라면을 주섬주섬 뜯어 뜨거운 물을 붓고는 들고 나간다. 짠하게 쳐다보던 김가온. 보던 기록을 탁 덮는다.

S#20. 강요한의 저택, 엘리야의 방 (낮)

컵라면을 책상 위에 놓은 채 멍하니 생각에 잠겨 있는 엘리야.

인서트 > 강요한의 서재, 밤.

울다가 잠들었던 엘리야, 살포시 깨서 옆을 본다. 담요는 전부 엘리야에게 덮어주고 옆에 앉아 어깨를 내어준 채 추운지 몸을 움츠리고 잠든 김가온. 엘리야, 뭉클한 표정으로 김가온을 본다.

쿵쿵쿵, 엘리야의 방을 노크하는 김가온. 엘리야, 얼른 평소의 시크한 표정으로 방문을 연다.

엘리야	왜?
김가온	내려와.
엘리야	어딜?
김가온	밥 먹으러.
엘리야	밥?
김가온	이 집 식구들한테 질렸다. 인간답게 밥 좀 먹자. 얹혀사는 죄로 내가 좀 해놨으니 빨랑 와. (서재 쪽을 향해) 부장님도 빨리 내려와요!

성큼성큼 걸어 주방 쪽으로 계단을 내려가는 김가온. 엘리야의 시선, 홀린 듯 김가온의 뒷모습을 따라가다가 김가온이 사라지니 잠시 멍하고 있다가 시선이 느껴져서 문득 돌아본다. 강요한, 팔짱을 낀 채 관찰하듯 엘리야를 쳐다보고 있다.

엘리야	(얼른 외면하며 시크하게) 뭐, 뭐야, 누가 밥 해달랬대? 오지랖은.
강요한	…입꼬리가 웃고 있다.
엘리야	(올라간 입꼬리를 얼른 내리며 짜증스럽게) 뭐래!
강요한	(싱글거리며 엘리야를 쳐다본다)

엘리야	뭐, 뭐야! 그 불쾌한 표정!
강요한	아니, 그냥 신기해서.
엘리야	뭐가!
강요한	김가온 뒤꽁무니를 왜 그렇게 아련하게 쳐다보시는지.
엘리야	(으르렁대며) 내가 언제!

이때, 갑자기.

| 김가온(E) | (1층에서 들려오는 외침) 내려오라니까! |
| 엘리야 | (자기도 모르게 반사적으로 착한 아이같이) 네! |

자기도 모르게 대답하고는 민망해서 강요한을 외면하는 엘리야. 싱글 거리며 그런 엘리야를 빤히 쳐다보는 강요한.

| 강요한 | (엘리야의 휠체어 옆을 지나며 비꼬듯) 네~ 에~ 에? |
| 엘리야 | (발끈하며 강요한의 등을 퍽 친다) 죽~ 는다! |

S#21. 강요한의 저택, 주방 (낮)

황당한 표정의 강요한과 엘리야. 식탁에 앉아 있는 두 사람 앞에 산더미 처럼 음식이 쌓여 있다. 소고기뭇국, 제육볶음에 연어구이, 두부전, 나물무침…… 앞치마 차림의 김가온이 두 사람 앞에 척척 접시를 내려놓 는다.

김가온   (앞치마를 벗고 자리에 앉으며) 자, 오늘은 시간이 부족했으니 간단히.

엘리야   (황당하다) 이게 간단한 거야?

냉장고   연어 좀더 주문해놓을까요, 가온 주인님?

김가온   (아무렇지도 않게) 응. 샐러리도.

강요한   (어이없다는 표정으로 김가온과 냉장고를 차례로 본다)

엘리야   (뾰로통하게) 뭐야, 한식이잖아.

김가온   싫어해?

엘리야   (심드렁히) 난 전생에 기미 상궁이었나봐. 한식이 너무 싫어. 기미하다가 독 처먹고 죽었을 거야.

김가온   그래? 그럼 말고. (엘리야 앞의 수저를 치우려 한다)

엘리야   (재빨리 수저를 집어들며) 얼마나 별론지 맛은 봐주지. (소고기뭇국을 한입 먹더니 표정이 밝아지며) 어?

김가온   (픽 웃으며) 독은 없을 거야. (팔짱 끼고 쳐다보고만 있는 강요한을 향해) 뭐해요? 음식 앞에 놓고.

강요한   (시큰둥한 표정으로) 전에도 말했지만 난 맛이란 걸 잘 몰라. (제육볶음을 집어 입으로 가져가 천천히 씹으며) 그저 씹어 삼킬 뿐이지.

Cut to

산더미 같던 음식 대부분이 없어졌다.

김가온   (빈 접시들을 보고 있다) 맛, 잘 모르는 거 맞는 거죠?

강요한   (두부전을 통째로 집어먹다가 목에 걸려) 쿨럭.

엘리야   (젓가락을 내려놓으며) 근데 갑자기 왜 이러는 거야?

김가온	말했잖아. 밥값은 해야지. 얹혀사는 처지에.
엘리야	미리 말해두지만 동정 같은 거, 사양이야.
김가온	(피식 웃으며) 그런 사치스러운 입장이 못 돼. (주방으로 가더니 과일을 썬다)
엘리야	(과일을 썰고 있는 김가온의 등을 쳐다보다가) 요리는 어디서 배웠어?
김가온	(솜씨 좋게 착착 과일을 썰며) 배우긴.
엘리야	그럼?
김가온	식당집 아들 16년에 자취생 13년이야.
엘리야	(가만히 김가온을 보다가 혼잣말처럼) 왜 16년이지?
김가온	(과일을 썰다 흠칫하며 멈춘다)
엘리야	식당집 아들이면 계속 식당집 아들 아닌가? 부모님이 식당 그만두셨어?
강요한	(김가온을 본다)
김가온	(얼굴을 돌리지 않은 채 잠시 멈췄다가 다시 태연하게 과일을 썰며) 뭐, 그냥. 그렇게 됐어. (이때 주방 입구 쪽에서 뭔가 툭 떨어지는 소리가 나서 돌아본다)
지영옥	(손가방을 바닥에 떨어뜨린 채 입을 떡 벌리고 세 사람을 바라보며) 이거 뭐죠?
김가온	(반갑게 돌아보며) 오셨어요!
지영옥	(천천히 고개를 돌려 강요한을 보며) 도련님.
강요한	(모른 척 계속 먹는다)
지영옥	이 집에 안 어울리는 이 생소한 단란함, 뭐죠?
강요한	(외면한다)
지영옥	(분한 듯) 제가 하는 음식엔 수저 한번 안 대시면서 어떻게……

김가온	아, 아주머니 건 여기 따로 빼놨는데.
지영옥	(바로 김가온 쪽으로 돌며) 제가 가져가겠습니다. 가온 도련님.
강요한	(황당해하며 지영옥을 힐끗 본다) 도련님?

S#22. 강요한의 저택, 엘리야의 방 (밤)

똑똑, 노크하는 김가온.

엘리야	들어와.
김가온	아직 안 자지?
엘리야	(도도하게) 소화시키는 중. 맛은 나쁘지 않았는데 내가 그리 많이 먹는 타입이 못 되어서.
김가온	그렇구나. 그거 삼 일 치였는데.
엘리야	(날카롭게) 과장할래?
김가온	내일 시간 있니?
엘리야	어? 글쎄…… (새침하게) 좀 체크해봐야 될 것 같은데. 근데 왜?
김가온	…괜찮다면 누굴 좀 만나게 해주고 싶어서.
엘리야	(왠지 실망하며) 아, 누구랑 같이? (김가온의 시선을 느끼곤 얼른 태연하게) 근데 누구?
김가온	내 친구야.
엘리야	친구?

S#23. 카페 테라스 (낮)

명함을 받아들고 윤수현을 빤히 보고 있는 엘리야. 윤수현 옆에는 김가온이 앉아 있다.

윤수현   (웃으며) 반가워요. 가온이한테 얘기 많이 들었어요. (김가온을 힐끗 보며) 이 인간이 남 걱정을 그리 해주는 타입이 아닌데.

김가온   어허, 사실 왜곡은 하지 말고.

엘리야   (잘 어울리는 윤수현과 김가온을 보니 괜히 뾰로통해진다. 그러다 불쑥) 무슨 사이예요?

김가온   (당황한다) 그건 왜……

윤수현   친구예요. 가온이가 얘기 안 했어요?

엘리야   얘기 안 했어요. 이렇게, (윤수현을 보며) 이쁜 친구라는 건.

김가온   이쁘긴 뭐가, 흡!

윤수현   (웃으며 팔꿈치로 김가온 옆구리를 가격하며) 에이, 나보다 훨씬 이쁘면서 뭘~

엘리야   (새침하게) 그렇긴 해요.

윤수현   (당황하며 '애 뭐지?'라는 표정으로) 아, 예……

김가온   (엘리야를 가만히 보며) 내가 오버한 거면 미안한데, 왠지 너한테 언니가 한 명 있었으면 해서.

엘리야   (김가온을 빤히 본다)

김가온   얘가 가끔 난폭해서 그렇지, 듬직하긴 해.

윤수현   (김가온을 째려보며) 맞고 싶냐?

김가온   봤지?

엘리야   (자기도 모르게 고개 돌리며 픽 웃는다)

김가온	(엘리야가 웃으니 안심하며 미소 짓는다)
윤수현	우리, 다음엔 여자들만의 시간을 좀 가질까요? 에유, 집에 온통 이상한 아저씨들밖에 없으니 얼마나 답답할까.
김가온	저기, 아저씨들은 아니지. 아저씨 하나랑 오빠 하나.
윤수현	(김가온은 무시하고 엘리야 옆으로 옮겨 앉으며) 친해지게, 말 좀 편하게 해도 될까요? 날 언니라고 불러도 좋고.
김가온	그래, 그게 좋겠다.
엘리야	(윤수현을 빤히 보며) 싫은데요.
윤수현	네?
엘리야	(도도하게) 저, 어린애 아니에요. 4년만 있으면 스물이고.
윤수현	(김가온 앞에서 기를 쓰고 도도하게 구는 엘리야의 속마음이 보인다. 귀여워서 자기도 모르게 미소를 지으며) 네. 알겠어요. 엘리야씨.
엘리야	(어느새 괜히 기분이 좋다. 씩 웃으며 아이같이 빨대로 음료수를 쪽 마신다)
윤수현	(엘리야의 눈치를 살피더니 슬쩍 떠보듯이) 그런데, 그 컴퓨터에서 찾았다는 파일, 혹시 갖고 있어요?
엘리야	(흠칫 놀라며) 아뇨.
김가온	(놀라 윤수현에게 눈짓을 하며) 수현아! 그런 걸 뭐하러 물어봐.
윤수현	(강요한에 대한 뿌리 깊은 의심과 형사 본능이 발동했다) 어, 아니 그냥, 혹시나 해서……
김가온	(이미 강요한을 믿는 김가온은 엘리야가 오해한다고 생각중이다) 엘리야, 전 재산을 기부한다는 게 좀 지나친 일이잖니. 널 위해서 취소했을 수도 있는 거야. 문서 작성 날짜라는 게 꼭 정확한 것도 아니고……
윤수현	글쎄, 난 정확히 짚고 가는 게 좋을 것 같은데……

엘리야	(뭐라고 말하려다가 갑자기 앞을 보고는 놀란다)

엘리야의 시선을 따라가다 놀라는 윤수현과 김가온. 무시무시한 표정의 강요한이 성큼성큼 다가오고 있다.

김가온	(놀라 벌떡 일어서며) 부장님!

강요한, 다짜고짜 김가온의 얼굴에 주먹을 날린다. 쿵 쓰러지는 김가온.

윤수현	가온아! (벌떡 일어나 김가온 앞을 막아선다)

카페 안 사람들, 모두 놀라 쳐다보며 웅성거린다.

엘리야	(얼굴이 흙빛이 되어 기어들어가는 목소리로 강요한을 말리려든다) 그만해…… 제발……
강요한	(윤수현과 김가온을 무섭게 노려보며) 이 아이한테 접근하면 가만두지 않겠어. 그게 누구든.
엘리야	(그저 이 상황이 너무 창피하고 괴롭다) 제발 좀……

기세에 압도당해 주춤한 김가온과 윤수현을 뒤로한 채, 엘리야의 휠체어를 휙 거칠게 밀고 사라지는 강요한.

S#24. 강요한의 차 앞 (낮)

강요한, 뒷좌석 문을 열고 엘리야를 차에 태우려 한다.

엘리야   안 타.

강요한   (노려보며) 뭐?

엘리야   (극도의 분노로 눈에 눈물이 살짝 고인 채로 강요한을 밀치며 버럭 소리 지른다) 안 탄다고!

강요한   (단호하게) 철없이 굴지 마.

엘리야   내가 니 장난감이야?! 이 꼴로 있으니까 만만해?!

강요한   (늘 듣던 소리다. 묵묵히 다시 차에 태우려 몸을 굽힌다)

엘리야   (굴욕감과 분노에 눈물이 흘러내린다. 혼잣말처럼 자기도 모르게 속마음을 드러낸다) 꼭 이런 꼴을 보였어야 했어?

강요한   (순간 한 대 얻어맞은 것 같다. 티내지 않으려 하지만 눈빛이 흔들린다)

김가온(E)   엘리야!

돌아보니, 아까 순간 주춤했던 김가온과 윤수현이 뛰어오고 있다.

윤수현   엘리야씨!

엘리야   (참담한 표정으로 나지막이) 뭐해. 빨리 가, 그냥.

강요한   (살짝 한숨을 쉬고는 멍하니 있는 엘리야를 안아 차에 태우고 문을 닫는다)

김가온과 윤수현, 도착하지만 차는 출발하고, 엘리야는 평소처럼 무표정하게 앞만 보며 두 사람을 외면한다. 멍하니 보는 김가온과 윤수현.

S#25. 정선아의 집 (밤)

통유리창에 비치는 한강변의 화려한 야경을 배경으로 거실 곳곳에 호사스러워 보이는 최고급 음식과 와인, 샴페인이 고급스럽게 세팅되어 있다. 빙 둘러싸듯 배치된 최고급 소파들에는 로마 귀족들처럼 정선아와 피향미, 김삼숙이 잔을 들고 편안한 자세로 앉아 있다. 이들 양옆으로 이십대에서 삼십대로 보이는 다양한 개성의 미남들이 앉아 있다. 단정한 검은색 정장 차림의 젊은 여성(재희)이 정선아 뒤에 서 있다.

김삼숙 (호들갑 떨며) 어머머머~ 요즘 친구들은 뭘 먹고 자랐길래 이렇게 이쁘다니?

피향미 (옆에 앉은 남자를 보며) 얘, 넌 아이돌이라구?

아이돌 (씩씩하게) 네, 누나. (손하트 3종 세트 애교 발사)

피향미 (귀여워 죽겠다는 듯) 그래그래~ 넌 타고났구나. 잘한다. 빌보드 가겠다.

재희 (정선아에게 속삭인다)

정선아 (놀라며) 언니들 잠시만. (자리에서 일어선다)

즐겁게 건배하며 깔깔대는 여사님들과 남자들.

피향미 (무심코 뒤를 돌아보고는 놀라 눈이 커지며) 어?

무표정한 얼굴의 차경희가 들어온다. 사람들, 놀라 일제히 자리에서 일어선다. 차경희, 피향미가 앉아 있던 상석에 천천히 앉는다. 정선아가 탁자 위 고급스러운 박스에서 시가를 꺼내 내민다. 시가를 받아드는 차경희, 시가 커터로 능숙하게 끝을 잘라내고는 얼음장같이 차가운 눈으로 좌중을 둘러본다. 움츠러드는 피향미와 김삼숙. 차경희 옆자리에 있던 남자가 겁에 질린 표정으로 얼른 탁자 위의 시가용 앤티크 성냥갑에서 성냥을 꺼내 긋는데, 손이 떨려서 불이 잘 붙지 않는다.

S#26. 정선아의 집 (밤)

긴장한 피향미, 김삼숙. 차경희를 주시하고 있다. 남자들은 모두 내보내고 없다.

차경희   (천천히 시가를 끄더니) 용건만 말하지. 검찰에 출두할 준비들 하고 있어.

피향미   (경악하며) 언니!

김삼숙   언니! 아니, 장관님! 아니 그게 무슨 말씀이세요!

차경희   (무표정하게) 꿈터전 마을 2차 단지가 들어설 판자촌 땅, 열심히도 사 모아놨던데. 차명으로.

피향미와 김삼숙, 얼어붙는다.

차경희   나라 살리자는 사업이야. 비공개 정보 빼돌려서 당신들 재산 불리자는 사업 아니라고. 욕심이 과했어. (자리에서 일어선다)

피향미, 차경희의 옷자락을 붙잡고 매달린다.

피향미	(울며) 살려줘요! 언니, 우리가 이런 사이 아니었잖아!
김삼숙	혹시 우리한테 서운해서 이러시는 거면 오해 푸세요!
피향미	우린 그냥, 영민이 일 때문에 힘드실 것 같아서 요즘 좀 뜸했던 것 뿐이에요, 진짜예요!
차경희	(옷자락을 잡고 있는 피향미에게 건조하게) 좀 놓지?
피향미	네? (차가운 시선에 움츠리며 얼른 놓는다)

차경희, 뚜벅뚜벅 걸어 나간다.

정선아	(파랗게 질린 얼굴로 따라가며) 장관님, 그러지 마시고 조금만 더 말씀을 나눠보시는 게.

문 쪽으로 사라지는 두 사람. 문 닫히는 소리 들리고, 피향미와 김삼숙, 울상으로 주저앉아 있다.

피향미	언니, 이 일을 어쩌지?
김삼숙	이거 터지면 우리 민보그룹 박살나.
피향미	우리 방송국이 꿈터전 사업 모금 방송을 얼마나 해댔는데……

정선아, 돌아온다.

피향미	(황급히) 정이사, 우리 어떡해?
김삼숙	응, 뭐 방법이 없을까?
정선아	(심각한 표정으로) 아무래도 차장관님이 재단 운영에서 소외되고 있다고 느끼신 것 같아요.

피향미	(걱정스레) 역시 그렇지?
정선아	이건 서선생님이 나서주셔야 풀 수 있을 것 같은데…… 재단 사업 때문에 생긴 일이라.
김삼숙	(정선아의 손을 잡으며) 그래! 정이사가 잘 좀 말씀드려봐줘. 그 땅, 전부 재단에 헌납할게.
피향미	(헌납이라는 말에 움찔한다) 어, 전부?
김삼숙	(사납게 노려보며) 부부 동반으로 검찰 갈래? 차경희 독 품었던데?
피향미	(울상으로) 알았어. 우리도 헌납할게. 잘 좀 말해줘.
정선아	(두 여사의 손을 잡으며 결심한 듯) 네, 최선을 다해볼게요. 언니들 일이잖아요.
피향미	(와락 정선아를 끌어안으며) 선아야!

피향미를 안고 알 수 없는 표정으로 등을 가만히 토닥거려주는 정선아.

S#27. 정선아의 집, 엘리베이터 앞 (밤)

조금 전 상황. 정선아의 집에서 나와 엘리베이터 앞에 서 있는 차경희와 그 옆에 서 있는 정선아.

차경희	…이 정도면 된 건가.
정선아	네, 서선생님도 만족하실 거예요.
차경희	(피식 웃으며) 그런데, 누가 진짜 서선생이지?
정선아	네?

차경희	뻑하면 기도한다고 잠수 타는 그 영감인가, 아니면…… (정선아를 응시한다)
정선아	(순간 긴장했다가 생긋 웃으며) 그게 중요하세요?
차경희	(예상치 못한 답에 풋 웃고는) 하긴. (도착한 엘리베이터에 타며) 강요 한 이나 잡아. 큰소리친 대로.
정선아	(묘한 미소를 짓는다)

S#28. 정선아의 집 (밤)

다시 6부 26신 상황으로 연결. 피향미를 안고 등을 토닥여주는 정선아.

정선아	(속삭이듯) 제가 지켜드릴게요. 꼭.
피향미	(따뜻한 정선아의 말에 참던 눈물이 터진다) 흑.
김삼숙	(차경희의 협박에 겁에 질린 채 정선아에게) 검찰 출두만은 제발 좀 막아주라. 우리 애 아빠, 엄청 센 척하지만 사실 완전 쫄보야. 협심증도 있는데 조사받다 무슨 일이라도 나면 어떡해. (울상 짓는다)
피향미	우리 영감도 그래. 카메라 울렁증이 있는데 기자들 앞에 세우면……
정선아	(미소 지으며) 네네, 걱정들 말아요, 제가 어떻게든 해볼게요. 서 선생님이 계시잖아요. 일단 기다려보세요. (자연스럽게 문 쪽으로 둘을 유도한다)
피향미	(문 쪽으로 가면서) 그럼, 정이사만 믿고 있을게~
김삼숙	필요한 거 있으면 뭐든 얘기하고~

정선아   네에에~ (둘을 내보내고는 돌아서서 차갑게 피식, 비웃는다) 우리 애
　　　　아빠, 우리 영감…… 눈물겹다, 진짜. (천천히 화장대 쪽으로 가더
　　　　니 강요한에게서 빼앗은 십자가 목걸이를 들어 만지작거리며) 자, 우리
　　　　도련님은 진짜 아무것도 지킬 게 없으신지 (생긋, 장난스럽게 웃으
　　　　며) 좀 알아봐야겠네?

S#29. 강요한의 저택, 서재 (밤)

　　　　심각한 표정으로 책상 옆에 서서 K와 통화중인 강요한.

K(F)   다친 덴 없으신 겁니까?

강요한   …제대로 미친년이던데. 내가 방심했어.

K(F)   보안 강화하고 정선아 쪽 움직임, 체크하겠습니다.

　　　　이때 김가온, 머뭇거리며 서재로 들어온다. 전화를 끊는 강요한.

김가온   저기, 아까는……

강요한   (차갑게 O.L.) 서울지방경찰청 광역수사대 광역1팀 윤수현 경위,
　　　　경찰대 차석 졸업.

김가온   (놀라 커지는 눈)

강요한   (김가온을 이글이글 노려보며 계속한다) 거주지 서울 노원구 상원동
　　　　2700-2, 동거가족 부 윤주원 64세, 모 주은정 59세.

김가온   (소름이 끼친다. 책상을 내리치며) 지금 뭐하는 겁니까!

강요한   (잡아먹을 듯 다가서서 노려보며) 엘리야를 끌고 나가서 경찰을 만

나게 해?

김가온 (멈칫하며) 그건 그냥 엘리야가 너무 외로울 것 같아서……

강요한 (위협적으로) 경고했을 텐데. 난 내 앞을 막는 것들을 치우는 데 아무 망설임이 없어. (이를 드러내며 씩 웃는다)

김가온 (소스라쳐 자기도 모르게 강요한의 멱살을 잡는다) 멋대로 넘겨짚지 마! 수현이 털끝 하나라도 건드리면!

강요한 (재미있다는 듯 미소 지으며) 궁금해지는데? 어떻게 되는지. (김가온 귓가로 얼굴을 기울이며 속삭이듯) 건드리면?

김가온, 흥분하며 멱살 쥔 손에 불끈 힘이 들어가는데, 강요한, 아무렇지도 않게 김가온의 팔을 휙 돌리듯 쳐내 멱살을 풀고는 오히려 김가온의 팔을 뒤로 비틀어버린다. 김가온, 고통스러운 표정으로 버티는데, 강요한, 툭 밀어버리고 뚜벅뚜벅 걸어나간다. 분노한 표정으로 강요한을 쳐다보는 김가온.

S#30. 대법원 정문 앞 (낮)

걱정에 잠긴 표정으로 걸으며 통화중인 김가온.

김가온 수현아, 내 말 좀 들어! 위험하니까 우선 조심 좀 하고!

윤수현(F) 아이고 알았어요. 알았어, 시크한 김가온 어디 간 거야 진짜.

김가온 (짜증스럽게) 장난 아니래니까 얘가 진짜.

김가온, 지난번 민정호와 나가다 무심코 봤던 (배달용으로는 지나치게 좋은) 배달 오토바이가 눈에 띄자 번뜩! 어제 본 사진이 떠올라 멈춘다. 수위실에서 배달원이 나오자 얼른 옆으로 숨는 김가온.

김가온 　(목소리를 낮추며) 다시 할게. (전화를 얼른 끊는다)

라이더 재킷, 검은 헬멧에 얼굴 수건을 쓴 배달원, 그릇을 배달통에 넣고는 바로 떠나지 않고 자꾸 내려오는 사람들을 살핀다. 긴장한 표정으로 숨어서 지켜보는 김가온. 민정호 대법관이 정문을 나서서 횡단보도를 건너가자 비로소 출발하여 민대법관이 들어간 골목 쪽으로 가는 오토바이.

S#31. 음식점 밖 (낮)

룸 안에서 진지한 표정으로 누군가와 얘기를 나누고 있는 민정호. 창문을 통해 이 모습을 촬영하는 배달원. 김가온, 갑자기 뒤에서 배달원의 목을 조르며 핸드폰을 빼앗으려든다. 배달원, 유도 기술로 김가온의 팔을 잡아 업어치기를 하고는 냅다 오토바이로 뛰어간다. 그런데 꽂아두었던 키가 없다!

김가온 　(엉덩이가 아픈지 얼굴을 찡그리며 오토바이 키를 흔들어 보인다) 바이커라면 자기 키는 잘 간수해야지.

배달원, 잠시 당황했다가 마침 지나가는 택시 앞을 두 팔을 벌리며 가로막는다. 끼익~ 소리 내며 급정거한 택시 기사, 열받아서 문을 열고 나오며 말한다.

택시기사   야, 이 미친 새끼, 억!

배달원, 기사를 휙 던져버리고 택시에 올라타서는 액셀을 밟는다. 김가온, 자기 손에 든 키와 음식점의 민정호를 보며 순간 망설이다가, 오토바이로 달려가서 시동을 건다. 부르릉~ 배기음을 내며 총알같이 튀어나가는 오토바이.

S#32. 골목길 (낮)

골목길을 요리조리 빠져나가는 택시와 뒤쫓는 김가온. 비행청소년 시절 실력을 최대한 발휘해 요리조리 장애물을 다 피해 간격을 좁히다가, 계단 위에서 점프해 도망가는 택시 앞을 가로막는다. 택시, 후진하다가 전봇대를 들이받고 멈춘다. 김가온, 의기양양한 표정으로 오토바이에서 내려 택시 쪽으로 다가가는데, 택시 뒤에서 나타난 검은색 차량 한 대가 끼익 소리를 내며 급격히 김가온과 택시 사이로 끼어든다. 놀라 뒤로 피하며 쓰러지는 김가온. 그사이 택시에서 내린 배달원은 차량에 올라타고, 차량은 바로 출발해 사라진다. 사라지는 차량을 멍하니 바라보는 김가온.

S#33. 한적한 도로변 (낮)

갓길에 멈추는 검은색 차량. 문이 열리더니 배달원(재희)이 내려서 헬멧을 벗고는 눌린 머리칼을 흔들어 정리한다. 운전석에서 내리는 정선아.

재희	(투덜거리며) 언니, 하란 대로 김가온 눈에 띄긴 했는데, 굳이 이래야 돼?
정선아	(미소 지으며) 씨앗을 뿌리는 거야.
재희	씨앗?
정선아	의심이라는 게, 한번 싹을 틔우면 무럭무럭 자라기 마련이거든.
재희	…정성이다. 하여튼 강요한 일이라면.
정선아	(천진난만한 표정으로 응석부리듯) 왜~ 재밌잖아.
재희	(졌다는 듯) 네네, 알았습니다. 난 그럼 다음 타깃한테 가볼게.
정선아	수고. 그럼, 나도 좀 가볼까?
재희	씨 뿌리러?
정선아	(생긋 웃는다)

S#34. 음식점 밖 (낮)

식사를 마치고 나오다가 김가온을 보고 놀라는 민정호.

Cut to

길을 걸으며 얘기중인 김가온과 민정호.

민정호   위험하게 그런 놈을 왜 쫓아가!

김가온   (걱정스레) 그보다, 대체 누가 교수님을 감시하는 걸까요.

민정호   (심각한 표정으로) 강요한 아닐까.

김가온   네?

민정호   …실은 내가 요즘 뜻있는 분들을 만나서 얘기를 좀 나누고 있다. 강요한이 벌이는 짓들에 대해 걱정하는 분들이지. 방금도 언론사에 있는 분을 만난 거고.

김가온   ……!

민정호   너도 저번에 식당 앞에서 봤잖냐. 꼬마들이 태형 흉내내며 노는 거. 애들한테는 모든 게 다 TV에서 본 신기한 장난인 거야. 고등학교마다 아주 난리라더라. 만만한 애들 상대로.

김가온   (굳은 표정으로 이야기를 들으며 걷다가 뭔가를 보고 놀라며 O.L.) 조심하세요! (팔로 민정호를 뒤로 밀친다)

옆에서 튀어나온 작은 오토바이가 끼이익 멈춘다. 운전자를 노려보는 김가온. 얼른 헬멧을 벗고 꾸벅 허리를 굽히는 운전자는 의외로 머리가 하얀 할머니다.

할머니   에구 죄송해요! 다친 데 없으시죠?

민정호   (미소 지으며) 괜찮습니다. 어여 가보세요.

할머니   (활짝 웃으며) 네.

민정호   (미소를 띤 채 할머니가 오토바이를 몰고 가는 걸 보면서) 그런데 너, 진짜 자전거로 택시 쫓아간 거 맞냐?

김가온   (순간 놀라 딸꾹질을 하고는 얼른 능청스럽게) 아 그렇다니까요! 이 허벅지 좀 보세요 쫌! (허벅지에 힘을 주며 툭툭 친다)

S#35. 법원 건물 앞 계단 (낮)

오진주, 피곤한 기색으로 계단을 내려오다가 순간, 계단을 헛디뎌 미끄러진다!

오진주   어, 어……!

겁에 질려 앞으로 휘청하는데 누군가 뒤에서 강하게 팔로 허리를 감아 붙잡아준다. 그리고 오진주의 귀에 속삭이듯 들려오는 다정하면서도 위험한 목소리.

정선아   조심하셔야죠.

뜻밖의 목소리에 놀라 휙 돌아본 오진주, 정선아와 눈이 마주친다. 오진주, 정선아에게 묘한 자세로 안겨 있다.

오진주   (당황하면서) 어머, 정이사님?
정선아   (싱긋 웃으며) 위험했잖아, 그쵸?

순간, 홀린 듯 멍하니 정선아를 쳐다보던 오진주, 황급히 정신을 차리곤 정선아의 품에서 빠져나온다.

오진주   아, 내 정신 좀 봐. 죄송해요. 근데 웬일로 대법원에 오셨어요?
정선아   만나뵐 분이 있어서요. 재단 일로. 그런데 오늘 제가 운이 좋네요. (오진주를 빤히 보며) 꼭 또 한번 뵙고 싶던 분과 이렇게 딱 마주치다니.

오진주   (어리둥절하다) 저…… 를요?

정선아   (생글거리기만 한다)

S#36. 대법정 앞 로비 (낮)

역대 대법원장의 초상화가 양쪽으로 줄지어 있는 로비를 걷는 정선아
와 오진주. 로비 끝에는 웅장한 대법정 문이 보인다.

정선아   오판사님 인기가 대단하시던데요? 완전 스타세요.

오진주   에이, 제가 뭘요. 우리 부장님이 스타시지.

정선아   제일 친근하고, 인간적인 판사님이라고 난리예요. 약자들의 처지
         를 잘 알아주시고.

오진주   알아주긴요. 그냥 제가 그렇게 살아와서 아는 거죠.

정선아   (미소 지으며) 그럴 줄 알았어요.

오진주   (힐끗 정선아를 본다)

정선아   흙수저 눈엔 흙수저가 보이는 법이거든요. 레이더같이.

오진주   (의외라는 표정으로) 정이사님도?

정선아   (미소만 짓다가 시선을 돌리며) 그런데 좀 이상하지 않아요?

오진주   (정선아의 시선을 따라 보면서) 네?

정선아   (줄지어 늘어선 대법원장 초상화들을 보며) 왜 전부 다 근엄한 표정
         의 아저씨들뿐일까요? 단 한 명도 예외 없이.

오진주   그야 뭐.

정선아   (걸음을 딱, 멈추며 O.L.) 욕심내봐요.

오진주, 정선아를 가만히 본다. 어느새 대법원장 초상화들이 줄지어 선로비 끝까지 와서 대법정 문 앞에 선 두 사람. 정선아, 웅장한 대법정 문을 힘을 주어 밀어 연다.

정선아   전에도 말씀드렸죠? 제가 보는 시범재판 속에선 (오진주를 바라보며) 판사님이 제일 빛났어요. 반짝반짝.

오진주   (정면에 보이는 정의의 여신상, 그리고 정선아의 유혹하는 듯한 미소를 번갈아 멍하니 바라본다)

S#37. 강요한의 저택, 서재 (밤)

굳은 표정의 김가온, 서재 문 쪽에서 강요한을 엿본다. 큰 스크린 화면으로 죽창 유튜브를 보고 있는 강요한.

죽창(E)   (잔뜩 흥분해서) 쓰레기들에게 태형을! 우리 죽창부대 여러분, 오늘도 달립시다!

영상에는 죽창과 똑같이 빡빡 민 머리에 시커먼 강요한 티셔츠, 그리고 검은색 마스크를 한 청년 셋이 지하철역 바닥에 쓰러진 중년 남자를 얇은 몽둥이로 신나게 구타하다가 경찰 소리가 들리자 얼른 도망가는 모습이 나온다.

죽창(E)   몰카범, 소매치기, 깡패 새끼들! 싹 쓸어버립시다! 우리가 권력이다! 대~ 한민국! (박수 친다. 짝짝짝 짝짝!)

전환된 화면에서는 온통 몸에 문신을 한 덩치 큰 사내 한 명을 가운데 몰아넣고 짐승 사냥하듯 에워싸서 몽둥이로 위협하는 죽창부대 예닐곱 명이 나온다. 강요한, 동물 관찰하듯 무표정하게 화면을 보고 있다. 굳은 표정으로 그런 강요한을 보는 김가온.

S#38. 은행 ATM 기기 (밤)

등산 모자를 눌러쓴 장기현(1부 독극물 방류 사건 공장 책임자, 증인), 불안한 눈초리로 주변을 살피며 자기앞수표를 잔뜩 인출하고 있다.

S#39. 윤수현의 차 안 (밤)

윤수현, 차 안에서 장기현을 감시하고 있다.

윤수현　(혼잣말로) 안전박사님, 공장 폐수 관리는 안 하시고 뭐하시나? 증언하고 일당 좀 챙기셨나?

S#40. 은행 ATM 기기 (밤)

휴지통을 뒤져 꺼낸 찢은 명세서 조각을 ATM 화면 위에 올려놓고 조심스레 맞춰보는 윤수현.

| 윤수현 | 여섯, 일곱, 여덟, (눈이 휘둥그레진다) 공이 몇 개야 이거? |

누군가 망원렌즈로 윤수현을 촬영하고 있다. 찰칵찰칵 소리와 함께 정지화면 이어진다.

- 명세서를 보는 윤수현.
- ATM 있는 곳에서 나오는 윤수현.
- 자기 차에 타는 윤수현.
- 핸드폰을 꺼내 전화를 거는 윤수현.

S#41. 강요한의 저택, 김가온의 방/은행 ATM 교차 (밤)

김가온	응, 수현아.
윤수현	장기현 기억나지? 안전박사.
김가온	주일도 사건 증인?
윤수현	응. 아무래도 인심 후한 물주가 계신 거 같아.
김가온	(도청했던 기억을 떠올린다)
강요한	(V.O.) 박사는 만났고?
김가온	…강요한?
윤수현	확인해봐야지. 계좌 추적 영장 받아보려고.
김가온	(다급하게) 수현아! 위험해. 강요한이 네 인적사항을 줄줄이 꿰고 있어! 너희 집 주소에 부모님 성함까지.
윤수현	…가온아.
김가온	응.

윤수현   나 경찰이야. 조폭이 우리집 안다고 아무것도 안 하면 되겠니?

김가온   수현아……

S#42. 배석판사실 (낮)

생각에 잠긴 김가온. 윤수현에게 무슨 일이 생길 것만 같은 두려움에 불안 초조하다. 방문이 열리고 오진주, 툴툴거리며 들어온다.

오진주   우리 부장님, 요즘 좀 이상한 거 같지 않아?

김가온   예?

오진주   다음 시범재판 할 사건 후보 몇 개 뽑아서 갔는데 거들떠도 안 보고 그냥 놓고 가라는 거야. 뭔가 다른 데 정신이 팔려 있는 거 같아.

김가온   (강요한은 대체 뭘 하고 있는 걸까, 머릿속이 복잡하다)

오진주   (투덜대며) 같은 재판분데, 걱정거리가 있으면 좀 공유하고 그래야지, 우배석판사가 영 못미더우신 건가…… 사람 무시하는 것도 아니고. 김판사 보기엔 어떤 거 같아?

김가온   (머리가 복잡해서 오진주의 말이 들리지 않는다)

오진주   김판사? (김가온까지 묵묵부답이자 순간 짜증스럽게) 김가온!

김가온   (번뜩 정신이 들어) 네? (오진주를 보며) 죄송해요, (쑥스럽게 웃으며 말을 돌린다) 어제 늦게 잤더니 잠이 부족해서……

오진주   (불만스러운 표정) 미드라도 봤어? 다들 한가하셔. 지금이 중요한 시간인데. 대중이 열광할 때 팍팍 치고 나가야는데……

김가온   (표정이 굳는다)

S#43. 광수대 팀장(조민성)의 사무실 (낮)

조민성　(신경질적으로) 야, 윤수현이, 자꾸 쓸데없는 소리 할래? 강요한
　　　　계좌를 추적하자고? 지금 너 제정신이야?!

윤수현　말씀드렸잖습니까, 증인 매수를 의심할 만한 정황이.

조민성　(O.L.) 계좌에 돈 좀 있다고 매수냐?

윤수현　장기현은 금전적으로 어려운 상황이었습니다. 봉급이 가압류되
　　　　고 있었고.

조민성　너 도대체 무슨 짓을 하고 다니는 거야?

윤수현　……

조민성　지금 강요한 잘못 건드렸다간 우리 모가지가 문제가 아니야, 경
　　　　찰청 해체하라는 소리 나온다고. (답답하다는 듯) 그 사람, 영웅이
　　　　야. 국민적 영웅. 알아?

S#44. 강요한 부장판사실 (낮)

심각한 표정으로 통화중인 강요한.

K(F)　(다급한 어조로) 장기현 계좌 내역을 자꾸 파고들고 있습니다.

강요한　성가신 여자네.

K(F)　자금 이동 과정도 이미 파악되었을 가능성이 있습니다. 어떻게
　　　　할까요.

강요한　(뭔가 생각하듯 손가락을 타닥타닥 책상에 튕기다가 딱 멈추며) 실행해.
　　　　(전화를 끊는다)

S#45. 배석판사실 복도 (낮)

김가온, 주위를 살피며 윤수현과 통화하고 있다.

윤수현(F) 팀장한테 얘기해봤는데 반응이 영 이상해. 짜증부터 내고……
김가온 전에 강요한 파보겠다니까 펄쩍 뛰었다는 그 사람 맞지?
윤수현(F) 응. 느낌이 안 좋아서 그냥 알았다고 하고 나왔어. 강요한 손이
          어디까지 닿아 있는지 알 수가 있어야지.
김가온 그래 잘했어, 일단은. (순간 놀라며 말을 멈춘다)

강요한이 방에서 나와 김가온 쪽으로 걸어오고 있다. 무표정한 얼굴.
김가온, 괜히 시선을 피하게 되는데, 강요한, 말없이 묘한 표정으로 힐
끗 김가온을 쳐다보며 스쳐지나간다. 긴장감이 흐른다. 김가온, 굳은
표정으로 강요한의 뒷모습을 쳐다본다.

S#46. 장기현의 집 (밤)

어둑한 장기현의 집. 문이 끼이익 열리더니, 다급한 표정의 윤수현, 밖
으로 나오며 전화를 건다. 손에는 낡은 예금통장을 들고 있다.

윤수현 가온아, 장기현이 없어졌어!
김가온(F) 그게 무슨 소리야? 너 지금 혼자서 거기 간 거야?!

뒤에서 윤수현을 쳐다보는 시선. 점점 윤수현에게 접근한다.

윤수현	아무리 벨을 눌러도 답이 없어서 들어가봤더니, 집안은 엉망이고 몸싸움한 흔적이 있어.
김가온(F)	수현아, 일단 빨리 거기서 나와!
윤수현	장기현 이 사람, 어떻게 된 거 아냐? 빨리 수색을……

이때, 윤수현 뒤를 좇는 시선, 거리를 갑자기 성큼 좁히며 윤수현 바로 머리 뒤까지 훅 접근한다. 윤수현, 놀라 돌아보다 공포로 눈이 휘둥그레진다.

윤수현	아악!

Cut to

흐려진 윤수현의 시야에, 윤수현을 발견하고 놀라 뛰어오는 동네 주민이 보인다. 쓰러진 윤수현이 쥐고 있는 핸드폰에서 김가온의 비명 같은 목소리가 들려온다.

김가온(F)	수현아!

S#47. 병실 (밤)

김가온	(뛰어들어오며) 수현아!
윤수현	(머리에 붕대를 감은 채 침대에 앉아 있다) 가온아. (쑥스럽게 웃으며) 아이씨, 통장을 챙겨서 나왔는데, 그만 뺏겨버렸네.

김가온, 다짜고짜 윤수현을 끌어안는다.

김가온   이 멍청아! 그딴 거 때문에 왜! (목이 메어온다)
윤수현   (당황스럽기도 하고 설레기도 한데 아무렇지 않은 척) 야야, 나 괜찮
        아. 별것도 아닌 걸로.

수액 양을 조절하던 간호사가 무심한 표정으로 툭 던진다.

간호사   좀전까지 정말 안 죽는 거 맞냐고 난리 치던 분은 어디 가셨을
        까······
윤수현   아니 그건 혹시 모르니 모든 가능성을 체크해보자는······
간호사   천만다행이에요. 조금만 비껴서 맞았으면 진짜 큰일날 뻔했다니
        까?
김가온   (윤수현의 눈을 뚫어져라 보며) 진짜 괜찮아?
윤수현   (애써 웃어 보이려 하지만 눈물이 맺히고 만다) 무섭더라. 다신 못 볼
        까봐. (눈물을 닦는다)
김가온   (억장이 무너진다) 수현아······
간호사(E) 어머, 이게 무슨 일이야?

김가온, 간호사 쪽을 본다. 병실 벽에 있는 TV 화면을 보고 있는 간호
사. 놀란 표정이다. 리모컨으로 볼륨을 키운다. 화면에는 뉴스 속보 자
막과 기자회견장에 선 차경희의 차갑고도 자신만만한 모습!

차경희(E) 제1호 시범재판인 주일도 회장 사건의 핵심 증인 장모씨에게 재
        판장 강요한 판사가 거액의 금품을 제공했다는 제보가 접수되었

습니다. 만약 금품을 대가로 위증을 교사한 것이라면 심각한 범죄입니다. 더욱 놀라운 일은, 현재 증인 장모씨가 실종 상태라는 점입니다. 저희 법무부는 시범재판을 둘러싼 모든 의혹을 철저하게 조사하여 진실을 밝히겠습니다. 감사합니다.

윤수현 (놀란 표정으로) 이걸 어떻게든 막으려고, 그렇게까지……

김가온 (분노로 이글거린다)

S#48. 강요한의 저택, 서재 (밤)

서재에서 서성거리며 심각한 표정으로 뭔가 생각중인 강요한.

김가온(E) 강요한!

강요한, 돌아보는데, 김가온, 무시무시한 기세로 다가오면서 강요한의 얼굴에 펀치를 날린다! 예상치 못한 일격에 휘청한 강요한, 서가로 쓰러지면서 쿵 몸을 부딪치고, 책이 우르르 떨어진다.

김가온 수현이를 건드려?! 수현이를!

김가온, 미친듯 강요한에게 달려드는데, 강요한, 김가온의 복부에 강력한 훅을 날리고는, 배를 움켜쥐고 고통스러워하는 김가온의 목덜미를 한 손으로 붙잡아 책상 위로 강하게 밀어 쓰러뜨린다! 공격자에 대한 본능적인 살의가 이글이글 타오르는 강요한의 눈! 책상 연필꽂이에 있는 외과용 수술가위를 집어들어 높이 치켜든다. 광기에 찬 강요한을 올려다보는 김가온의 눈에는 공포가 가득한데, 강요한, 망설임 없이 가위를 내리찍는다!

－후우, 후우.

맹수처럼 숨을 들이쉬는 강요한, 천천히 몸을 일으키면, 김가온의 흰 목 바로 옆 책상에 깊이 박혀 있는 가위.

S#49. 강요한의 저택, 서재 (밤)

다시 냉정을 찾은 강요한, 의자에 앉아 자신을 노려보며 서 있는 김가온을 응시한다.

강요한　　겨우 그걸 근거로 그렇게 날뛴 건가?

김가온　　당신 짓이 맞잖아!

강요한　　(차갑게 바라보며) 난, 니 그 애틋한 소꿉친구를 건드린 적이 없어.

김가온　　당신 말을 어떻게 믿지?

강요한　　(묘하게 쓸쓸한 눈빛이 스치더니 천천히 일어서며) 믿을지 말지는 니 문제고, (김가온을 응시하며) 김가온.

김가온　　……

강요한　　(위협적인 눈빛으로) 다신 날 공격하지 마. 다시는.

대치하듯 마주보고 서서 서로를 노려보는 두 남자.

S#50. 정선아의 집, 욕실 (밤)

머리에 수건을 두른 채 욕조에 누워 거품목욕중인 정선아. 욕실 벽면 스크린으로 차경희 기자회견 화면을 보고 있다가 귀에 꽂은 블루투스 이어폰으로 전화를 받는다.

정선아   (생긋 웃으며) 응. 재희야. 지금 보고 있어. 수고했어.
재희(F)   (볼멘소리로) 언니, 근데 요즘 날 너무 혹사시키는 거 아냐? 확 노
         동청에 고발해버린다?
정선아   뭘 얼마나 했다구. (미소 짓는다)

S#51. 배석판사실 (낮)

굳은 표정으로 들어서는 김가온.

오진주   왜 이제야 왔어! 난리가 났는데 지금! 혹시 뭐 부장님한테 들은
         거라도 있어?
김가온   (고개를 젓는다)
오진주   (놀랍기도 하고 화가 나기도 한다) 말도 안 돼. 이제 겨우 시작인
         데……! (분노와 배신감에) 어떻게 여기까지 왔는데!

S#52. 강요한 부장판사실 (낮)

굳은 표정으로 생각에 잠겼다가 전화기를 들어 번호를 누르는 강요한.

S#53. 한강 다리 밑 으슥한 곳 (낮)

강요한의 차가 주차되어 있고, 강요한, 밖에 나와 누군가를 기다리고 있다. 잠시 후 검은색 차가 강요한의 차 옆에 선다. 내리는 차경희. 강요한 옆에 와 선다.

강요한 장관님.

차경희 (차갑게 조소하듯) 이거, 누가 봐도 부적절한 만남 아닙니까? 무슨 용건이신지.

강요한 누가 무슨 자료를 넘겼는지는 짐작 가는데, 그것만으론 아무것도 입증할 수 없을 겁니다.

차경희 입증? (어이없다는 듯 웃으며) 이거 봐요 강판사. 당신이 제일 잘 알 텐데. 여론의 법정에서는 증거보다 그림이 중요하다는 거. 이미 그림은 그려졌어. 아닌가?

강요한 ……

차경희 (강요한을 노려보는 눈이 분노로 서서히 파랗게 타오른다) 남의 눈에 피눈물 나게 만들고, 언제까지 속 편하게 살 수 있을 거라 생각했지?

강요한 (차경희의 말을 듣다가 갑자기 킥! 웃음을 터뜨리더니 도저히 못 참겠다는 듯 너털웃음을 웃어댄다) 푸하하하하.

차경희	(갑작스러운 강요한의 웃음에 굳은 표정으로 노려보며) 지금 뭐하는 거야?!
강요한	어, 죄송합니다. 죄송해요. (눈물까지 닦으며) 이거 너무 실례인데, 도저히 참을 수가 없네요. 제가 평생 들은 말 중에 제일 웃기는 얘기여서.
차경희	(매섭게 강요한을 노려본다)
강요한	다른 분도 아닌 장관님 입에서. 음해, 조작, 강압수사 전문가께서?
차경희	(으르렁댄다) 말조심해!
강요한	(유쾌하다는 듯) 죄송합니다. 거래를 제안할까 했는데, 너무 웃겨서 정신을 못 차리겠네요. 그냥 뜻대로 하시지요. 저는 이만. (정중히 인사하고는 자기 차로 향한다)
차경희	(이를 갈며 강요한의 뒷모습을 쳐다본다) 미친 새끼!

S#54. 대법원장실 (낮)

지윤식	(버럭한다) 당신 미쳤어?!

회의용 탁자 상석에 앉은 지윤식 대법원장, 화가 잔뜩 난 표정으로 맞은편에 서 있는 강요한을 노려본다. 지윤식 좌우에는 대법원 고위직 3명이 앉아 있다. 그중 한 명은 민정호다.

강요한	제가 해결하겠습니다.
지윤식	(탁자를 쾅! 내리치며) 뭘 해결해! 이게 무슨 망신이야! 전 국민이

지켜보는 시범재판에서 사기를 쳐?

강요한   (지윤식을 쏘아보며) 사기라고 하셨습니까.

지윤식   판사가 증인한테 돈을 주다니, 그게 사기 재판이 아니고 뭐야!

강요한   일방적인 얘기일 뿐입니다. 우선 진상부터 밝힐 기회를 주시고.

민정호   (O.L.) 강판사가 벌인 재판은.

강요한   (민정호를 힐끗 본다)

민정호   여론 재판이었소. 법과 원칙에 따른 재판이 아니었지.

강요한   (민정호를 노려본다)

민정호   부메랑은 던진 이에게 돌아오기 마련이오. 여론이란 성급하고, 잔혹하지. 강판사가 법과 원칙에 따라 자신을 변호하는 동안 여론이 차분히 기다려줄까?

지윤식   맞아! 강요한 비호한다고 대법원에 돌부터 날아올 거야. (강요한을 보며) 당장 사표부터 내! (옆자리 간부에게) 시범재판은 일단 중지시키시오. 선제적으로 보도자료 배포하고.

간부   예.

지윤식   (강요한을 노려보며) 쯧! 그렇게 잘난 척하더니만……

강요한   (표정이 굳는다)

S#55. 대법원장실 밖 복도 (낮)

굳은 표정의 강요한, 대법원장실을 나온다. 기자들, 앞다퉈 마이크를 강요한에게 들이댄다.

-강판사님, 한말씀해주십시오!

-증인에게 돈을 주셨습니까?

-국민을 속인 겁니까?

-장기현씨 실종 관련해서 아시는 게 있습니까?

-한말씀 좀 해주세요!

-이보세요 강판사님!

아우성치는 기자들과 들이대는 TV 카메라 앞에 서 있는 강요한.

S#56. 재단 (낮)

고급스러운 별실 느낌의 방에 모인 재단 핵심 인사들(허중세, 박두만,
민용식, 정선아). 벽면 스크린에 비친 뉴스 화면으로 강요한을 보고 있
다. 다들 고소한지 싱글대는 표정이다.

허중세　(감탄하며) 아우, 쟤는 조명이고 반사판이고 없이 찍어도 카메라
　　　　잘 받네. (자기 볼을 만지며) 기초 화장품 뭘를 쓰나?

정선아　(생긋 웃으며) 대통령님만 하겠어요.

허중세　(씩 웃으며) 나야 타고났고. 그나저나 박회장은 어째? 시범재판,
　　　　광고 완판이었잖아.

박두만　뭐, 쇼 무대에 세울 광대야 많지 않겠습니까. 또 캐스팅해봐야죠.

민용식　(뉴스 화면 하단에 끊임없이 흘러가는 광고 영상과 자막을 턱짓으로 가
　　　　리키며) 광고 장사는 지금도 잘만 하고 있구만.

박두만　(씩 웃으며) 콘텐츠야 아무거면 어때. 시청률만 높으면 되는 거
　　　　지. 허허허허.

S#57. 대법원장실 밖 복도 (낮)

침묵을 지키던 강요한, 갑자기 입을 연다.

강요한   제가 모든 책임을 지겠습니다.

기자들 놀란다. 펑! 펑! 터져대는 카메라 플래시.

강요한   (기자들을 죽 둘러보며) 제 모든 것을 걸었던 법정에서, 국민 여러분께 마지막 인사를 올리겠습니다. 지켜봐주십시오.

S#58. 재단 (낮)

뉴스 화면에 '충격! 중대 발표 임박' '사임 발표로 추정' 자막이 큼지막하게 뜬다.

허중세   뭐야, 무슨 서태지야?

박두만   (얼른 부하 직원에게 전화를 걸더니) 전 채널 전부 강요한 중계로 돌려! 광고 단가 올리고!

정선아   (눈살을 찌푸리며 생각에 잠긴다)

S#59. 대법정, 무대 뒤 출입문 앞 (낮)

검은색 슈트 차림으로 무대를 향해 가는 강요한.

오진주(E) 부장님!

돌아보는 강요한. 방송 보고 달려온 듯 가쁜 숨을 내쉬는 오진주와 그뒤
에 서 있는 김가온.

오진주 (울상이 되어) 아무리 그래도 그렇지, 이렇게 혼자 가버리시는 게
어딨어요! 우리는 같은 시범재판부잖아요!

강요한 (미소를 띤 채 오진주를 보며) 미안합니다, 오판사.

오진주 (눈물이 터진다) 부장님!

김가온 (정작 이 상황이 되자 어쩐지 착잡하고 안타깝다) 오판사님이 맞아요.
책임지더라도 같이 져야 됩니다. 저희도 같이 올라가겠습니다.

강요한 (김가온을 가만히 보다가 고개를 흔든다) 당신들은 책임질 일이 없
어. 오늘 나는 판사가 아니라, (법정으로 향하는 문을 보며) 피고인
으로 올라갑니다. 이 무대에.

오진주 안 돼요, 부장님!

강요한 (미소 지으며 살짝 고개를 숙이고는 돌아서서 무대를 향해 간다)

S#60. 대법정 (낮)

어두운 무대 한가운데로 핀 조명이 떨어진다. 한 치 흐트러짐 없는 슈트

차림으로 무대에 서 있는 강요한. 방청석에는 기자들이 가득하고 TV 카메라가 강요한에게 집중되어 있다. 한쪽 구석에는 김가온과 오진주가 서서 지켜보고 있다.

강요한   (침통한 표정으로) 저는 오로지 국민 여러분의 믿음에 기대어 이 법정에 서왔습니다. 하지만 지금은 온통 저를 의심하는 시선 속에 이 자리에 서 있습니다.

오진주   (눈물 맺힌 채 지켜본다. 시범재판을 망친 강요한이 원망스럽지만 정 많은 천성 탓에 사형대에 선 듯한 강요한을 보는 게 마음 아프다)

강요한   (좌중을 둘러보며 천천히) 제가 폐수 유출 사건의 증인에게 돈을 주었다는 의혹은, (잠시 말을 멈추었다가, 법정 안이 숨넘어가는 소리도 안 들릴 만큼 조용해지자) 전부 사실입니다.

순간, 모두가 놀라 웅성거림으로 소란스러워지는 법정.

인서트 >

시내 곳곳, 숨죽이며 TV를 지켜보던 국민들이 탄식을 내지른다.
–진짜였어? 아니 어떻게……

강요한   국민 여러분께 깊이 사죄드립니다. (천천히 90도로 허리를 굽힌다)
김가온   (착잡한 마음으로 숨죽인 채 강요한을 응시한다)

재단에서 싱글거리며 TV를 지켜보는 인사들. 깊숙이 허리를 굽힌 강요한 옆으로 핀 조명이 떨어지자, 또 한 명의 사내가 바닥에 엎드려 있다!

고개를 드는 사내는, 장기현!

장기현   (울부짖듯이) 강판사님은 죄가 없습니다!

놀라 웅성거리는 사람들.

김가온   (경악한 채 무대를 쳐다본다. 저 사람이 어떻게 여기?)

장기현   제가 법정에서 말한 것은 전부 진실입니다. 주일도도 제게 보고
받은 사실을 인정하지 않았습니까.

때맞춰 법정 스크린에 주일도 재판 장면(1부 66신)이 뜬다.

주일도   죄송합니다. 보고를 받은 건 사실입니다. (고개를 푹 숙인다)

장기현   강판사님은 내부고발자라고 공장에서 해고된 제가 불쌍해서, 길
바닥에 나앉게 된 제 자식새끼들이 안쓰러워서, 저희를 도와주신
것뿐입니다!

스크린에 장기현 통장 입금 거래 내역과 '관리부장 장기현, 위 대상자
에 대한 위임 계약이 해지되었으므로 즉시 사무실을 비워주시기 바랍
니다'라고 기재된 통지문이 휙휙 지나간다.

장기현   확인해보시면 알겠지만 입금 일자는 전부 제가 해고된 후입니다.
재판 후에 혹시 제가 해코지나 당하지 않았나 알아보신 강판사님
이, 마음이 아파서 도와주신 겁니다. 그게 죄가 됩니까!

웅성대는 방청석.

김가온 (충격받은 표정. 무엇이 진실인지 믿을 수 없다)

강요한 (침통한 표정으로) 아닙니다. 재판은 신뢰가 생명입니다. 어떤 동기가 있었든 법관으로서 오해받을 만한 행동을 한 것은 사실입니다. 국민 여러분, 저를 심판해주십시오!

스크린에 디케 앱 화면이 일제히 뜬다.

강요한 제가 유죄라고 생각하시면 빨간 버튼을, 그렇지 않으시면 파란 버튼을 눌러주십시오. 저는 국민 여러분께 제 신임 여부를 묻겠습니다. (점점 당당해지는 표정과 목소리) 국민 여러분께서 저를 믿지 않으신다면, 저는 오늘 이 자리에서 즉시 법관직을 사직하겠습니다.

스크린에는 주일도를 처단하던 재판 당시의 하이라이트 화면들이 쉴새 없이 흐른다. 피해자들의 이름과 사진이 법정 스크린에 차례로 새겨지던 영상, 피해자 이름을 한 명씩 호명하는 강요한, 통곡하는 방청석의 유족들, 그리고 금고 235년을 선고하는 강요한과 환호하는 방청객들.

Cut to

시내 곳곳, 시민들이 홀린 듯이 디케 앱 버튼을 누르고 있다. 재단 인사들, 당황한 채로 화면을 보고 있다. 그리고 당당히 서 있는 강요한을 혼란한 표정으로 쳐다보는 김가온!

S#61. 대법정 (낮)

92.6%. 법정 스크린에는 압도적으로 높은 파란색 그래프, 그리고 420만 명이라는 참여자 숫자가 큼지막하게 표시되어 있다. 스크린의 수치를 배경으로 서 있는 강요한.

강요한 (스크린을 보더니) 이것이 국민 여러분의 뜻이라면 따르겠습니다. 힘있는 자들이 은폐하고 있는 진실들을 밝히기 위해, 제 전 재산을 걸겠습니다.

강요한의 등뒤로, 법정 스크린에 갑자기 꿈터전 사업 홍보 영상이 뜬다.
-거대한 병원을 중심으로 한 저층 연립주택과 공원, 놀이터.
-웃으며 뛰노는 아이들과 이를 지켜보며 웃는 노인들.
-길거리에서 재단 모금함에 돈을 집어넣는 환경미화원.
-재단 모금 앱을 클릭하는 택배 기사.
-저금통을 깨는 천진난만한 아이 모습.
놀라 웅성거리는 방청석.

강요한 온 국민을 상대로 모금운동을 벌이고 있는 사회적책임재단의 꿈터전 사업! 하지만 사업 자금이 엉뚱한 자들의 주머니로 흘러들어가고 있다는 제보가 있습니다. 이 사업을 추진하고 있는 핵심 인사들입니다.

법정 스크린에 차례로 큼지막하게 서정학, 허중세, 박두만, 민용식, 차경희의 사진이 뜬다!

Cut to

자신의 방송국 화면에 뜬 자기 사진을 보고 놀라 자빠지는 박두만과 재단 인사들.

Cut to

법무부장관실에서 화면 속 자신의 사진을 보며 경악하는 차경희.

Cut to

강요한 국민 여러분이 내신 성금이 어디에 쓰이고 있는지, 이 사업을 벌이는 진짜 목적이 무엇인지 제보하는 분들에게는 제 사재로 충분히 보상해드리겠습니다. 제가 약속드립니다.

Cut to

(재단과 법무부장관실 교차된다) 자신만만한 표정으로 마치 도전장을 던지는 듯한 강요한의 얼굴이 벽면 스크린을 가득 채우고 있다. 상상도 못한 강요한의 정면 승부에 패닉에 빠진 재단 인사들, 분노하는 차경희. 오직 정선아만이 감탄했다는 표정으로 야릇한 미소를 띤 채 강요한을 보고 있다.

Cut to

김가온, 충격에 빠진 표정으로 무대 위의 강요한을 쳐다본다. 강요한, 천천히 구석에 서 있는 김가온을 쳐다보더니, (1부 엔딩처럼) 씩 이를 드러내며 웃는다. 세상에 두 사람만 있는 양 서로를 응시하는 두 사람 위로 타이틀. **악. 마. 판. 사.**

7부

꿈은 이루어진다

S#1. 재단 (낮)

허중세   (펄펄 뛰며) 강요한 이 자식! 지금 국가원수를 현상수배한 거야?

박두만   아이고, 내 방송국 화면에 내 얼굴이…… 이런 일로.

민용식   (짜증스럽게) 박회장, 지금 그게 문제야?

허중세   (이를 갈며) 국가를 상대로 선전포고한 거야. 내란이라고! 감히 국가원수를 모함해?

민용식   (억울한 듯) 무슨 우리가 서민들 코 묻은 돈을 삥땅했다니, 이게 말이나 되는 얘깁니까?

박두만   없는 놈들 살리자고 내가 피 같은 돈을 얼마나 냈는데! 좋은 일 해봐야 소용없다니까, 허 참.

허중세   나라 살리자는 사업에 똥칠을 해? 얘 도대체 뭐지? 빨갱이야? 토착왜구야? (정선아를 힐끔 보며 짜증난다는 듯) 근데 서선생님은 대체 뭐하시는 거야? 언제까지 비서 하나 보내놓고 나 몰라라 하실 거냐구!

정선아   (재단 인사들과 대등한 위치가 아니라 한걸음 떨어져 따로 앉아 있다가 조용히 한마디한다) 외람된 말씀이지만, 너무 흥분들 하신 것 같습니다. 근거 없는 의혹일 뿐이잖아요. (천천히 세 사람을 보며 의미심장하게) 아닌가요?

허중세   당연하지!

박두만   그럼! 우리를 뭐로 보고 이딴 수작을 해!

민용식   (끄덕이며) 그 돈이 무슨 돈인데!

말을 마치고는 자기도 모르게 의심하는 듯한 눈초리로 서로를 힐끗 보는 허중세, 박두만, 민용식. 묘한 표정으로 세 사람을 응시하는 정선아.

S#2. 강요한 부장판사실 (낮)

김가온   (강요한을 노려보며) 장기현을 납치한 거군요.

강요한   대화가 좀 필요해서.

김가온   대국민 사기극을 위해 말을 맞추자, 안 그러면 너도 곤란해질 거다, 뭐 이런 대화 말입니까?

강요한   말 좀 이쁘게 하지? 디테일이 좀 달라서 그렇지, 핵심은 사실이야.

김가온   조금 다르다고요? 진짜 장기현 처지가 눈물겹게 안쓰러워서 도와줬던 겁니까? 시키는 대로 증언하면 일 다 끝나고 돈 준다, 이게 아니고?

강요한   뭐, 난 처음부터 그 친구 처지가 눈~ 물겹게 안쓰러웠을 수도 있잖아. 왜 사람 마음을 속단하고 그래.

김가온	(어처구니없다. 잠시 노려보다가 한숨을 쉬더니) 여하튼, 수현이를 공격한 건 아니군요. 지난번엔 죄송했습니다.
강요한	(싱긋하며) 이젠 믿어지나보네. 내가 그럴 사람이 아니라는 게.
김가온	(노려보며) 그러고도 남을 사람이긴 한데, 그럴 필요가 없었던 거겠죠.
강요한	필요라……
김가온	이미 계좌 내역이 차경희측에 넘어간 걸 알고 급하게 장기현을 빼돌린 모양인데, 그런 상황에서 뒤늦게 나타난 수현이가 통장을 가져가든 말든 굳이 건드릴 필욘 없었을 테니까.
강요한	(약올리듯) 이렇게~ 똑똑한 친구가 왜 그날은 그렇게 앞뒤 안 가리고 미쳐 날뛰었을까?
김가온	(강요한을 빤히 보며) 엘리야 좀 데리고 나갔다고 당장 누구 하나 죽일 것같이 굴던 분이 하실 말씀인지……
강요한	(김가온을 노려본다)
김가온	그럼 수현이를 습격한 건 누굽니까?
강요한	최소한 나한테 호의를 가진 쪽은 아니겠지.

S#3. 배석판사실 (낮)

착잡한 표정으로 들어오는 김가온.

오진주	(답답한 표정으로 서성이다가 반색하며) 어딜 갔다 왔어! 답답해서 죽을 뻔했네! 도대체 일이 어떻게 돌아가는 거야?
김가온	(오진주 책상 위의 박스를 본다. 행선지는 창원지방법원 밀양지원이다)

	짐까지 싸셨던 거예요? 원 근무지로 복귀하려고?
오진주	부장님은 잘리고 시범재판부 해체되는 줄 알았지!
PD(E)	(절망적인 목소리로) 그게 정말입니까!
오진주	(돌아보며) 어머, 감독님.
PD	(울상을 하고) 제 평생의 걸작인데, 이렇게 끝나면 전 어떡합니까. 대통령에, 저희 방송국 회장님까지 공개 저격하셨으니 저도 시말서 써야 될 판입니다……
오진주	(PD 손을 잡으며) 제 말이요. 우리 이제 겨우 시작인데……
PD	(탄식하며) 디바!
오진주	(안타깝게) 마에스트로.
김가온	자자, 감독님. 너무 성급하게 그러지 마시고요. 일단 기다려보시죠. 상황을 좀 보시면서…… (은근슬쩍 문 쪽으로 밀어낸다)
PD	(체념한 듯) 네에. (나가다 말고 휙 돌아보며) 근데 시말서는 쓰는 게 나을까……
김가온	(O.L.) 가세요~ (웃는 얼굴로 문을 닫는다)
오진주	(불만스럽게) 대체 부장님은 무슨 일을 벌이고 있는 거야? 그 재단이라는 데, 그냥 좋은 일 하는 곳 아니었어? 힘든 사람들 돕고 봉사하고.
김가온	(그런 오진주를 보며 망설이다가) 오판사님, 제가 말씀 못 드렸던 일이 있는데요.
오진주	응?

S#4. 대법원 전경 (낮)

오진주(E)   (큰 소리로 외치듯) 왜 나만 쏙 빼놓고 가아아아!

S#5. 배석판사실 (낮)

김가온, 황당하다는 표정으로 씩씩대는 오진주를 쳐다보고 있다.

오진주   (열받아 죽겠는 표정으로 흥분해서 왔다갔다 서성이며) 재단 핵심 인
사만 모이는 비밀 파티? 그런 데를 칙칙하게 남자 둘이서 가? 지
난번 자선 패션쇼 때 부장님이 주신 완~전 비싼 드레스도 있는
데! 나 그거 입고 갈 데가 없어서 가끔 선글라스 끼고 혼자 가로수
길 왔다갔다하는데!

김가온   정말 죄송해요. 근데 제가 한 얘기 중에 분노 포인트가 그거뿐이
신 건 아니죠?

오진주   물론 재판 개입하고! 짝짜꿍하고! 부적절하지! 그러니까 여기 앉
아서 차분하게 상의 좀 해보자. (언제 흥분했냐는 듯 진지하게 표정
전환되며 의자에 앉아 다리를 꼰다)

김가온   네네. (오진주의 놀라운 페이스 변화에 감탄하며 따라 앉는다)

오진주   하! 이것들 그냥 언론에 확 터뜨려버릴까? 내가 아는 기자가 하
나 있는데.

김가온   그래요?

오진주   (진지하게) 패션잡지 기자긴 해. 『블링블링』이라고.

김가온   아, 네……

오진주　대통령에 재벌들까지 사이좋게 앉아서 대놓고 이영민 재판에 대해 개입하더란 말이지? 뭔가 이권 거래 같은 것도 하는 것 같고.

김가온　네. 죄송해요. 진작 말씀 못 드려서.

오진주　부장님은?

김가온　네?

오진주　부장님도 그 사람들하고 한편인 거야? 그 자리에서 뭐라고 했어? 왜 그 얘기는 안 해줘? 김판사.

김가온　(움찔 놀라 잠시 망설이다가) 음, 글쎄요, 그 자리에선 가만히 있었지만, 이렇게 정면으로 선전포고를 하는 걸 보면……

오진주　글쎄, 난 모르겠다. 그게 멋있는 건지, 멋있는 척하는 건지.

김가온　……

오진주　동기가 뭐든 증인한테 돈 준 건 사실이잖아. 판사가 그래도 되는 거야? 방금 그 기자회견도 너무 깜짝쇼잖아. 그래 놓고는 다짜고짜 신임 투표, 자꾸 뭔가 속이는 느낌인데……

김가온　오판사님.

오진주　나 진짜 부장님 팬이었는데. 당당하고, 정의롭고, 반짝반짝 빛나는 분이어서. 근데 솔직히 잘 모르겠다. 지금은.

김가온　(착잡한 표정으로 오진주를 본다)

오진주, 무심코 책상 위 박스와 그 옆에 놓인 거울에 비친 자기 모습을 물끄러미 본다. 자기도 모르게 다정하면서도 위험한 목소리를 떠올리는 오진주.

정선아　(V.O.) 욕심내봐요. 제가 보는 시범재판 속에선 판사님이 제일 빛났어요. 반짝반짝.

오진주의 눈빛, 흔들리기 시작한다.

S#6. 정선아의 집 (밤)

도시의 야경이 비치는 통유리창 앞에서 매트를 깔아놓고 정선아가 요
가를 하고 있다. 이마에 땀이 송골송골 맺혀 있다. 오디오에서 자기계
발 멘토의 목소리가 들려온다.

멘토(E)   멀리서 빛나는 별을 갖고 싶다면, 정말 간절히 원한다면, 먼저 자
　　　　　신부터 바꾸십시오. 별에 손이 닿을 만큼 큰사람이 되십시오.
재희(E)   언니.

정선아, 몸을 일으키며 리모컨으로 오디오를 끈다.

정선아   (생긋 웃으며) 왔어?
재희   이건 어떡해? 윤수현한테서 뺏어온 통장. (윤수현에게서 빼앗은 통
　　　　　장을 내민다)
정선아   아, 씨앗? (싱긋 웃더니 통장을 받아 반으로 찢더니 멋지게 휴지통에
　　　　　던진다)
재희   (투덜대며) 하여튼 악덕 고용주라니깐. 필요도 없는 걸 왜 굳이……
정선아   필요가 없긴. 스토리를 만드는 데 다 필요한 거야. (싱긋한다)
재희   스토리?

정선아	그건 됐고, 지금부터가 중요해. 재단 꼰대들 움직임을 잘 살펴.
재희	강요한이 아니라?
정선아	우리 늑대께서 내가 예상한 거보다 훨씬 과격하게 목장에 난입했거든. 양떼들이 난폭해질 거야. 겁을 먹어서.
재희	알았어. 아, 그리고 재단 홈페이지에 올릴 힐링 멘토 강연, 이번엔 언니가 해야 될 거 같아.
정선아	왜?
재희	강요한이 서정학 사진을 대문짝하게 띄워놓고 국민 성금을 떼어먹고 있네 어쩌네 떠들었잖아. 강연한다고 외부에 내보내면 기자들이 달려들걸?
정선아	(찡그리며) 아이, 낯간지러운 소리 딱 질색인데.
재희	알았지? (돌아나가려 한다)
정선아	근데 재희야.
재희	(돌아보며) 응?
정선아	(생긋 웃는다) 니가 조금만 빨랐으면 장기현도 먼저 빼돌릴 수 있었을 텐데. 아닌가?
재희	(당황하며) 어, 미안. 설마하니 판사가 그렇게까지 할 줄은……
정선아	(녹아버릴 듯한 미소를 띤 채 재희의 두 볼을 만지더니, 귓가에 속삭이듯) 잘하자. 잘할 수 있지?
재희	(이상하게 등골이 오싹하고 진땀이 난다. 경직된 채 고개를 끄덕이며) 응. 실수하지 않을게.
정선아	(천진난만하게 활짝 웃으며) 이제 겨우 한 걸음 남았어. 알지? (정선아의 눈동자가 반짝인다)

S#7. 청소년 복지원 (낮)

'꿈터전 청소년 복지원' 간판이 보이고, 안으로 들어가면 작은 교실에 '사회적책임재단 힐링 멘토 강연' 플래카드가 걸려 있다. 교실 앞 복도 구석에서 깐깐한 인상의 원장(여성)이 순해 보이는 십대 후반 소녀(소녀1)를 무섭게 다그치고 있다. 주눅 들고 나이에 비해 늦되어 보이는 소녀다.

원장   너, 서선생님 강연하실 때 졸다가 걸리면 가만 안 둔다.

소녀1   (겁에 질려 기어들어가는 목소리로) 네······

원장   (멸시하듯 노려보며) 지긋지긋한 것들, 진짜!

원장, 혀를 차며 돌아서는데, 정선아가 미소를 지은 채 서 있다.

원장   재단 직원이세요? 어째 서선생님이 늦으시네······

정선아   안녕하세요, 원장님. 오늘은 제가 선생님 대신 왔습니다.

재희   정선아 상임이사님이십니다. (뒤쪽으로 재단 홍보팀 직원 및 촬영기사가 카메라를 들고 복도로 들어서는 모습도 보인다)

원장   (그제야 놀라며) 아, 그러세요. (꾸벅 숙이며) 어서 오십시오. 이사님.

정선아   (슬쩍 원장을 제치고 소녀1에게 다가서며) 어머, 너 참 이쁘게 생겼다. 몇 살이니? (소녀1의 머리칼을 넘겨보는데, 피멍 든 상처가 보인다)

소녀1   열여덟 살이요.

원장   (얼른 아이 앞을 가로막으며) 네네, 참 이쁘죠? 자, 이제 들어가실까요? (교실로 안내한다. 걸으며 정선아에게 속삭인다) 다 고아 아니면 가출한 애들이라, 질이 별로 좋진 않아요. 가까이 가실 땐 귀중품을 조심하시는 게 좋습니다.

정선아	(자기 어린 시절이 생각나서 순간 표정이 굳는다. 나지막이 혼잣말로) 질이 안 좋다……
원장	(의아한 눈빛으로) 네?
정선아	(다시 생긋 웃으며) 아니에요. 원장님이 고생 많으시겠어요.
원장	별말씀을요. (교실 단상에 서서) 자, 얘들아, 오늘 강연해주실 선생님께 인사드려야지?

열 명 정도의 십대 후반(열여덟, 열아홉 살 정도) 소녀들, 자리에서 일어서서 '안녕하십니까' 인사하며 고개를 숙인다. 정선아, 자랑스러워하는 표정의 원장을 무표정하게 힐끗 본다.

S#8. 청소년 복지원, 교실 (낮)

뒤쪽에서는 원장과 재희가 서서 지켜보고 있고, 홍보팀 직원은 사진 촬영, 촬영기사는 동영상 녹화중이다. 정선아, 만면에 미소를 머금은 채 칠판에 善, 兒, 두 글자를 쓴다.

정선아	제 이름이에요. 착할 선, 아이 아. (생긋 웃으며) 웃기죠? 이렇게 다 컸는데 아직도 착한 아이, 막 이래. (소녀들, 웃는다) 울 엄마는 이게 소원이었나봐요. 그냥 내가 평범하고 착하게 크는 거. (칠판에 쓴 자기 이름을 잠시 먹먹한 눈빛으로 보다가 독백하듯) 왜 그랬을까…… 그런 사람이 왜 그렇게 술만 먹으면 날 때렸을까.

원장과 스태프들, 소녀들 모두 당황한다.

정선아 (씩 웃더니) 미안해요. 여러분을 보니까 이상하게 옛날 생각이 나
고 그러네. 주책없이.

소녀1 (우물쭈물하다가 겨우 용기 내서 손을 들고는 기어들어가는 목소리로)
저희 엄마도 그러셨어요.

정선아 (가만히 본다) 그래요?

소녀1 네. 평소엔 천사 같으신데, 술만 드시면 울다가 갑자기……

정선아 힘들어서, 너무 힘들어서 그랬을 거예요. 그땐 몰랐는데, 이젠 좀
알 것 같더라구. 남편은 처자식 버리고 떠나고, 하루 벌어 하루
먹는 삶에 지치고…… 그래도, 그러면 안 되는 건데. 힘들다고 아
이한테 그러면 안 되는 건데.

비슷비슷한 가정환경에서 자란 소녀들, 어느새 정선아의 얘기에 집중
하고 있다.

정선아 난 내가 나쁜 아이라서 엄마가 날 미워한다고 생각했어요. 욕하
고, 싸우고, 도둑질하고 잡혀오는 애. 그런데 어쩔 수가 없었어.
주변엔 날 욕하고 때리는 사람들밖에 없고 난 늘 배고팠거든.

어두운 표정이던 정선아, 강요한의 집에서 지내던 시절을 떠올리며 표
정이 밝아진다.

정선아 그런데 말이에요, 내가 열두 살 때 어떤 부잣집에 일하러 들어갔
는데, 와~ 그 집 도련님들은 진짜 이쁘고 착한 거야. 좋은 냄새
가 나고, 쌍욕도 안 하고. 반짝반짝 빛나고…… (점점 자기 생각 속
으로 빠져들며 혼잣말하듯) 내가 이런 착한 아이였으면 엄마도 나

를 안 때렸을까? 날 좋아했을까?

소녀들, 정선아를 멍하니 쳐다본다. 장내에 침묵이 흐른다.

정선아   (순간 정신을 차리며 다시 미소 짓는다) 자, 그러니까 여러분, 착한
아이가 되려면 어떻게 해야 될까?

소녀들, 갑작스러운 질문에 머뭇거리는데, 정선아, 생긋 웃는다.

정선아   부자가 돼야지!

홍보팀 직원, 당황해서 재희를 쳐다본다. 재희, 정선아를 보며 곤란한
표정으로 고개를 젓지만 개의치 않는 정선아.

정선아   (아랑곳 않고) 먹고살 만해야 착해질 수 있는 거예요. 세상은 정글
이야. 서로 잡아먹고 물어뜯어야 가까스로 살아남는데, 어떻게
착해질 수 있겠어. 먼저 살아남아. 어떻게든. 때리면 물어뜯고,
없으면 뺏고, (소녀들을 죽 둘러보더니) 게다가 너희같이 외로운 처
지의 여자애들은 더 힘들 거야. 짐승 같은 사내들이 어디나 꼭 있
거든. 학식이 높든 존경받든 다 똑같더라구. (쓸쓸한 미소를 지으
며) 자, 그런 놈들이 덤벼들면 어떻게 해야겠니?
소녀2   (용기를 내서 입을 연다) 경찰에 찔러요.
정선아   (고개를 젓더니) 아니. 약점을 잡아야지.

재희, 찡그린 표정으로 촬영기사와 홍보팀 직원을 보며 다급하게 (그만

찍으라고) 손으로 목을 자르는 시늉을 한다. 다들 카메라를 끄고 내려놓는다. 원장, 황당한 듯 명~하다.

정선아   법은 절대로 너희 편이 아니에요. 어떻게든 먼저 증거를 잡아. 녹음하든 녹화하든. 그러고는 죽도록 괴롭혀야 돼. 니가 가진 모든 걸 망가뜨려주겠다고. 아주 길이 잘 든 개가 될 때까지. 알겠니? (싱긋한다)

소녀들   네에~ (박수를 친다)

정선아   (뿌듯한 표정으로 아이들을 둘러본다)

소녀1   저어……

정선아   궁금한 게 있니? 얘기해.

소녀1   (정선아에게 감정이입을 한 듯) 이렇게 훌륭한 분이 되셨잖아요. 선생님 엄마도 이제는 선생님을 좋아하시죠?

정선아   (가만히 보다가) 우리 엄마는 내가 열두 살 때 돌아가셨어. 술에 잔뜩 취한 채로 동네 계단에서 굴러서.

소녀1   (놀라 움츠리며) 죄송해요.

정선아   (미소 지으며) 괜찮아. 옛날 일인데 뭘.

S#9. 청소년 복지원 (낮)

똥 씹은 표정의 홍보팀 직원들, 교실에서 장비를 정리하고 있고, 원장, 애써 웃으며 정선아와 재희를 따라 복도를 걸으며 배웅하고 있다.

원장   어…… 정말 신선하고 아주…… 현실적인 강연이었어요, 이사님.

정선아	죄송해요. 제가 이런 건 해본 적이 없어서. 많이 서툴렀죠? (복도 끝 계단 앞에 서서 원장 쪽을 돌아본다)
원장	(얼른 손을 내저으며) 별말씀을요! 아주 잘하시던데요! 고맙습니다. 이사님. (허리를 깊이 숙여 인사한다)
정선아	네에…… (묘한 미소를 지으며 고개 숙인 원장을 보다가, 원장이 허리를 일으키는 순간 아무 망설임 없이 원장의 가슴팍을 팍 걸어차버린다)
재희	(옆에 서 있다가 경악한다)

원장, 비명을 지르며 계단으로 굴러떨어져 벽에 부딪힌다. 비명을 듣고 놀라 달려오는 소녀들. 정선아, 맨 앞에 있는 소녀1을 보더니 매력적으로 윙크한다.

S#10. 강요한의 저택, 주방 (밤)

혼자 커피를 내려 마시고 있는 강요한.

엘리야(E)	어딘지는 어떻게 알았어?
강요한	(고개를 들어 엘리야를 본다)
엘리야	(노려보며) 나한테 추적 장치라도 달아놓은 거야?
강요한	(엘리야를 물끄러미 보다가 피식 웃는다) 벌써 찾아놓고 왜 묻는 거지?
엘리야	(핸드폰을 강요한에게 냅다 집어던진다)
강요한	(슬쩍 피하자 핸드폰이 벽에 부딪히더니 바닥에 떨어진다)
엘리야	(성난 표정으로) 내가 어딜 가든! 누굴 만나든! 내가 알아서 할 거

야. 니가 뭔데 그걸 결정해?

강요한   (냉담하게) 좋든 싫든, 니 보호자.

엘리야   보호? 사육이겠지!

강요한   이젠 좀 배웠을 때도 됐을 텐데. 이유 없이 남한테 접근하는 인간
          은 없다는 걸.

엘리야   (강요한을 노려본다)

강요한   지겹지도 않아? 어릴 적부터 똑똑한 척은 다 하면서 누가 손만 내
          밀면 강아지처럼 졸래졸래 따라가고, 이용당하고, 유괴나 당하
          고!

김가온(E) 그만해요!

강요한   (힐끗 돌아본다)

김가온   (성난 표정으로 성큼성큼 들어와 파랗게 질린 엘리야 뒤에 서며) 외로
          웠던 게 잘못은 아니잖아요. 그런 식으로 말하지 말아요.

강요한   (노려보며) 감히 나한테 대화법에 대해 가르치려는 건가? 나는 이
          애 보호자야.

김가온   엘리야한테는 부장님뿐이잖습니까.

강요한   (멈칫한다)

김가온   (강요한을 가만히 보며) 조금만 더 솔직해지시면 어떨까요.

강요한   웃기는군. 여기 얼마나 있었다고 아는 척이지?

김가온   주제넘었다면 죄송합니다. (엘리야를 보며) 가자. (휠체어를 밀며
          눈물 흘리는 엘리야를 데리고 나간다)

강요한, 사라지는 둘의 뒷모습을 물끄러미 본다. 의자에 앉아, 커피잔
테두리를 엄지손가락으로 가만히 만지작거린다.

강요한	집사?
냉장고	네, 주인님.
강요한	(혼잣말처럼) 사춘기 여자애랑 대화하는 방법이 뭐지?
냉장고	네, 전문가들은 같은 마음이 되어 들어주는 것이 대화의 시작이고, 긍정적인 언어로 자존감을 살려주는 것이 중요하다고······
강요한	(씁쓸한 표정으로) 됐어. (자리에서 일어나 나가다가 멈추더니) 책이나 좀 주문해봐. 그 주제로.
냉장고	네, 주인님.
강요한	(주방을 나간다)

S#11. 강요한의 저택, 엘리야의 방 (밤)

김가온	(침울한 엘리야를 가만히 보다가) 전에 왜 식당집 아들 16년이냐고 물었지?
엘리야	(무슨 소리냐는 듯 김가온을 쳐다본다)
김가온	그때 돌아가셨어. 아버지, 엄마. 내가 열여섯 되던 해에.
엘리야	(놀라며) 진짜?
김가온	(끄덕인다)
엘리야	왜? 사고라도 당하신 거야?
김가온	아주 나쁜 사기꾼한테 속아서 모든 걸 잃으셨어. 아버지는 스스로 세상을 버리셨고, 엄마는 그 충격으로 쓰러지셨다가 그만······
엘리야	(충격받았지만, 인간관계에 서툴러 어떻게 말해야 할지 모른다) 어, 난 몰랐어 그게······ (답답한지 찡그리며 혼잣말처럼) 미안. 뭐라고 해야 되는 거야, 이럴 땐!

김가온	(미소 지으며) 괜찮아. 오래전 일이야.
엘리야	(울컥하며) 잊혀지는 일이 아니잖아!
김가온	그래, 그렇지. (엘리야를 보며) 많이 힘들었지? 나도 그랬었어.
엘리야	(흔들리는 눈빛)
김가온	나 혼자 남은 집이 싫어서 아무데서나 자고, 아무하고나 어울리고…… 외롭더라. (쓸쓸하게 웃으며) 유기견같이.
엘리야	(눈물이 맺히는데, 고개를 돌리며 닦는다)
김가온	(가만히 보다가) 넌 참 대단한 애야.
엘리야	내가?
김가온	너 혼자 견뎌냈잖아. 이 집에서. 넌 강한 애야. 엘리야.
엘리야	(뭉클한 표정을 짓고 있다가 쑥스러운지 입을 삐죽이며) 뭐야, 안 어울리게 낯간지러운 소리 하고 그래. 까칠한 컨셉 아니었어?
김가온	티나니? 역시 마음에 없는 소릴 하려니까 힘드네.
엘리야	뭐얏! (김가온의 팔을 퍽! 친다)
김가온	(아파하며) 아우, 이 팔 힘센 거 봐. 너무 강해. (진저리를 치며 나간다)
엘리야	(째려보다가 김가온이 나가자 미소 짓는다)

S#12. 청와대 브리핑 룸 (낮)

모여 있는 기자단 앞에서 대변인이 브리핑을 하려고 준비중이다.

대변인	네, 그럼 시작하겠습니다. 어제 강요한 판사의 돌발 발언에 대해서는 다각적으로 그 경위를 신중하게 검토하고 있는……

허중세(E)   가짜 뉴습니다!

대변인과 기자들, 놀라 쳐다보는데, 흥분한 허중세가 다짜고짜 쳐들어
온다.

허중세   (멍하니 서 있는 대변인을 거침없이 밀쳐내며 마이크를 붙잡고) 저 허
중세, 온갖 중상모략을 뚫고 이 자리까지 왔습니다! 이젠 대한민
국 판사까지 저에 대한 가짜 뉴스를 퍼뜨립니다! 이게 나랍니까?
어려운 시국에 유언비어를 퍼뜨리는 강요한 판사는 과연 대한민
국 국민이 맞습니까? 제게도 많은 제보가 들어오고 있습니다. 강
판사가 외국과 내통해서 사회를 어지럽히고 있다! 순수한 한국인
핏줄이 아니다! 심지어 다른 나라 자금을 받고 있다는 의혹도 있
다! 국가 안보를 위해 강요한 판사에 대한 어떠한 의혹이든 제보
하는 분께는 막대한 포상금을 지급하겠습니다!

황당해하는 기자들.

기자1   (손을 들더니) 사재로 지급하시는 겁니……
허중세   (마이크를 끄며) 여기까집니다. (휙 돌아 나간다)

S#13. 청와대 복도 (낮)

아까와는 달리 차가운 표정으로 브리핑 룸에서 나오는 허중세. 걱정스
러운 표정으로 기다리고 있는 도연정.

도연정 너무 막 나간 거 아냐? 정치가 코미디도 아니고, 사람들이 떠들 텐데……

허중세 코미디일수록 좋은 거야.

도연정 응?

허중세 코미디에 익숙해지면 복잡한 건 눈에 안 들어오거든. (씩 웃는다)

도연정 (픽 웃는다)

S#14. 강요한 부장판사실 (낮)

김가온 괜찮은 겁니까?

강요한 뭐가?

김가온 십 년 전 그때는 막말로 유명한 배우였지만 지금은 대통령입니다.

강요한 (피식 웃으며) 그렇지. 이젠 대통령에, 법무부장관, 언론사주, 재벌…… 대한민국 자체나 다름없지.

김가온 국가를 상대로 싸움을 건 겁니다. 괜찮은 겁니까?

강요한 그자들이 어떻게 권력을 얻었는지 아나?

김가온 ……

강요한 위선이야. 위기일수록 사람들은 작은 선의에도 감동하거든. 재단은 역병 발생 후 공격적으로 자선 사업 규모를 키워왔어. 그런데 정작 가장 많은 돈이 지출된 곳은 재난 구호가 아니었어.

김가온 뭐였습니까.

강요한 홍보. 온갖 미디어를 통해 대대적으로 선전하고, 과장했어. 노블레스 오블리주, 책임을 다하는 상류층 이미지를 판 거지. 그걸 무기로 정권을 장악했으니, 이제 뭘 할 것 같아?

김가온	본전 회수?
강요한	(픽 웃으며) 그 이상이지. 지금 이자들이 대대적으로 벌이고 있는 꿈터전 사업이라는 게, 결국 국민 성금으로 집단수용시설 만들어서 서울 곳곳에 있는 노숙자, 빈민, 사회 불만 세력 싹 청소해 갖다버리겠다는 건데, 그러고 나면 대대적인 도시 재개발 사업을 벌이겠지.
김가온	사업 부지는 차명으로 매집해놓았겠네요. 헐값으로. (강요한을 보며) 진짜로 결정적인 증거를 입수한 겁니까?
강요한	그게 그렇게 쉬울 리가 없잖아. 아무렇지도 않게 판사실을 폭탄으로 날려버리는 놈들이야.
김가온	(황당하다) 아니, 근데 그렇게 전 국민 앞에서 판을 크게 벌인 겁니까?
강요한	(쓸쓸하게 웃으며) 재밌잖아.
김가온	예?
강요한	재미라도 있어야지. 어차피 벼랑 끝에 서 있는 거라면.
김가온	(굳은 표정으로) 재밌습니까?
강요한	(힐끗 김가온을 본다)
김가온	너무 무책임하신 거 아닙니까? 엘리야 생각은 해보신 겁니까?
강요한	(가만히 김가온을 보다가 나지막이 내뱉는다) 늘.

김가온, 흔치 않게 속내를 드러내는 강요한을 보며 눈빛이 흔들린다. 침묵 속에 서 있던 김가온, 결심한 듯 입을 연다.

김가온	그동안 수집한 재단에 관한 자료, 전부 주십쇼.
강요한	(김가온을 응시하며) 돕겠다는 건가.

김가온	한 가지만 약속해주십쇼.
강요한	뭐지?
김가온	위증교사, 납치, 협박, 선량한 국민들을 바보 취급하는 거짓말.
강요한	(날카로운 눈빛)
김가온	전 떳떳지 못한 범법자가 될 수는 없습니다. 사기꾼 때문에 돌아가신 부모님 앞에, 그리고 수현이 앞에. 판사는 법대로 할 때 제일 힘이 있는 겁니다.
강요한	(김가온을 응시하다가 피식 웃더니) 그러든지.
김가온	일단 의혹을 제기해서 국민의 관심을 끌었고, 다음 계획은 뭡니까?
강요한	분열.
김가온	분열?
강요한	세상을 지배하는 놈들이 뭉쳐 있기까지 하면 방법이 없어. 우선 흔들어놔야지.
김가온	(굳은 표정)
강요한	(싱긋하며) 너무 심각하진 말고. 릴랙스, 오케이? (주머니에서 동전 하나를 꺼내 엄지손가락 위에 얹는다) 뭐, 이런 걸로 시작해볼 순 있잖아.
김가온	……?
강요한	(씩 웃는다)

S#15. 도심 빌딩숲 (낮)

트렌치코트 차림으로 빌딩 사이 갈림길에 서 있는 강요한, 엄지손가락 위에 동전을 얹은 채 왼쪽 오른쪽을 번갈아 힐끗거린다. 화려한 고층 빌딩들이 들어선 도심. 하지만 그 화려함과 대조적으로 빌딩 앞 길바닥엔 노숙자들과 (임금체불, 산업재해, 부당해고 등에 항의하는) 각종 시위 구호가 덕지덕지 붙은 텐트, 1인시위자 등으로 어지럽다.

한쪽으로 시선을 죽 따라가면 빌딩 사이에 민보그룹(민용식) 본사가 있고, 다른 쪽으로 죽 따라가면 사람미디어그룹(박두만) 본사가 보인다. 동전을 높이 튕겨 올리는 강요한. 손 위로 떨어진 동전을 손으로 덮었다가 열어 뒷면인 걸 확인하고는, 민보그룹 빌딩 쪽으로 걸어간다.

S#16. 민보그룹 빌딩 앞 (낮)

성큼성큼 걸어가던 강요한, 길거리에서 광고 유인물을 나눠주는 호객꾼 앞에 멈추더니 다짜고짜 손을 내민다.

삐끼   (의아해하며 강요한에게 유인물을 한 장 내민다)

강요한   (싱긋 웃으며 고개를 절레절레 흔들더니 손가락으로 유인물 뭉치를 가리킨다)

삐끼   (뭐야, 라는 표정으로 강요한을 쳐다보다가 이내 알아본다) 어? 혹시……

강요한   (씩 웃으며 다시 손을 내민다)

삐끼   (귀신에 홀린 듯 영문도 모른 채 유인물 뭉치를 강요한에게 건넨다. 이미 많이 나눠준 후라 두툼하지는 않다)

강요한   (다시 빌딩 쪽으로 걸어가며 아무렇지도 않게 유인물을 코트 안으로 숨긴다)

S#17. 민보그룹 빌딩 1층 (낮)

강요한이 성큼성큼 들어오더니 안내대 여성 직원에게 간다.

강요한   (다짜고짜) 회장실이 몇 층입니까.

안내원   네? 무슨 일로…… (강요한을 알아보고는 놀라며) 파, 판사님?

강요한   (무표정하게 응시하며 손가락으로 안내대를 토도독, 치고 있다)

안내원   (기세에 눌려) 20층입니다.

강요한이 바로 스크린도어로 향하자 안내원, 얼른 버튼을 눌러 열어
준다.

안내원   (전화기를 들며) 여기 1층인데요, 강요한 판사님이 갑자기……

S#18. 민보그룹 회장실 (낮)

비서, 당황한 기색으로 일어서서 강요한을 맞는다.

비서   판사님, 회장님은 지금 회의중이신데요.

강요한   기다리죠. (회장실 옆 대기실로 가 앉으며 손목시계로 스톱워치를 맞
춘다)

비서   (불안 초조한 표정으로 대기실의 강요한을 살핀다)

Cut to

강요한   (시계를 본다. 7분 30초 경과. 갑자기 자리에서 일어서더니 비서를 지나
                     쳐 복도 쪽으로 나간다)

비서   (당황하며) 그냥 가십니까?

강요한   (싱긋 웃으며) 용건이 끝나서. (나가려다가 뭔가를 힐끔 본다. 강요한
                     의 시선을 따라가면 비서 책상 위 민보그룹 서류 봉투가 보인다)

S#19. 민보그룹 빌딩 1층 (낮)

엘리베이터에서 내려 스크린도어를 지나 나오는 강요한. 그런데 들어
갈 때와 달리 손에 민보그룹 서류 봉투를 들고 있다. 두툼하다.

안내원   (벌떡 일어서며) 안녕히 가십시오.

강요한   (미소 지으며 까딱 목례하고는 사라진다)

강요한, 빌딩 정문을 나와 옆으로 돌아 걸어가며 휴지통에 서류 봉투를
툭 던진다.

S#20. 민보그룹 빌딩 뒷문 (낮)

강요한을 안내했던 안내원, 핸드폰을 손에 꼭 쥐고 두리번대며 조심스
레 뒷문을 빠져나온다. 경계하듯 주변을 둘러보던 안내원은 누군가에

게 전화를 건다.

안내원   (목소리를 낮추며) 무슨 일 있으면 알려달라고 하셨죠?

안내원의 발치 저 앞쪽에 검게 선팅된 차가 주차되어 있다.

S#20-1. 강요한의 차 안 (낮)

룸미러에 비친 강요한의 얼굴. 씩 웃으며 리어뷰 카메라 버튼을 누르자 넓어진 화각으로 안내원의 풀숏이 잡힌다. 누군가와 은밀한 통화중인 안내원. 강요한, 씩 웃더니 차의 시동을 걸고 출발한다.

S#21. 강요한의 차 안 (낮)

운전하고 있는 강요한.

강요한   5, 4, 3, 2…… (힐끗 시계를 보지만 아무 일도 생기지 않는다) 2…… (살짝 망설이다가) 에, 1 반의 반, 1 반의 반의 반, 1 반의 반의 반의……

이때, 블루투스로 연결된 전화벨 소리가 울린다. 패널 화면에 뜨는 발신자는 '박두만 회장'.

강요한   (씩 웃는다)

S#22. 고급 일식집 룸 (밤)

박두만   (수심 가득한 얼굴로) 그러지 말고 얘기 좀 해줘, 강판사. 내가 모
            르는 일이 있는 건가?

강요한   ······

박두만   (다급하게) 증인 매수 어쩌고 일을 벌인 건 차경희야. 나야 언제나
            강판사 편이지 않나.

강요한   (시큰둥하다)

박두만   (슬쩍 위협하듯) 감당할 수 있겠나? 재단 전체를 적으로 돌리고
            도.

강요한   (아무렇지도 않게 음식을 집어 우적우적 씹는다)

박두만   (불안 초조한 표정. 바싹 다가앉으며) 나한테 뭐 물어볼 거는 없나?
            내가 가능한 범위 내에선 얘기해줄 수도 있는데.

강요한   (무관심하게 다른 음식을 뒤적인다)

박두만   (성미가 급해서 못 참는다. 젓가락을 탁 내려놓으며) 민용식이 만난
            거 다 알아! 그 자식이 뭘 줬는지 모르겠지만 그거 다 가짜야! 기
            회만 있으면 날 제낄 궁리만 하는 인간이라고!

강요한   ······

박두만   (지친다) 이거 봐, 내가 뭐가 부족해서 재단 돈에 손을 대겠나.
            (목소리를 낮추며) 만약 누군가 그런 짓을 했다면 민용식이야. 민
            보그룹, 요즘 자금경색이 심각하거든.

강요한   ······

박두만	(망설이다가 결심한 듯) 내가 빼내줄게. 재단 회계 자료. 그러니 민용식이가 준 가짜에 현혹되지 마!
강요한	(그제야 빙긋 미소 지으며) 그래요?

S#23. 고급 일식집 룸 밖 (밤)

룸 밖에서 서성이던 박두만 비서, 주위를 살피더니 어딘가로 전화를 건다.

비서	(목소리 낮추어) 접니다. 우리 영감이 누굴 만나고 있냐면요……

S#24. 고급 호텔 레스토랑 룸 (밤)

다급한 표정의 민용식이 뭐라 뭐라 열심히 말하고 있다.

강요한	글쎄요…… (점점 매서워지는 눈매!)

S#25. 강요한의 저택, 주방 (밤)

돌아온 강요한, 주방 밖에서 안을 힐끗 본다. 김가온, 서류 더미와 노트북 화면을 번갈아 넘겨보며 열심히 메모를 하고 있다. 옆에 있는 엄청 큰 컵에는 커피가 가득하다. 피식 웃는 강요한.

S#26. 강요한의 저택, 서재 (밤)

의자에 털썩 주저앉는 강요한. 잠시 생각에 잠겨 있다가 책상 위 독서대
의 책을 흘긋 본다. 자리에서 일어서는 강요한.

S#27. 강요한의 저택, 엘리야의 방 (밤)

똑똑 노크 소리가 들리자 책을 읽던 엘리야, 방문을 연다.

엘리야   (웃음 짓고 있다가 실망한다) 뭐야, 요한이었어?

강요한   (발끈하며) 그 표정은 뭐지?

엘리야   (팔짱을 끼며) 용건이 뭔데.

강요한   (엘리야의 태도에 성질이 나지만 억누르며) 아니, 그냥……

엘리야   (문을 닫으며) 용건 없으면.

강요한   (닫히는 문을 탁 잡으며) 오늘 하루는 어땠지?

엘리야   뭐?

강요한   (어색해서 미치겠다) 어, 뭐 즐거웠다든지 언짢았다든지 뭔가 함께
           얘기해볼 만한 일이……

엘리야   (황당한 표정으로 아주 잠깐 쳐다보다가 미동도 않은 채 손만 움직여 문
           을 쾅 닫는다)

강요한   (문 앞에서 움찔하고는 똥 씹은 표정으로 돌아서는데, 다시 문이 확 열
           린다. 표정 밝아지며 얼른 돌아본다)

엘리야   저기, 근데 말야.

강요한   그래. 뭐?

엘리야	가온 부모님한테 사기쳤다는 그 나쁜 놈, 도대체 어떤 놈이야?
강요한	(쓴웃음 지으며) 또 가온 얘기냐.
엘리야	(째려본다)
강요한	가난한 사람들을 상대로 수천억대 다단계 사기를 친 놈이지. 피해자 중에 자살한 사람만 열 명이 넘고.
엘리야	(놀라며) 정말? (생각에 잠기며) 그랬구나.

다시 강요한 면전에서 문이 쾅 닫힌다. 찡그린 표정의 강요한, 투덜거리며 복도를 걸어간다.

| 강요한 | (나지막이) 집사 이 새끼 대체…… |

인서트 > 강요한의 저택, 서재.

독서대에 있는 책을 클로즈업하니,『사춘기 자녀와 대화하는 법』이다.

S#28. 대법원 주차장 (낮)

출근한 강요한, 차에서 내린다.

사내1	판사님.
강요한	(돌아보니 다부진 몸매와 날카로운 눈매의 사내 두 명이 서 있다)
사내1	같이 가주시겠습니까. VIP께서 찾으십니다.

강요한, 잠시 응시하다가 사내들 차로 간다. 얼른 문을 여는 사내2. 사
내들의 차를 타고 떠나는 강요한.

S#29. 청와대 대통령 집무실 (낮)

강요한을 양옆에서 호위하며 청와대 집무실로 데리고 들어온 사내들,
허중세에게 90도로 절하고는 나간다.

강요한   뜻밖입니다. 대통령님.

허중세   (차가운 표정으로) 뭐가?

강요한   이런 방식으로 부르실 줄은 몰랐는데요. 무시무시합니다. 어디
          묻어버리기라도 할 기세던데요?

허중세   그러면 안 되나? (씩 웃는다)

강요한   (눈을 마주 쳐다보며) 그러시게요?

허중세   물론 안 되겠지. 전 국민 상대로 내 사진을 대문짝만하게 보여주
          면서 날 엿 멕여놨으니 지금 뭘 어쩌긴 힘들겠지. 근데 말야.

강요한   ……

허중세   (눈빛이 무시무시해지며) 그래서 더욱 설마? 할 수도 있지 않겠어?
          일국의 대통령이, 직접. 한창 시끄러운 와중에.

강요한   ……

허중세   (재미있는지 입꼬리가 자꾸 올라가며 눈에 광채가 난다) 재밌지 않어?
          설마설마하는 사이에 시간은 가고, 연예인 스캔들 큰 거 좀 터져
          주면 사람들은 금세 잊어버리지. 금붕어 같거든.

강요한   그럴듯한 시나리오네요.

허중세   (갑자기 웃음을 터뜨리며 강요한의 어깨를 툭툭 치며) 하하하하, 뭘
        그렇게 긴장하고 그래. 강요한답지 않게.

강요한   (가만히 허중세를 쏘아본다)

허중세   요즘 바쁜 것 같던데. 이놈 저놈 만나느라.

강요한   네. (허중세를 빤히 보며) 지금도 그렇고.

허중세   (발끈하다가 다시 노려보며) 그 자식들이 뭘 줬지?

강요한   ……

허중세   (위협적으로) 아까 그 시나리오, 재밌을 것 같지 않아? 시험해봐
        도 되는데.

강요한   (허중세를 응시하다가) 정 그러시다면. (핸드폰을 꺼내 잠금을 풀고
        는 화면을 획획 넘겨 뭔가를 누른다)

허중세   (핸드폰 화면을 유심히 들여다보는데, 뜻밖에도 허중세 얼굴 사진 섬네
        일을 누르며 허중세의 유튜브 계정에 접속하고 있다) 어? 잠깐만, 이
        거 내 계정을 어떻게……

강요한   ('실시간 스트리밍 시작'을 누르고는 셀카 찍듯 폰을 높이 들며) 안녕
        하세요, 〈허중세의 개사이다〉 구독자 여러분. 오늘은 대통령님
        께서 저도 불러주셨네요. 고맙습니다. (허중세를 향해 인사하며 씩
        웃는다)

허중세   (당황한 가운데 억지로 표정 관리하며 썩소를 짓고는 고개를 돌려 강요
        한을 노려보며 입모양으로) 꺼, 빨리 안 꺼?

        유튜브 화면에는 실시간 댓글이 쏟아진다.
        -와 강요한이다!
        -각하 중대발표하시나요?
        -강요한 잘생겼다.

강요한	고맙습니다. 대통령님. 마음을 바꿔주셔서. 재단 비리 의혹, 진
	지하게 검토해보시겠다구요.
허중세	아니 그게……
강요한	이렇게 절 청와대까지 불러서 함께 입장을 밝히자고 해주시고,
	정말 감사합니다.
허중세	(강요한을 노려보며) 이거 봐, 강판사!
강요한	(허중세 옆에 서서 어깨동무를 하며) 대통령님과 제가 함께 한 점의
	의혹도 없이 파헤쳐보겠습니다. 여러분이 내신 성금이 어떻게 쓰
	이고 있는지. 자, 다 같이 외쳐볼까요? 대한민국을 바꾼다, 허중
	세의 개사이다! 애국자들 다 같이 구독, 댓글, 좋아요!
허중세	(굳은 표정이다)
강요한	(핸드폰을 내려놓으며 씩 웃는다)

S#30. 강요한의 저택, 서재 (밤)

김가온, 서재로 들어와서 강요한의 책상 위에 서류 더미를 내려놓는다.

강요한	(감탄한 듯) 벌써 분석 다 한 거야? 대단한데?
김가온	요리조리 복잡하게 꼬아놓았지만, 빈틈은 있네요.
강요한	빈틈?
김가온	홍보를 너무 열심히 했어요. 재단이 꿈터전 사업에 백억을 기부
	했다, 200억을 했다. 매번 홍보자료를 내며 생색을 낸 금액이 너
	무 커요. 발표된 사업 규모를 보면, 필요한 돈은 그동안 모인 국
	민 성금 정도면 충분하거든요?

강요한	국민 성금으로 추진하면서 자기들이 기부한 것처럼 생색을 냈 다?
김가온	의심일 뿐입니다. 재단 내부 회계 자료가 있어야 확인할 수 있어 요.
강요한	박두만, 민용식이 준 자료는 역시 가짜였지?
김가온	네. 서로 상대방이 횡령하고 있는 것처럼 꾸며놨던데요.
강요한	(피식 웃으며) 그 능구렁이들이 쉽게 뭘 내줄 리가 없지. 제보는 좀 들어왔나?
김가온	쓸 만한 건 없습니다. 장난이거나 보상금을 노린 허위 제보 같은 데요.
강요한	뭐, 그래도 지급해야지.
김가온	예?
강요한	보상금.
김가온	아니 이런 제보에 왜……
강요한	중요한 건 내용이 아니야. 숫자지. 인터넷에 대문짝만하게 제보 숫자를 올릴 거야. 뭔가 어마무시한 일이 벌어지고 있는 것처럼. 사람을 속일 때 제일 중요한 게 뭔지 알아?
김가온	(굳은 표정으로 강요한을 바라본다)
강요한	기세야. 한 치 흔들림 없는 태도. 인간이란 보통 그런 데 속기 마 련이지.
김가온	아주 숙달된, (강요한을 응시하며) 사기범 같은 말씀이네요.
강요한	왜 그런 눈으로 보지?
김가온	(복잡한 표정으로 강요한을 본다. 강요한의 모습에서 자꾸만 부모님의 원수였던 사기범이 겹쳐 떠올라 괴롭다)
강요한	(피식한다) 깜빡했네. 사기에 대해서 예민하다는 거. 그래도 이건

다르잖아. 내 돈 써가면서 세상을 구하는 사기꾼, 본 적 있나?

김가온　　(굳은 얼굴로 강요한을 쳐다본다)

S#31. 강요한의 저택, 김가온의 방 (밤)

침대에 누운 채 끙끙거리며 괴로운 표정으로 뒤척이는 김가온. 악몽에
시달리고 있다.

S#32. 김가온의 꿈, 장례식장 (밤)

김가온의 부모님 영정이 모셔 있는 조촐한 병원 빈소. 상주는 고등학교
교복 차림의 김가온뿐이다. 넋 나간 표정으로 부모님 영정 앞에 무릎 꿇
고 앉아 있는 김가온. 세상에 혼자 버려진 양 외롭고 자그마해 보인다.
그런데, 누군가 조용히 곁에 와서 앉는다. 교복 차림의 윤수현이다.
윤수현, 깊은 눈으로 김가온을 가만히 보며 김가온의 등을 천천히 쓸어
준다. 김가온, 그만 왈칵 눈물이 터지고 만다. 웅크린 채 흐느끼는 김가
온. 함께 눈물 흘리는 윤수현.

S#33. 김가온의 꿈, 법원 청사 외곽 (밤)

성난 표정의 피해자들과 유족들이 플래카드를 들고 있다.
'내 가족 죽게 만든 도영춘을 사형에 처하라!'

'8000억대 다단계 사기 도영춘 엄벌하라'

그중에는 김가온도 섞여 있다. 주머니 속 잭나이프를 만지작거리는 거친 눈빛의 김가온. 이때, 호송버스가 도착하고, 재판 받으러 온 죄수들이 차례로 내린다. 흥분한 피해자들, 우르르 호송버스로 몰려가고, 버스에서 도영춘이 내린다. 내리다 말고 피해자들을 비웃듯 스윽 둘러보는 도영춘. 눈매가 날카롭고 카리스마 있는 강한 인상이다.

-저놈 죽여라!

아우성치는 피해자들과 이를 제지하느라 쩔쩔매는 경찰들 사이에서 도영춘, 포승줄에 묶인 채 유유히 내려와 걷는다. 경찰들 사이에 빈틈이 생기자 김가온, 눈빛을 번뜩이며 주머니에서 잭나이프를 꺼내들고 도영춘 쪽으로 돌진하는데, 누군가 옆에서 튀어나와 김가온의 앞을 가로막는다. 놀라 쳐다보는 김가온. 윤수현이다. 얼른 밑을 내려다보자 윤수현이 필사적으로 잭나이프 칼날을 두 손으로 움켜쥔 채 남들의 눈에 띄지 않게 온몸으로 막고 있다. 윤수현의 손에서 피가 뚝뚝 떨어진다. 환청처럼 윤수현의 목소리가 들려온다.

윤수현   (V.O.) 하지 마! 저런 놈 때문에 니 인생을 버리지 마! 그럴 가치가 없어! 가온아!

S#34. 강요한의 저택, 김가온의 방 (밤)

김가온   수현아!

공포에 질려 벌떡 침대에서 일어나는 김가온. 정신을 차리고 주위를 둘러보며 이마에 맺힌 땀을 닦는다.

S#35. 병실 (낮)

머리에 붕대를 감은 윤수현, 시크한 척하며 김가온을 쳐다보고 있다.

윤수현   아이 참, 곧 퇴원할 텐데, 뭘 매일 찾아오구 그래. 귀찮게.

간호사   (무심하게 옆 병상을 치우면서 한마디 툭 던진다) 오늘은 왜 안 오냐
         고 하루종일 투덜대던 분은 어디 가셨나……

윤수현   (투덜대며) 아이, 거 환자 프라이버시는 좀.

간호사   (들은 척도 않은 채 일을 마치고 나간다)

윤수현   (혀를 쯧 차고는 김가온을 보며) 근데 강요한은 대체 무슨 짓을 벌이
         고 있는 거야? 내가 보기엔 이거 완전 사기 같은데.

김가온   (덜컥 심장이 내려앉는 느낌. 표정이 굳는다)

윤수현   (의아해하며) 왜 그래?

김가온   넌 우선 좀 쉬기나 해라. 몸부터 나아야지.

윤수현   쉬긴 뭘 쉬어! 캐봐야 될 게 한두 가지가 아닌데. 증언 조작에 성
         당 화재 사건 진상에…… (화재 사건 얘기하다 엘리야를 떠올린다.
         걱정스레) 엘리야는 잘 있어?

김가온   (끄덕인다)

윤수현   (수심이 가득해서) 얼마나 힘들었을까…… 그 어린 나이에 혼자.

김가온   (그런 윤수현을 물끄러미 보다가 씁쓸하게 웃더니) 어릴 적 내가 생각
         난 건 아니지?

윤수현   (흠칫했다가 일부러) 야 이, 뻔뻔한 놈아. 어디 그 이쁜 애랑 널 비

교해! 자기객관화 좀 하고 살지?

김가온   (피식하며) 튼튼한 거 같으니 간다.

윤수현   벌써? 하여튼 정 없는 새끼. 아, 잠깐만.

김가온   ……?

윤수현   같잖아도 손님은 손님이니 이거나 먹고 가. (옆 탁자에 있는 과일
          쟁반을 가져와서는 과도를 들어 사과를 깎으려 한다)

김가온   (과도의 날카로운 칼날을 보더니 자기도 모르게 악몽이 떠올라 윤수현
          의 손에서 칼을 빼앗는다)

윤수현   야, 뭐해? (눈을 둥그렇게 뜨고 김가온을 쳐다본다)

김가온   (말없이 윤수현의 손을 붙잡고 천천히 편다. 손바닥에 아직도 남아 있는
          당시의 상처 자국. 윤수현의 손을 잡고 물끄러미 보다가 천천히 시선을
          들어 윤수현을 본다)

윤수현   (갑작스러운 김가온의 행동에 당황하며 괜히 심장도 뛴다. 때마침 열린
          창문으로 바람이 들어와 침대 옆 흰 커튼이 휘날리고, 이를 배경으로 김
          가온의 순정만화 주인공 같은 눈동자가 보인다. 자기도 모르게 기어들어
          가는 목소리로) 야아아, 왜 그래애애……

김가온   (윤수현을 물끄러미 쳐다보며) 수현아.

윤수현   엉?

김가온   내가 깎을게. 니가 깎으면 먹을 게 없더라. (칼을 들어 능숙하게 사
          과를 삭삭 깎는다)

윤수현   에라이. (발길질을 하는데 김가온은 윤수현을 보지도 않고 슥 몸을 돌
          려 피하고는 계속 과일을 깎는다)

S#36. 재단, 재무회계부 사무실 (낮)

'사회적책임재단 재무회계부' 현판이 붙은 사무실. 소심한 표정의 뽀글뽀글 파마머리 중년 여성 직원(김주임)이 벽에 걸린 TV 뉴스 화면을 넋 놓고 보고 있다.

아나운서   강요한 판사에게 접수된 사회적책임재단 비리 관련 제보가 스무 건을 넘은 것으로 알려졌습니다. 재단측에서는 사실무근이라는 답변 외에는 아무런 입장도 밝히지 않고 있는 가운데, 진상을 밝혀달라는 청와대 국민청원이 십만 건을 돌파했습니다. 야당도 강요한 판사를 적극 지지한다면서 국정조사 실시를 촉구하고 나섰는데요.

갑자기 TV가 확 꺼진다. 놀란 김주임, 돌아보니 부장이 손에 리모컨을 든 채 매서운 눈초리로 노려보고 있다. 겁먹고 고개를 움츠리는 김주임. 옆자리 직원들이 목소리를 낮춰 수군거리는 게 들린다.

-진짜 아무거나 얘기해도 돈 준다며?

-금액도 장난이 아니래.

김주임, 책상 구석에 놓인 카드 연체대금 독촉서를 불안한 표정으로 바라본다.

S#37. 재단 (낮)

박두만   (분통 터뜨리며) 강요한 적극 지지? 허 참, 야당 놈들.

민용식	시범재판은 국민 시선 끌기용이다. 인권침해 우려가 있다. 온갖 거룩한 선비 행세는 다 하던 놈들이!
허중세	(피식하며) 그게 정치 아닌가. 적의 적이면 동지인 거지. 그보다, (두 사람을 힐끗 보며) 강요한한테 뭘 줬어? (순간 얼어붙는 두 사람. 허중세의 눈빛이 매섭다)
박두만	어, 어허허허허, 별거 아닙니다. 별거 아니에요. 엿 먹어보라고 헷갈리게 던져준 겁니다.
민용식	(박두만을 째려보며) 이왕이면 나도 엿 멕이고?
박두만	어허, 사람을 뭐로 보고. 여하튼, 그거 파봤자 강요한만 곤란해질 겁니다. (민용식을 노려보며) 그러는 민회장이야말로 뭘 갖다줬어? 왜, 나만 없어지면 방송 사업 쪽도 진출해보려고?
정선아	지금 이 모습, 누가 제일 좋아할 그림일까요?

박두만과 민용식, 휙 돌아본다.

정선아	성벽은 내부에서부터 무너지는 겁니다. 더 늦기 전에 수습부터 하시지요. 강요한은 숨 돌릴 틈 주지 않고 뭔가 할 겁니다.
허중세	(망설인다) 으음……

이때, 벽에 걸린 TV에 뜨는 속보 화면.
'강요한 판사, 긴급 기자회견 예정.'
깜짝 놀라는 박두만, 민용식, 허중세.

S#38. 대법정 (낮)

다시 한번 TV 카메라와 기자들 앞에 선 강요한. 법정 스크린에는 대문짝만하게 '제보자'라고 쓰여 있고, 그 옆 숫자가 철컥철컥 바뀐다. 23, 24, 25. 방청석 맨 앞줄 구석에는 오진주와 김가온도 앉아 있다.

강요한   (자신감 넘치게) 제보가 이어지고 있습니다! 용기 있게 진실을 밝히겠다고 여기저기서 나서고 계십니다. 용기 내주신 제보자분들 덕에 재단측의 태도도 바뀌고 있습니다. (묘한 웃음을 지으며) 대통령님 유튜브, 다들 보셨지요?

S#39. 재단 (낮)

허중세를 노려보는 박두만과 민용식. 허중세, 괜히 헛기침하며 찡그린다.

S#40. 대법정 (낮)

강요한   놀랄 만한 소식이 또 있습니다. (회계 장부로 보이는 자료를 들어 보이며) 재단 상임이사 두 분께서도 회계 자료라며 뭔가를 주셨습니다. (차갑게) 꽤 다급한 분위기죠?

동시에, 법정 스크린에 박두만과 민용식이 각각 강요한을 만나 밀담을 나누는 모습, 서류를 강요한에게 내미는 모습이 뜬다.

S#41. 재단 (낮)

목이 타는지 물을 마시려다가 푸 내뿜는 박두만. 얼른 외면하는 민용
식. 허중세, 둘을 노려보며 혀를 찬다.

S#42. 대법정 (낮)

강요한　(박두만과 민용식이 준 자료를 넘겨보며) 꽤 재밌더군요. 가족이 하
는 업체에 하도급을 주고, 사업 예정 부지를 미리 매집하고, 공교
롭게도 두 분이 주신 자료가 정반대 내용이라 확인은 좀 해야 될
것 같습니다만. (미소 지으며) 그런데 문제는 이 정도가 아닙니다.
(스크린을 가리키자 1부 2신처럼 재단 행사장 곳곳에 설치된 전광판 패
널에 마치 증권시장이나 경매장처럼 고액기부자 성명과 금액이 쉴새없
이 흐르는 영상이 뜬다) 그동안 재단 이사분들이 기부했다는 이 막
대한 금액, 대체 어디로 간 걸까요? 여기, (갑자기 방청석 구석의
김가온을 가리킨다. 조명과 카메라도 일제히 김가온을 비춘다. 당황하
는 김가온) 김가온 판사가 재단 내부 회계 자료를 일일이 확인한
바에 따르면 기부했다는 금액과 재단에 실제로 들어온 금액이 전
혀 맞질 않습니다!

재단의 허중세 등 경악한다! 김가온, 충격받은 채 강요한을 멍하니 본다.

오진주	(놀란 채로 속삭인다) 뭐야, 어떻게 된 거야 김판사.
기자1	재단 내부 회계 자료를 진짜로 입수하신 겁니까?
강요한	(거침없이) 네! 용기 있는 내부고발자가 나서주셨습니다.
김가온	(창백해지며 나지막이 혼잣말로) 아냐, 이건 아냐……
기자2	돈이 맞질 않는다면 누군가 횡령했다는 건가요?
강요한	횡령한 게 아니라면, 처음부터 기부한 적이 없는 거겠지요.

웅성대는 기자들.

기자1	김가온 판사님도 이 일을 밝히는 데 동참하시는 겁니까?
강요한	네, 여러분도 잘 아시다시피, (미소 짓는다. 법정에서 주일도 변호인을 강하게 노려보는 김가온 얼굴에 '나는 반대한다온!'이라고 쓰인, 팬들이 만든 사진이 스크린에 뜬다) 김판사는 매사에 반대하는 꼬장꼬장한 원칙주의자로 유명하죠? 그런데, 이 사실은 아직 모르실 겁니다. (스크린에 낡은 신문 기사가 뜬다. 1부 12신에서 강요한이 보던 기사다. '서민 위한 사회적기업 내세운 다단계 사기범에 속아 전 재산 날린 식당 주인 자살. 충격으로 병석에 누운 부인도 16세 아들을 남긴 채……')
김가온	……!

장내의 모든 시선과 카메라, 일제히 김가온에게로 집중된다. 충격으로 굳어버린 김가온의 표정.

강요한	김가온 판사는 이런 고통을 이겨낸 사람입니다. 그렇기에 선량한 국민 여러분을 속이는 이런 위선을 도저히 용납할 수 없었던 겁

니다.

김가온 　(창백해진 채 강요한을 뚫어져라 본다. 이런 식으로 자신을 이용할 줄은
　　　　생각도 못한 김가온, 사기의 공범이 된 충격과 분노로 어지럽다)

강요한 　제보자 신상을 보호하기 위한 조치를 마친 후, 모든 제보 내용을
　　　　공개하겠습니다. 일주일 후, 바로 이 자리입니다. 고맙습니다.

굳은 표정의 김가온과 옆에서 당혹스러워하는 오진주.

S#43. 재단 (낮)

벌떡 일어서는 허중세.

허중세 　뭐야! 이런 씨, 이거 도대체 어떻게 된 거야?!

민용식 　그럴 리가 없습니다! 회계 자료를 빼내는 건 불가능합니다!

허중세 　당신, 책임질 수 있어? 만에 하나 진짜면 어쩔 건데? 일주일 후라
　　　　잖아! 전 국민이 다 볼 건데 어쩔 거냐고!

박두만 　(자기도 모르게) 시청률은 대박이겠는데?

민용식 　(못 참고 박두만 뒤통수를 퍽 치며) 작작 좀 해라, 인간아!

박두만 　이 자식이 진짜! (멱살을 잡는다)

허중세 　(탁자를 쾅 치며) 어쩔 거야 이제!

박두만 　제가 카드 좀 만져봐서 아는데, (손으로 포커 히든 쪼는 흉내를 내며
　　　　날카로운 눈빛으로) 강요한 이 자식 지금 블러핑하는 겁니다. 가진
　　　　패가 없으니까 더 세게 지르는 거예요!

각자 머리를 굴린다.

정선아   (나지막이) 죄송합니다만.

다들 정선아를 쳐다본다.

정선아   강요한은 패가 없으면 직접 만들어낼 인간입니다. 눈 하나 깜짝
안 하고.

박두만   (버럭하며) 아 그럼 손모가지를 잘라버려야지!

정선아   전 국민이 지켜보는 큰 판이에요. (세 사람을 둘러보며) 세 분께서
자진해서 판을 키우셨고요. 이제 강요한 패가 가짜인 걸 밝히려
면 이쪽 패도 까야 됩니다. 괜찮으시겠어요?

허중세   (표정이 굳는다) 으음……

정선아   기부액 부풀려진 것만 문제가 아닙니다. 꿈터전 사업 관련 자금
집행 내역 일체, 향후 지출 계획, 그리고, (세 사람을 찬찬히 보며)
진짜 사업 목적.

순간 얼어붙는 세 사람.

허중세   (날카롭게) 정이사!

정선아   (허중세를 쳐다보더니 천천히 고개를 숙이며) 죄송합니다. 감히 제가
주제넘었습니다.

무거운 정적이 흐른다.

허중세   그래서 어떻게 수습하자는 거지?

정선아   저희한테는, 서선생님이 계시지 않습니까.

의미심장한 미소를 짓는 정선아와 의아한 눈빛을 서로 교환하는 세 사람.

S#44. 재단 이사장실 (낮)

'구국 금식기도 중' '일체 출입금지' 팻말이 붙어 있는 이사장실. 문을
통과해서 안으로 들어가면, 대낮인데도 컴컴하다. 머리를 풀어헤치고
한복 차림으로 가부좌를 틀고 앉아 있던 서정학, 눈을 번쩍 뜨더니 음흉
한 표정을 짓는다.

서정학   …강요한, 이자 덕에 이 늙은이에게 다시 살아날 기회가 생기는
          건가.

S#45. 강요한 부장판사실 (낮)

문을 거칠게 열고 들어오는 김가온, 앉아 있는 강요한을 노려본다. 동
요 없이 차분한 강요한.

김가온   결국 이겁니까?! 전 그냥 사기의 도구였던 겁니까?

강요한   (말없이 김가온을 본다)

김가온   부장님이 저들과 다른 게 뭡니까! 목적을 위해선 뭐든 다 이용해

도 되는 겁니까?

강요한　떳떳지 못한 범법자가 될 순 없다, 판사는 법대로 할 때 제일 힘이 있는 거다. (김가온을 보며) 배부른 소리라고 생각 안 하나? 이건 전쟁이야.

김가온　일주일 후엔 또 뭘 내놓을 겁니까. 위조한 회계 장부? 있지도 않은 제보? 더뎌도, 힘들어도, 제대로 된 법의 심판을 받게 해야 되는 거 아닙니까!

강요한　(묘하게 웃으며) 제대로 된 법의 심판이라…… (자리에서 천천히 일어서며) 만족했었나보네. (김가온의 눈을 빤히 보며 싱긋 웃는다) 니 부모 죽인 사기꾼, 그놈 재판이 그렇게 감동적이었어?

김가온　(분노로 소름이 끼친다) 닥쳐!

강요한　(싱글거리며 김가온 주위를 돌면서 희롱하듯 연극조로) 비싼 전관 변호사들이 판사 두 번 갈아치우고, 깊이 반성합니다, 어수룩한 배심원한테 생쇼 떨어서 감형 받고. 그거였어? 그게 니가 밤낮 떠들어대는 정의였어?

김가온　(몸이 부들부들 떨린다) 함부로 말하지 마.

강요한　(차갑게 김가온을 쳐다본다)

김가온　내 부모님같이 평범한 배심원들이 오래 고민해서 법에 따라 내린 결론이었어! 그게 시스템이야. 아무리 맘에 안 들어도 그게 시스템이라고!

강요한　(가만히 김가온을 보다가 모든 것을 꿰뚫어보듯이) 그렇게 믿어야 살 수 있었던 건가?

김가온　……!

강요한　니 곁에 남은 단 두 사람, 윤수현과 민정호가 널 그렇게 설득한 건가?

김가온	……!
강요한	니 손으로 그놈을 찔러 죽이고 부모님 곁으로 가고픈 마음을, 그 믿음 하나로 억누르며 살아왔던 건가?
김가온	(마음속 깊은 어둠을 꿰뚫린 듯 고통스럽다. 말을 잇지 못하다가 힘겹게) 멋대로 말하지 마. 당신이 뭔데, 당신이 뭔데……! (분노와 고통으로 눈물까지 맺혀온다)
강요한	(이상하게 차분해지는 눈빛. 슬픔과 연민이 비치기 시작한다. 잠시 시간이 흐른 후) 너한테 보여주고 싶은 게 있다.
김가온	(강요한의 눈을 멍하니 쳐다본다)

S#46. 강요한의 차 안 (낮)

말없이 운전하는 강요한. 창밖만 보는 김가온. 차 안에는 무거운 침묵이 흐른다. 이와는 대조적으로 차는 평화로운 논밭이 펼쳐진 시골길을 달리고 있다.

S#47. 고급 식당 별실 (밤)

은밀한 느낌의 별실. 허중세, 박두만, 민용식이 앉아 있는데, 문이 열리더니 서정학 들어온다. 얼른 일어서는 세 사람.

| 허중세 | 아니 선생님, 기도중이실 때는 도통 뵐 길이 없었는데 어떻게 이렇게…… |

서정학	(자리에 앉아 세 사람을 차례로 보며) 얼굴들이 많이 상했는데, 똥줄이 타고 있는 건가. 이번 일로.
민용식	네, 난리도 아닙니다, 선생님.
박두만	더 늦기 전에 수습해야 될 것 같습니다. 직원들 중에도 딴맘 품는 것들이 있는 것 같고요.
서정학	(세 사람을 쳐다보고 있다가) 내가 수습하겠네.
박두만	예? (묘한 눈빛을 허중세에게 보내며) 아유, 선생님께서 나서주신다면야 아무 걱정이 없지요.
허중세	(슬쩍 음흉한 미소 짓더니) 맞습니다. 지금 이 나라에, 이 사태를 수습할 수 있는 분은 선생님 한 분뿐입니다.
민용식	암요! 선생님밖에 안 계시죠. (고개를 끄덕이는데 입가에는 묘한 미소가 떠 있다) 이 시대에 마지막 남은 참스승. 큰어른!
서정학	(기분 좋으면서도 짐짓) 거, 호들갑들은…… 쯧! 여하튼, 이 늙은이가 직접 대중 앞에 나서면 강요한, 그 요사스러운 자의 혀끝에 놀아나던 민심도 가라앉을걸세. 시시콜콜한 잡설엔 일일이 대응할 것도 없어. 날 믿지 못하는 거냐, 이 서정학이를! 일갈하면 되는 거야.
허중세	(연신 고개를 끄덕이며) 옳은 말씀이십니다. 여론이라는 게, 흐름을 휘어잡으면 한순간에 바뀌는 법이죠.
박두만	(싱글거리며) 대단하십니다. 너무 정확하게 보셨습니다.
서정학	그래도 뭔가 던져줄 건 필요해.
허중세	던져줄 거라…… 하시면?
서정학	대중들이란, 뭔가 입에 물려줘야 조용해지는 법이야. 물어뜯고 찢어발길 것을.
허중세	그럼 누굴?

서정학   왜, 딱 맞는 친구가 있질 않나. 내가 나라를 위해 기도하느라 두
                문불출하는 사이, 재단 실무를 하나에서 열까지 처리해온.

허중세   정이사 말씀이십니까. 일 하나는 잘하는 친구인데요……

서정학   그래 봤자 종놈이야. 이럴 때 쓰려고 일을 맡기는 거지.

허중세   어떻게 쓰면 좋을까요…… 그냥 뒤집어씌우면 입을 다물지 않을
                테고, (서정학을 응시하며 씩 웃는다) 먼저 입부터 못 열게 만들어
                야겠군요.

서정학   영원히. 모든 걸 안고 가도 아무 말 없도록. 알겠나?

허중세   (묘한 미소를 띠며) 예. 선생님.

서정학   (통쾌한 듯 웃음을 감추지 못한다. 기괴하고, 비뚤어진 웃음!) 흐흐,
                <u>흐흐흐흐흐</u>, <u>으허허허허허</u>!

S#48. 교도소 앞 (밤)

차에서 내리는 김가온, 교도소를 바라보다가 뭔가 알아차리고 얼굴이
굳는다.

김가온   (강요한을 보며) 여긴!

강요한   ……

김가온   뭐하는 겁니까, 여긴 대체 왜!

강요한   (말없이 교도소 문을 향해 걸어간다)

S#49. 교도소 면회실 (밤)

교도관1   (컴퓨터 쪽으로 비스듬히 돌아앉은 채 짜증난 표정으로, 모자를 푹 눌
러쓴 강요한이 내미는 신청서를 한 손으로 받으며 작게 투덜거린다) 에
이, 무슨 빽이길래 이 시간에…… (컴퓨터 화면을 보며 마이크에 대
고 말한다) 수형번호 714. 도, 영, 춘! 7번 방에 면회!

면회실에 앉아 기다리는 강요한과 김가온.

김가온   (강요한을 노려보며) 내가 미쳐 날뛰기를 바라는 거야? 저놈 목이
라도 조르는 꼴을 보고 싶어?

강요한   (무심한 표정으로 외면한다)

김가온   (남의 고통을 이렇게까지 희롱하는 강요한에게 분노가 치밀어오른다.
벌떡 자리에서 일어서며, 씹어뱉듯) 나쁜 새끼!

교도관2(E)   (면회실 밖에서 들려오는 소리) 수형번호 714. 도, 영, 춘.

투명 스크린으로 분리된 면회실 건너, 문이 열리고 죄수가 한 명 들어온
다.

김가온   (충격으로 얼음처럼 굳어버린다)

천천히 들어오는 죄수는, 도영춘이 아니다! 비슷하지조차 않다! 당당
한 체구의 도영춘과 달리 왜소하고, 어깨도 굽었고, 눈매도, 코도, 입
도, 모든 것이 도영춘과 아예 다른, 눈에 초점이 없고 멍한 모습의 평범
한 노인이다!

김가온   (투명 스크린에 달라붙어 믿어지지 않는 모습을 뚫어져라 보다가 정신을 차리며) 아냐! 저 사람은 도영춘이 아냐! (교도관1을 보며) 저 사람 아니에요! 뭔가 잘못됐어!

교도관1   (심드렁하게) 에이, 뭔 소리예요. 저기 봐요. (노인 가슴에 붙은 번호를 가리키며) 714번. 맞잖아.

김가온   아니라니까요! 말도 안 돼! 완전히 다른 사람이야!

강요한   (묵묵히 지켜만 보고 있다)

교도관1   하, 사람 참. (키보드를 타닥 두들기더니 모니터 화면을 돌리며) 봐요, 봐. 여기 사진! (노인의 사진이다) 죄명 특정경제범죄 가중처벌 등에 관한 법률 위반(사기), 징역 17년. 이름 도영춘. 다 맞잖아. 저 사람이 도영춘이야.

김가온   (타오르는 눈빛으로) 하루도, 단 하루도, 그놈 얼굴을 잊어본 적이 없어. 저건 도영춘이 아니라고! (노인을 휙 가리키자 꾸벅꾸벅 졸고 있던 노인이 힐끔 놀라 눈을 뜨더니 헤~ 웃는다)

교도관1   (답답하다는 듯) 이거 봐요, 무슨 사연이 있는지는 모르겠는데, 숫자가 맞잖아, 숫자가. 수형번호, 주민번호, 입감일자!

김가온   (믿어지지 않는 현실에 망연자실한다. 세상이 무너지는 것같이 어지럽다. 파랗게 질린 채 의자에 주저앉아 눈을 질끈 감는다)

플래시백 >

피해자들을 비웃듯 스윽 둘러보는 도영춘 필사적으로 잭나이프 칼날을 두 손으로 움켜쥔 윤수현의 절박한 눈빛!

교도관1   (의아한 듯) 왜 그래요? 거 멀쩡하게 생긴 양반이 참. (그제야 김가온 얼굴을 찬찬히 보다가 문득) 어? 설마, 그…… (얼른 강요한 쪽을 본다. 모자를 눌러썼지만 알아본다. 자리에서 벌떡 일어서며) 어? 강요한? 강판사님!

강요한　(김가온을 일으키며 귓가에) 가자.

교도관1　팬입니다! (죽창의 구호를 흉내내며) 우리가 권력이다! (죽창의 행동을 따라 엄지를 세웠다가 밑으로 향하며) 응원합니다, 판사님!

소리를 듣고 몰려든 다른 교도관들도 열광적으로 강요한을 환영한다.

강요한　(말없이 김가온을 일으켜서 나간다)

S#50. 교도소 앞 (밤)

교도소 문이 열리자 김가온, 터벅터벅 걸어나온다. 강요한, 뒤따라나온다. 김가온, 힘없이 걷다가 멍하니 선다.

강요한　(김가온의 뒤에서 나지막이) 이 정도로 통째로 모든 걸 조작할 수 있는 건, 시스템 자체밖에 없어.

김가온　(무수한 감정이 교차한다. 세상이 온통 발밑에서 무너져내리는 듯하다)

강요한　이게 시스템이야. 시스템이란 권력 앞에서 무력하지. 시스템 자체를 마음대로 주무를 수 있는 권력 앞에선.

황량한 교도소 앞 공터로 휘청휘청 걸어가던 김가온, 툭 발걸음을 멈추더니 하늘을 향해 상처 입은 짐승처럼 울부짖는다.

김가온   으아아아아아아!

가슴속에 겨우, 억지로 묻고 살아오던 분노, 원한, 좌절, 고통, 그 모든 응어리를 토해내듯 울부짖는 김가온. 그걸 묵묵하게 뒤에서 바라보는 강요한의 눈빛에 연민이 어린다.

S#51. 재단 이사장실 (밤)

기분 좋은 얼굴로 불 꺼진 이사장실 문을 열고 들어오는 서정학. 불을 켜는데, 순간 표정이 공포로 굳는다. 흰 드레스 차림으로 이사장 의자에 앉아 몸을 빙글빙글 돌리고 있는 정선아.

정선아   (생긋 웃으며) 외출했었나봐?

서정학   아, 아닙니다. 그저 잠시 바람이나 쐬려고……

정선아   (걱정스레) 저런…… 나이든 몸에 바람, 찰 텐데.

서정학   아닙니다, 괜찮습니다. (고개를 꾸벅 숙인다)

정선아   (서서히 일어나 서정학에게 다가서며 안쓰럽다는 듯) 많이 늙었다. (서정학의 어깨에 손을 올린 채 서정학 주변을 서서히 돌며 구석구석 살피듯 보더니) 나 때문이야? (생긋 웃으며) 내가 약점 잡고, 못살게 굴어서?

서정학   (순간 경직된다) 아닙니다! 다 제 죗값인데, 제가 어찌 감히 원망하겠습니까!

정선아   진짜? (서정학의 눈을 올려다보며) 와, 대단하다. 나 같으면 원망할 거 같은데. 역시 마음 수양한 사람은 다른가봐.

서정학	(굳은 표정)
정선아	(생글거리며) 생각나? 나 처음 여기 영감 수발하러 들어왔을 때, 나도 그땐 꽤 어렸었는데.
서정학	(겁에 질린다) 예, 예……
정선아	(속삭이듯) 왜 그랬어?
서정학	……!
정선아	(생글생글 웃으며) 왜 그랬냐구. 갈 곳 없는 어린애한테.
서정학	(털썩 무릎을 꿇으며) 으흐흐흑! 이 더러운 놈을 용서해주십쇼!
정선아	(일으키며 등을 두들겨준다) 울지 마. 자기가 왜 울어. 난 울어보지도 못했는데.
서정학	(흐느낀다) 흐흐흐흐흑……
정선아	(서정학을 안고 아기 달래듯 등을 툭툭 두드리며) 이제 그만하자. 용서할게.
서정학	(눈물 젖은 눈으로) 네?
정선아	(생긋 웃으며) 응! 자긴 귀한 사람이거든. 이 나라를 수습할 사람. 벌써 얘기 다 끝났어.
서정학	(놀라 눈이 커지다가) 네에? 허억! (순간 고통에 밑을 보니 정선아의 칼이 가슴 깊숙이 찔러 들어오고 있다. 흘러나오는 붉은 피!)
정선아	(꼭 끌어안으며 귓가에 속삭이듯) 쉿! 괜찮아, 다 잘될 거야. 넌 명예롭게, 서선생님으로 가는 거야. (눈빛이 서서히 타오르며 어조가 격렬하게 바뀌어간다) 과분하게, 더럽게 과분하게, 너같이 역겨운 돼지 새끼한테는 분에 넘치게!

공포로 눈을 크게 뜬 서정학, 가슴에 칼이 꽂힌 채 허수아비처럼 뒤로 쿵, 쓰러진다. 정선아, 흰 드레스가 온통 피범벅이 된 채 고개를 숙이

고, 후우 후우, 가쁜 숨을 몰아쉬다가 순간 고개를 휙 드는데, 번뜩! 방금 사냥감을 물어뜯은 야생동물처럼 두 눈이 빛난다!

S#52. 재단 연회장 (낮)

사람들로 가득한 화려하게 장식된 연회장. 단상 위 스크린에는 뉴스 화면이 흐르고 있다. 장중한 장송곡을 배경으로 근엄한 서정학 얼굴, 그리고 굵은 글씨의 '서정학 이사장 서거'라는 타이틀이 떠 있다. 가슴에 리본을 단 아나운서가 비통한 어조로 방송한다.

아나운서   사회적책임재단 서정학 이사장께서 서거하셨습니다. 고인은 최근 불거진 기부금 횡령 의혹에 모든 책임을 지고 자결하신 것으로 알려졌습니다. 실제로 돈을 횡령한 재단 직원들은 모든 증거를 인멸하고 도주하였는데, 이 사실을 안 고인께서 비통한 나머지 스스로 십자가를 지신 것입니다.

스크린에 길거리 전광판으로 뉴스를 보며 충격에 빠진 시민들 모습이 비친다.

cut to

아나운서(E) 평생을 고난 속에서 빈민 구제와 민족정신 함양에 헌신해오신 고인의 서거 소식에 온 나라는 비통에 빠져······

cut to

아나운서 (검은 정장 차림으로 단상 위에 오르더니, 환하게 웃으며 가슴이 벅차오르는 듯한 어조로) 사회적책임재단을 새로이 이끌어주실, 정, 선, 아, 이사장님을 모십니다!

박수갈채 속에 조명이 일제히 정선아에게 집중되고, 벅찬 표정의 정선아, 천천히 단상에 오른다. 검은색이지만 전혀 상복 같지 않은 화려한 차림이다. 재단 인사들, 자리에서 일어서서 환호와 박수갈채를 보낸다. 그 맨 앞줄에서는 허중세와 도연정 부부, 그리고 박두만, 민용식이 박수를 치며 서로 묘한 눈빛을 교환하고 있다. 높은 단상 위에서 세상을 정복한 양, 단상 아래를 천천히 둘러보며 미소 짓는 정선아의 얼굴 위로 타이틀, **악. 마. 판. 사.**

8부

레지스탕스

S#1. 교도소 앞 (밤)

교도소 앞 공터에 털썩 주저앉아 있는 김가온. 충격과 분노, 허탈함이
뒤엉켜 가슴속에서 소용돌이치고 있다. 말없이 뒤에 서서 지켜보고만
있던 강요한, 김가온 옆으로 오더니 털썩 주저앉는다. 조용히 컴컴한
어둠만 응시하며 나란히 앉아 있는 두 사람. 한참 침묵이 흐르다 정적을
끊어내듯 강요한이 문득 입을 연다.

강요한   내 형이 죽은 그 화재 사건 있잖아.
김가온   (강요한을 바라본다)
강요한   (점점 굳어가는 표정. 화재 당시의 지옥 같은 풍경이 오버랩된다)

플래시백 >

갑자기 비명과 "불이야!" 소리가 들려온다. 창문 커튼에 확 불이 붙고,

천장과 벽을 따라 불길이 번진다. 사람들이 비명을 지르며 앞다퉈 문 쪽으로 달려간다.

강요한   (강이삭 쪽을 보며) 형!

엘리야가 강이삭의 손을 잡으려 하는데, 허중세와 차경희가 앞다퉈 나가려 하면서 마주보고 서 있던 강이삭을 확 민다.
-비켜!
그 바람에 강이삭과 엘리야가 밀려 바닥에 넘어진다. 차경희, 쓰러진 엘리야의 다리를 모질게 밟으며 달려간다. 엘리야, 비명을 지르고, 강이삭은 필사적으로 엘리야를 몸으로 감싸며 보호하려 한다. 하지만 눈이 뒤집힌 재단 인사들이 몸싸움을 벌이며 서로 먼저 문으로 가려 다투는 통에 웅크린 강이삭은 바닥에 깔려 마구 짓밟힌다.

강요한   지들 살자고 남 외면한 거, 거기까진 이해했어. (냉소적으로) 뭐, 인간이 인간 짓 하는 거니까. 인간적이잖아. 근데 말야, 와, 이건 정말 놀랍다 싶은 게 있더라구.
김가온   ……?
강요한   병원으로 찾아온 거야. 그자들이.
김가온   예?

S#2. 강요한의 회상, 십 년 전 병원 (낮)

화재 사고 후 입원 치료중인 강요한. 굳은 표정으로 병상에 앉아 있는

데, 재단 주요 인사들이 감동한 표정으로 그를 에워싸고 있다. 진지하게 강요한을 위로하는 재단 인사들.

허중세 　그 생지옥에서 어떻게 살아왔어요? 진짜 대단하다, 대단해.

박두만 　(진저리를 치며) 어유, 나도 진짜 꼼짝없이 여기서 불에 타 죽는구나 했다니까.

민용식 　(고개를 끄덕인다) 하늘이 도우셨지. 진짜.

차경희 　(눈물을 흘리며) 휴우. 평소 따뜻한 말 한번 못 해준 아들놈 생각이 어찌나 나던지…… (강요한의 손을 잡으며) 형님 일은 안됐지만 가슴에 묻어요. 남은 우리가 가신 분의 뜻을 이어가야지. 형님이 기부하신 재산, 저희 재단에서 꼭 귀하게 쓸게요. 나눔으로, 사랑으로.

허중세 　우리 남은 생은 덤으로 산다 생각하고 진짜 감사하며 삽시다.

박두만 　(스스로 감격한 듯) 더 돕고, 베풀고, 감사하고.

강요한 　(신기한 동물을 쳐다보듯 이들을 천천히 둘러본다)

혼자 외계인처럼 무표정한 강요한과 그를 둘러싸고 진심으로 서로를 위로하는 재단 인사들의 대조가 묘하게 그로테스크한 풍경화를 이룬다.

S#3. 교도소 앞 (밤)

놀란 표정의 김가온, 강요한을 멍하니 쳐다본다.

강요한 　(쓸쓸한 미소를 지으며) 진짜 일말의 거리낌조차 없어. 진심이더라구. 그런 자들이 위선까지 떠는 거. 그걸 못 참겠어. 구역질이 나서.

김가온   (흔치 않게 속내를 털어놓는 강요한을 물끄러미 본다)

강요한   그놈들은 지금도 마찬가지일 거야. 우리가 뭘 잘못했냐. 경제 살
         리자는 사업인데 사소한 일로 우리를 핍박한다. 정치적 음모다.
         여기서 밀리면 안 된다……

김가온   ……

강요한   (묵묵히 어둠을 응시하다가) 세상에 진짜로 악마가 있다면.

김가온   ……

강요한   그건 권력자의 자기연민이야.

         서치라이트가 무심히 스쳐가는 어두운 교도소 앞 공터에 말없이 앉아
         있는 두 사람.

S#4. 강요한의 차 안 (밤)

         침묵 속의 차 안. 운전중인 강요한, 힐끗 김가온을 바라본다. 멍하니 창
         밖을 바라보고 있는 김가온.

강요한   …충격이 크겠지만.

김가온   (참담한 표정을 짓는다)

강요한   지금은 니 생각만 해. 쓸데없는 거 신경쓰지 말고.

김가온   (강요한을 물끄러미 본다)

         김가온, 서서히 표정이 바뀐다. 뭔가를 떠올리는 김가온.

-무슨 백이길래 이 시간에 면회를 하냐며 툴툴대던 교도관.

-열광적으로 강요한을 환영하던 교도관들.

김가온(N) 자기 목적을 위해 남의 고통을 이용하지 않을까. (운전하는 강요한을 물끄러미 보며) 세상에 진짜로 악마가 있다면.

이유는 알 수 없지만 본능적으로 강요한에 대한 의심이 드는 김가온. 이런 일을 할 만한 자들은 강요한 말처럼 엄청난 권력자들밖에 없는 건 맞는데, 딱 시의적절하게 이런 상황을 보여주며 자신을 회유하는 듯한 강요한에 대한 의심 역시 지울 수가 없다. 서로 다른 생각에 잠긴 두 남자를 실은 채 어둡고 구불구불한 길을 달리는 차.

S#5. 강요한의 저택, 차고 (밤)

차에서 내리는 강요한. 그런데 김가온이 없다. 차 문을 닫고 홀로 걸어가는 강요한.

S#6. 강요한의 저택, 2층 (밤)

2층에서 아래층 강요한의 서재 쪽을 내려다보는 엘리야. 강요한 혼자 서재로 들어오고 있다. 함께 나가서는 왜 강요한 혼자 들어오는지 의아해하며 물끄러미 서재 쪽을 바라보는 엘리야.

S#7. 김가온의 집, 방안 (밤)

빈 방안에 혼자 덩그러니 웅크리고 앉아 있는 김가온. 고통스러운 표정이다. 김가온의 시선을 따라가면, 활짝 웃고 있는 부모님의 사진이 보인다.

S#8. 대법원 복도/강요한 부장판사실 (낮)

K와 통화하며 걷고 있는 강요한. 복도 모퉁이에서 나온 김가온이 강요한의 뒷모습을 물끄러미 본다.

강요한   재단 쪽 직원 중에 제보하려는 사람들이 나왔다며.

K(F)   네.

강요한   쓸 만한 게 있어 보여?

K(F)   회계팀 직원도 있습니다.

강요한   그래?

K(F)   네, 그런데 어제까지 다시 전화 준다고 해놓고 아직 연락이 없습니다. 핸드폰도 꺼져 있고요. 무슨 일인지 확인하는 중인데요.

이때, 판사실 문을 열고 들어가던 강요한, 뭔가를 보고 눈이 휘둥그레진다.

강요한   좀 끊어봐! (핸드폰을 내리며 멍하니 앞을 본다)

강요한의 시선을 따라가니, 판사실 통유리창에 비친 건너편 건물 대형 전광판에 뉴스 속보가 나온다. 화면에는 근엄한 서정학 얼굴, 그리고 굵은 글씨의 '서정학 이사장 서거' 타이틀이 떠 있다. 국면 돌파용 카드임을 직감하고 충격받는 강요한.

강요한   …생각보다, 훨씬 더 미친년이었잖아? (표정이 굳는다)

S#9. 재단 연회장 (낮)

정선아   (침통한 표정으로) 서선생님께서 우리 모두에게 남기신, 마지막 말씀입니다.

스크린에 커다랗게 뜨는 서정학의 얼굴.

서정학(E)   국민 여러분께 사죄드립니다. 모두 제 불찰입니다. 인간의 탐욕을 과소평가한 죄, 아랫사람에게 너무 큰 권한을 부여한 죄, 무엇보다도 사람을 쉽게 믿은 죄! 이 모두가 저의 큰 잘못입니다. 저를 믿고 사랑해주신 모든 분들에게 뭐라 드릴 말씀이 없습니다. (눈물을 흘리며 고개를 천천히 숙인다. 화면이 멈춘다)

슬퍼하는 청중. 눈물을 흘린다. 그런데, 맨 앞줄의 허중세, 박두만, 민용식만이 묘한 표정을 지으며 눈빛을 교환한다.

S#10. 플래시백, 고급 식당 별실 (밤)

서정학 그럼 난 대국민 메시지를 만들어놓을 테니, 속히 그년부터 처리 하시게. 그럼. (자리에서 일어선다)

허중세 등이 일어서서 허리를 굽히고 있는 가운데, 서정학, 방에서 나 간다. 서정학이 나가자 다시 자리에 앉는 세 사람. 그런데, 반대쪽 벽으 로 보이는 곳이 열리며 정선아가 들어온다.

박두만 (묘한 웃음을 띤다) 정이사, 대단하네.

정선아 (미소 지으며) 선생님을 모신 세월이 얼마인데요.

허중세 좋아, 그럼 이제, (정선아를 보며) 우리가 서선생님 제안 대신 정 이사 제안을 받아들여야 하는 이유를 들어볼까?

정선아 (눈을 동그랗게 뜨며) 너무 당연한 거 아닌가요?

허중세 그게 뭐지?

정선아 서선생님은 드물게, 존경받는 어른이시죠. 방금 서선생님이 하셨 던 말씀처럼, 직접 대중 앞에 나서셔서 한말씀만 하셔도 여론이 어느 정도 바뀔 거예요.

허중세 …그런데 왜?

정선아 (생긋 웃으며) 하물며, 스스로 목숨까지 끊으시면서 남긴 마지막 말씀이라면 어떨까요? 그 무게가.

허중세 흐음.

허중세, 박두만, 민용식, 서로 눈빛을 교환한다.

허중세   산 서선생보다 죽은 서선생이 더 값이 나간다. 정이사, 되게 잔인
한 사람이었네? 어우 무서워. (부르르 떠는 시늉을 한다)

박두만과 민용식, 웃음을 터뜨린다. 미소 짓는 정선아.

S#11. 플래시백, 재단 이사장실 (밤)

서정학 자리에 앉아 빙글빙글 의자를 돌리고 있는 정선아. 컴퓨터로 서
정학이 만든 대국민 메시지 영상을 보고 있다.

서정학(E)   이 모두가 저의 큰 잘못입니다. 저를 믿고 사랑해주신 모든 분들
에게 뭐라 드릴 말씀이 없습니다. (눈물을 흘리며 고개를 천천히 숙
였다가 다시 고개를 들더니) 이제부터는 제가 직접 재단 일을 하나
에서 열까지 모두 챙기며 모든 책임을 지겠습니다. 그 첫걸음으
로, 기부금에 손을 댄 범죄자, 정선아를 반드시 찾아내어 죗값을
받게 하겠습니다. 세상 어디에 숨었든! (의연하다)

모션 인식 기능이 있는 컴퓨터 스크린을 보는 정선아. 손을 오른쪽에서
왼쪽으로 휙휙 움직이자 서정학이 고개를 숙이는 장면으로 돌아간다.
손가락으로 가위질하는 정선아. 영상 뒷부분이 삭제된다.

정선아   (생긋 웃으며) 완성.

S#12. 재단 연회장 (낮)

정선아 (눈물을 흘리며) 일생 한 점 부끄럼 없이 살아온 선생님께서는 아랫사람들의 죄악조차 당신이 안고 가시고 말았습니다. 바로 이 사람들입니다.

스크린에 다섯 명의 사진이 차례로 뜨는데, (7부에 나왔던) 재단 재무회계부 부장, 생활고 때문에 제보할까 망설이던 김주임, 제보하면 돈 준다며 수군거리던 직원들이다.

정선아 의심을 받자 회계 자료까지 모두 없애고 일제히 사라진 이들은, 재단에 조직적으로 침투한 불순 세력인 것으로 밝혀졌습니다. 반드시 찾아내 죗값을 받게 하겠습니다. 세상 어디에 숨었든!

S#13. 강요한 부장판사실 (낮)

TV로 정선아 취임식 중계를 지켜보는 강요한, 굳은 표정이다. 문이 열리더니 충격받은 표정의 김가온이 들어온다.

김가온 이 인간들 도대체 무슨 수작을 벌이는 겁니까?
강요한 제보하려던 사람들이야. (TV 화면을 가리킨다)
김가온 (화면에 뜬 재단 직원들 사진을 본다)
강요한 외려 범인으로 몰았어. 자기들은 기부했는데 저 사람들이 횡령한 거다, 이렇게 스토리를 짠 거지.

김가온	그럼 우선 반박 성명을 내고 진상을 밝히라고……
강요한	(고개를 저으며) 지독하다.
김가온	네?
강요한	잔인하다. 모질다…… 사람이 죽었는데 어떻게 상갓집에 대고.
김가온	(무슨 얘기인지 알아채고 굳어가는 표정)
강요한	죽음에 유달리 관대한 나라야. 모든 방송을 동원해서 서정학 추모 분위기를 조성하겠지. 감히 고인의 유언에 토를 달지 못하도록.
김가온	(충격받은 얼굴이다)
강요한	위기를 오히려 기회로 이용하는 게 세상을 움직이는 자들의 방식이야. 잘 봐둬.

강요한이 가리키는 화면에는 심각한 표정의 허중세가 재단 단상 위에서 있다.

S#14. 재단 연회장 (낮)

| 허중세 | 이번에 거액을 횡령한 후 일제히 잠적한 자들 배후에는, 놀랍게도, 광화문 폭동을 주동했던 과격파 조직이 있었습니다! |

허중세 뒤로 1부 2신 광화문 폭동 현장 사진이 깔린다. 깨진 보도블록과 불타오르는 타이어, 뒤집힌 차량들. 빌딩의 유리창은 깨져나가고 일부는 화염에 휩싸여 있다. 그런 참상을 이순신 장군 동상이 비통한 듯 내려다보고 있다.

허중세　더욱 놀라운 것은, 이들 중 상당수는 한국 국적이 없는 외국인들 이라는 점입니다! 우리나라를 흔들려는 외세의 음모가 아닌지 의 심됩니다. 현재, 관계 기관이 조직원 일부를 붙잡아 심문중에 있 습니다만, 이들 손에 거액의 자금이 들어간 이상, 언제 어디서 테 러와 폭동이 벌어질지 알 수 없는 비상 상황이 되었습니다. 이게 누구 책임입니까! 이 모든 일은 인권 운운하며 외국인 범죄에 미 적지근하게 대처했던 지난 정권의 책임입니다! 그놈의 인권 타령 이 국민의 안전보다 중요합니까? 저는 이 독버섯 같은 세력을 뿌 리 뽑는 것은 물론, 다시는 이런 비극이 일어나지 않도록 강력한 법질서를 바탕으로 '안전한 대한민국'을 만들 것을 선포합니다! (눈에 광기가 번뜩인다) 이제 더이상, 범죄자들 눈치나 보는 나약 해빠진 대한민국은 없을 것입니다! (불끈 쥔 주먹을 치켜든다)

일제히 열광하며 환호하는 청중!

S#15. 강요한 부장판사실 (낮)

강요한　(충격받은 김가온을 보며) 저런 자들을 상대로 원칙과 절차 다 지키 며 뭘 할 수 있지?

김가온　(복잡한 표정으로 생각에 잠긴다)

강요한　전에도 얘기했을 텐데, 현실에 정의 따윈 없어. 게임만 있을 뿐이 야. 그것도 지독하게 불공정한 게임.

번뜩 고개를 들어 강요한을 응시하는 김가온의 흔들리는 눈빛. 단단하고 깊은 눈으로 김가온을 보는 강요한.

강요한	부모님 생각도 나고, 충격받은 건 충분히 이해하지만……
김가온	……!
강요한	마음 좀 추스르지? 본 게임이 시작된 거 같으니까. 이제. (차갑게 미소 짓는다)
김가온	(말없이 강요한을 응시한다. 강요한 말에 동조하게 되면서도 마음 한구석은 강요한에 대한 의심으로 괴롭다)

S#16. 김가온의 집, 옥상 (밤)

자기 손으로 죽이려 했었던 부모의 원수가 사라진 기막힌 상황. 게다가 권력자들은 엄청난 일을 벌이기 시작했는데, 강요한 역시 믿을 수 없다. 김가온, 머리를 감싸고 괴로워한다. 견디기 힘든 김가온, 망설이다가 핸드폰을 꺼낸다. 즐겨찾기에 딱 하나 저장되어 있는 전화번호가 보인다. '깡패'라고 쓰여 있고, 옆에 귀여운 이모티콘도 있다. 고민하다가 결국 버튼을 누르는 김가온. 전화가 연결된다.

윤수현(F)	어? 가온아! 지금이 몇 시냐? 그래, 이 누나가 그렇게 보고 싶어?
김가온	응.
윤수현(F)	(순순히 긍정하자 당황한다) 응?
김가온	…응. 보고 싶다. 윤수현.

S#17. 동네 골목길 (밤)

함께 걷고 있는 김가온과 윤수현.

윤수현   애는 매일같이 병원에 찾아와놓고 뭘 새삼 보고 싶기는.

김가온   (희미하게 미소 지으며) 퇴원하면 술 한잔 산다고 그랬잖아 내가.

윤수현   (씩 웃으며) 한잔 좋지. 내 진짜 힘들었다. 술 참느라.

김가온   얼마든지 살게.

윤수현   오오 김가온, 오늘 썩 맘에 들어. (맞은편에서 꼭 달라붙은 채 지나가는 커플을 힐끗 보고는 괜히 절뚝대더니 슬쩍 김가온의 팔짱을 끼며) 어우, 아직 다친 데가 시원찮네……

김가온   (픽 웃더니 팔짱 낀 팔을 빼서는 윤수현의 어깨를 부축하듯 안으며) 가자.

윤수현   (연약한 척 김가온의 어깨에 기대며) 그래~ (배시시 웃다가 괜히 또 절뚝거리며) 아우.

김가온   (걸어가다가 나지막이) 그런데 수현아.

윤수현   응?

김가온   너 다친 데 머리 아니었냐.

윤수현   시끄러.

김가온   네.

다정하게 걸어가는 두 사람의 뒷모습.

S#18. 주점 (밤)

소주잔을 들어 건배하고는 시원하게 원샷하는 윤수현.

윤수현   (꽤 마셨는지 볼이 발그레하고 눈웃음 가득하다) 아우, 그냥 술이 쫙
          쫙 붙네. (김가온을 보며) 뭐하니~ (손을 까딱하며 경쾌하게) 마셔!

김가온   (미소 지으며 원샷한다. 취기가 오른다)

윤수현   (안주를 집어 맛있게 먹다가 아무렇지도 않게 툭 던진다) 근데 언제 얘
          기할 거야?

김가온   (움찔하며) 뭐를?

윤수현   (생긋 웃는다) 너 무슨 일 있잖아. 안 좋은 거.

김가온   아냐, 그냥 너 퇴원 기념으로 한잔……

윤수현   (O.L.) 김가온. (눈웃음이 사라지며 눈빛이 깊어진다)

김가온   (억지로 웃어보려 하지만 윤수현의 눈빛을 이길 수 없다) 오늘은 그냥
          얼굴만 보고 싶었는데, 진짜로, 그래야 되는데……

Cut to

도영춘 이야기를 들은 윤수현, 충격받은 표정으로 김가온을 쳐다본다.

윤수현   야! (옆 테이블에서 돌아보자 애써 목소리를 낮추며) 아냐…… 그럴
          리가 없어, 그게 말이 돼?

김가온   내 눈으로 똑똑히 봤어. (분노한 눈빛으로) 내가 그놈 얼굴을 잊을
          수 있어?

윤수현   그래도, 어떻게 그런…… (생각에 잠기며) 그런 정도 일은 교도소

장 수준으론 택도 없고, 교정본부장 선으로도 안 돼. 그보다 위,
훨씬 위……

김가온 그래, 그게 강요한이 하는 얘기야.

윤수현 그렇긴 한데, (석연치 않은 듯 뭔가 생각하다가) 아귀가 딱딱 맞는
얘기긴 한데……

김가온 (윤수현을 바라본다)

윤수현 너무 잘 맞아. 난 수사할 때 너무 앞뒤가 잘 맞는 얘기는 우선 의
심해보거든? 강요한의 의도가 뭘까. 니 옛날 일을 그렇게까지 깊
숙이 알고 있는 것도, 보란듯이 널 거기까지 데려가서 준비한 마
술을 보여주듯 딱 보여준 것도. 만약, 그게 다 어떤 목적이 있는
행동이라면, 널 흔들어서 끌어들이려는 거라면……

김가온 (씁쓸한 미소를 지으며) 역시, 윤수현.

윤수현 (김가온을 가만히 보다가) 내가 알아볼게. 어떤 놈이 이런 짓을 벌
인 건지, 내가 찾아낼게.

김가온 (천천히 고개를 저으며) 니가 나서는 순간 공식적인 수사가 되는 거
야. 그런데 니 위에 있는 사람들도 아무도 믿을 수가 없어.

윤수현 그래도……

김가온 내게 조금만 시간을 줘. 일단 강요한한테 맞춰주면서 좀더 알아
볼게.

윤수현 가온아…… (걱정스레 김가온을 본다) 많이 힘들지.

김가온 (눈빛이 흔들리며) 놀랍더라. 그게 누구든, 이런 짓을 저지른 놈들
의 당당함이.

윤수현 당당함?

김가온 (분노와 고통을 애써 참으며 자책하듯, 혼잣말처럼) 들킬까봐 신경쓴
거 같지도 않아. 비슷하지도 않은 사람을 아무렇게나 갖다놓고.

윤수현   (안타깝게) 가온아.

김가온   (평정을 유지하려 애써보지만 힘들다) 엄마, 아버지가 그렇게 가셨
는데, 하나 있는 아들이란 새끼는 아무것도 모르고! (이를 악문
다)

윤수현   (애써 터지는 감정을 참고 있는 김가온을 안타깝게 보다가 혼잣말로)
아이, 오늘 음악 선곡이 왜 이렇지?

윤수현, 자리를 비켜주듯 일어나 계산대 쪽으로 가더니 뭔가 얘기하고
나자, 음악이 바뀐다. 그사이 혼자 앉아 웅크리고 있는 김가온의 뒷모
습이 조금씩 흔들린다. 참았던 뜨거운 눈물을 흘리는 김가온. 윤수현,
조용히 김가온의 곁으로 와서 앉더니, 웅크린 김가온의 등을 가만히 토
닥여준다. 한쪽 구석에서 고요한 둘만의 세상에 있는 듯한 두 사람.

S#19. 정선아의 집 (낮)

화려한 차림으로 치장한 정선아, 강요한에게서 빼앗은 강이삭의 목걸
이를 목에 걸고는 거울 앞에 서서 자신의 모습을 본다.

정선아   (방긋 웃으며 사랑스럽다는 듯 자기 어깨를 두드리며) 선아야, 사랑
해. (벅차오르며) 그리고 수고했어. 정말. (만감이 교차한다)

재희   그렇게 대견해?

정선아   (뒤돌아 빙긋 웃으며) 그럼~ 넌 알잖아. 내가 얼마나 열심히 살았
는지. (점점 어두워지는 표정으로) 그 지긋지긋한 시궁창에서, 여
기까지.

재희	(깊은 눈으로 보더니) 그래. 오늘만큼은 인정. 언니, 대견해.
정선아	(눈물을 글썽이며) 진짜? 어머, 나 미쳤나봐. 그 말 들으니까 눈물 날라 그래. (눈물이 주르륵 흐른다) 흐엥~ (손으로 얼굴을 가리며 애기처럼 울어버린다)
재희	으이그. (어쩔 수 없다는 표정으로 다가서서 화장이 묻지 않게 살짝 몸을 뗀 채 자그마한 선아를 감싸안고는 등을 토닥여준다)
정선아	(응석부리듯) 나 진짜 대견해? 나 착한 아이야?
재희	그래그래, 완전 훌륭해. (정선아의 얼굴을 보며) 이쁘게 꽃단장해 놓고 왜 울고 그래. 근데 어디 가려고?
정선아	(눈물이 흘러 화장이 부분부분 지워진 채 천진하게 생긋 웃으며) 도련님한테 가야지!
재희	뭐? (황당하다)

S#20. 지하철 안 (낮)

출근중인 김가온. 차내 전광판에 '수상한 자 즉시 신고 110' '강력한 법질서, 안전한 대한민국'라는 문구가 흐르고, 재단 횡령범 수배자 사진이 차내에 붙어 있다. 굳은 표정으로 사진을 응시하는 김가온.

S#21. 지하철역 구내 (낮)

김가온, 역 출구를 향해 가는데, 경찰이 역으로 들어오는 사람들 상대로 보안검색을 하고 있다. 짜증스러운 표정으로 길게 줄을 서서 검색대에 가방을 올리는 사람들. 어깨에 낡은 배낭을 멘 허름한 차림의 덩치 큰 남자, 불만스러운 표정으로 줄에서 이탈하여 출구 쪽으로 뒤돌아선다. 진압복을 입은 여성 경찰이 덩치 큰 남자에게 이쪽으로 오라는 손짓을 한다.

남자 (짜증내며) 아, 왜!

경찰 (무표정으로) 팔을 벌리고 서세요.

남자 내가 뭘 어쨌다고 그래!

남자, 무시하고 가려 하자 경찰이 남자가 멘 배낭을 붙잡는다. 거칠게 뿌리치는 남자. 경찰, 망설임 없이 진압봉을 꺼내들어 남자의 등판을 내리친다. 비명을 지르며 주저앉는 남자. 배낭이 바닥에 떨어진다. 경찰, 다시 내리치려 진압봉을 높이 드는데, 누군가 팔을 붙잡는다.

김가온 그만하시죠.

경찰 공무집행을 방해하는 겁니까?

옆의 다른 경찰들도 험악한 표정으로 김가온에게 다가서는데, 김가온, 바닥에 떨어진 배낭을 턱으로 가리킨다. 낡아서 바닥이 터져버린 배낭에서 책이 쏟아져나와 있다. 『도배기능사 2급 실기문제집』『도배 시공 이론과 실무』『문제집 해설』. 그제야 불만스러운 표정으로 돌아서는 경찰들.

김가온 (주저앉은 남자를 일으키며) 괜찮으세요? (경찰들을 향해 화난 표정으로) 이봐요!

오진주	어머, 김판사. (김가온 뒤에서 나타나서는 김가온의 팔을 잡아끌며) 여기서 딱 만나네. 늦을라. 빨리 가자.
김가온	(살짝 놀라며) 오판사님.
오진주	(걸음을 옮기며 나지막이) 일단 그냥 가자. 요즘 분위기가 심상치 않아. 무조건 강경 대응하라는 지침이 내려졌다나봐.
김가온	……
오진주	(굳은 표정으로 걸으며) 도대체 뭐가 어떻게 돌아가는 건지…… (김가온을 힐끗 보며 뾰족한 어투로) 김판사님도 큰일 하시느라 바쁜 것 같고, 나 혼자 바보 같네.
김가온	오판사님, 그게 아니라요.
오진주	(O.L.) 됐어. 내가 알아서 뭐하겠어. 그냥 가.
김가온	(앞서가는 오진주를 본다)

S#22. 강요한 부장판사실 (낮)

뉴스를 보고 있는 강요한.

아나운서(E) 허중세 대통령은 법질서 강화를 위한 조치를 연이어 발표하고 있습니다. 시범재판부가 시도한 강력한 처벌을 전국 일반재판부에도 의무화하기 위해 양형 기준을 강화하는 한편, 시범재판부 운영 및 홍보를 적극 지원하기 위한 운영지원단을 구성하기로……

이때, 똑똑똑, 노크 소리가 들린다.

강요한   (TV를 끄며) 누구시죠?

문이 조금 열리더니 뜻밖에도 정선아가 문틈으로 고개를 내밀고 손을 팔랑팔랑 흔든다.

정선아   안녕, 도련님! (손을 흔들며 화사하게 웃는다)

강요한   (황당하다는 표정으로 자리에서 일어서며) 당신 미쳤어? 여기가 어디라고 멋대로……

정선아   (씩 웃더니 성큼성큼 강요한 앞으로 걸어와 손을 쭉 내민다) 반갑습니다. 시범재판부 운영지원단장을 겸하게 된 정선아라고 합니다. 잘 부탁드릴게요. 강요한 판사님? (생긋 웃는다)

강요한   (팔짱을 낀 채 정선아 목에 걸린 목걸이를 본다)

S#23. 대법원장실 (낮)

민정호   이건 재판 독립 침햅니다! 새 양형 기준보다 낮게 선고하는 판사는 징계한다고요? 영장 기각률이 높은 판사도?

지윤식   청와대에서 사회 기강 세운다는데, 사법부도 협조해야지요.

민정호   청와대에 협조하는 게 사법부 할일입니까!

지윤식   나라가 있고!

민정호   (굳은 표정으로 지윤식을 응시한다)

지윤식   그후에 재판 독립이고 뭐고 있는 겁니다.

민정호   (고집스러운 지윤식의 얼굴을 응시하다가 자리에서 일어서며) 나라가 존립하기 위해, 재판 독립이 있는 겁니다. 대법원장님. (노려보는

지윤식을 뒤로한 채 대법원장실을 나간다)

S#24. 강요한 부장판사실 (낮)

강요한   재단 이사장만으론 부족했나? 재밌네. 너 따위가 날 지원한다고?

정선아   (장난스럽게 슬픈 표정 지으며) 상처 주네. 난 진심인데.

강요한   (코웃음 치며) 진심?

정선아   그럼~ 도련님은 내 평생의 은인인걸.

강요한   니 양떼 목장을 흔들어서, 자리를 도둑질할 수 있게 해줬다 이건가?

정선아   (코를 찡긋하며) 에이, 그것도 고맙긴 한데, 그 정도는 아니지. 알아? (감회가 깊은 듯한 표정으로) 난 태어나서 처음, 도련님 집에서 아름다운 세상을 봤어. 모든 게 반짝반짝 빛나는. 난 거기 돌아가려고 살았어. 좀도둑이 아니라 주인으로. 도련님이 쫓아냈던 그런 세상의 주인으로.

강요한   (물끄러미 보다가 피식 웃더니) 미안한데, 넌 달라진 게 없어.

정선아   (순간 번뜩이는 눈빛으로) 뭐?

강요한   (오만하고 차가운 시선으로) 넌 여전히 굶주린 좀도둑일 뿐이야. 자기가 얼마나 망가져 있는지조차 모르는 그런 좀도둑.

정선아   (눈에서 파란 불꽃이 튀는 듯 분노에 차올라 한발 한발 강요한에게 다가서다가 갑자기 생긋 웃으며) 알아? 난 도련님이 이럴 때 좋더라. 날 비웃고, 욕하고, 상처 줄 때. (부르르 떨며) 막 짜릿해! 그래서, 나도 막, (강요한의 얼굴로 화려하게 장식한 손톱을 뻗으며) 괴롭히고 싶어. (생긋하며) 할퀴고, 물어뜯고, 후벼파고.

강요한 (정선아의 두 손을 부드럽게 감아쥐더니 미소를 지으며) 아직 나에 대해 모르는 거 같은데, (정선아를 서서히 벽 쪽으로 밀어붙이며) 난 별로 참을성이 없고, 남녀를 차별하지 않아. (두 손으로 서서히 정선아의 두 팔, 어깨선을 쓰다듬듯 훑어 올라간다) 아니 어떤 인간도 차별하지 않지. 똑같이 대하거든.

정선아 (묘하게 들뜬 표정으로 웃고 있다) 알아? 도련님은 나랑 참 닮았어.

강요한 그래서 내가 좋아? (천천히 두 손을 목걸이가 걸린 정선아의 목 쪽으로 가져간다)

정선아 (고개를 끄덕이며) 응!

강요한 …얼마나 좋은데?

정선아 (묘하게 웃기만 한다)

강요한 (홀릴 듯한 미소와 함께 목소리는 더욱 달콤해진다) 내가 얼마나 좋냐구. (순간 냉혹한 표정이 스치며 정선아의 목에 갖다댄 두 손에 힘을 준다!)

정선아 (얼굴이 하얘지며 눈을 찡그린다!)

김가온(E) (다급하게) 뭐하는 겁니까!

김가온, 황급하게 뛰어와 강요한을 붙잡는다. 강요한, 정선아의 목에서 목걸이를 빼내 손에 쥐고는, 찡그리며 옆구리 쪽을 본다. 뭔가에 찔린 작은 상처에서 피가 살짝 배어나온다. 강요한, 정선아의 손에서 뭔가를 빼앗는다. 끝에 피가 묻어 있는 뾰족한 머리핀이다.

김가온 (정선아를 부축하며) 괜찮으세요?

정선아 (김가온의 품에 달려들어 폭 안기며) 고마워요! 덕분에 살았어요!

(김가온의 가슴에 얼굴을 묻는다)

김가온   (당황하며 엉거주춤 몸을 빼려 하는데) 어 저기, 그런데 잠시만요.

강요한, 뚜벅뚜벅 걸어와 정선아의 어깨를 스윽 잡아 김가온에게서 떼어놓는다.

강요한   (냉소적으로) 버릇은 여전하네? 주제 파악 못하고 남의 거에 손대는 버릇. (김가온의 어깨에 팔을 탁 두른다)

정선아   (혀를 날름 내밀며 생긋한다) 어머?

김가온   (강요한의 팔에서 빠져나오려 버둥거리며) 잠깐만요, 남의 거라니 그게 무슨. (겨우 빠져나와 강요한을 노려본다)

정선아   (손을 팔랑팔랑 흔들며) 그럼 오늘은 이만~ 또 봐요 우리!

김가온, 황당한 눈으로 정선아와 강요한을 번갈아 보는데, 정선아, 경쾌하게 하이힐을 또각거리며 사라진다. 재미있다는 듯 미소 짓는 강요한.

S#25. 판사실 복도 (낮)

강요한 방에서 들려오는 소란에 밖으로 뛰쳐나온 오진주, 놀란 표정으로 복도를 지나가는 정선아를 본다.

오진주   정…… 이사님?

정선아   (생긋 웃으며) 어머, 오판사님. 우린 따로 봬야죠? 오붓하게. (눈웃음 짓는다)

오진주 (사라지는 정선아를 보다가 고개를 돌리는데, 점점 눈빛이 매서워지더니 성난 표정으로) 뭐야, 진짜!

S#26. 강요한 부장판사실 (낮)

강요한 (김가온에게) 저 여자가 운영지원단이라는 걸 맡았다는데.

오진주 (문을 열고 들어오며) 부장님.

강요한 어, 오판사.

오진주 (애써 분을 참으며) 저도 이 재판부의 일원, 맞습니까?

강요한 무슨 소리지?

오진주 부장님이 시작한 일로 온 나라가 들썩이는데, 저한테는 아무것도 말해주지 않으시네요. 한마디 상의도 없이 사퇴하시겠다, 전 국민 상대로 제보를 받겠다, 저분은 또 왜 여기 갑자기 나타나고.

김가온 (놀라서) 오판사님.

오진주 미안, 부장님한테 한말씀만 더 드릴게. (강요한에게) 절 어떻게 보시는지는 모르겠지만, 저도 엄연히 대한민국 판사고, 시범재판부의 일원입니다. 이러실 거면 재판도 부장님 혼자 하시든가요. (강요한을 응시한다)

강요한 (관찰하듯 물끄러미 보다가) 달라졌네, 오판사?

오진주 (멈칫한다)

강요한 (묘하게 웃으며) 시범재판부에 불러만 준다면, 내 옆에 앉는 것만으로도 평생 영광으로 알겠다고 말했던 걸로 기억하는데, 내 기억이 틀렸나?

오진주 (표정이 굳는다)

강요한	꽤 야심만만해졌네. 축하할 일이긴 한데, 계기가 뭔지 궁금한데? (싱긋 웃는다)
오진주	(눈빛이 흔들리지만 애써 감추려 애쓰며) 전 드릴 말씀 다 드렸습니다. 그럼. (목례하고 돌아 나간다)
김가온	(굳은 표정으로 강요한에게) 이게 부장님 방식입니까?
강요한	(김가온을 본다)
김가온	바로 곁에 있는 사람까지 쳐내면서, 어떻게 세상을 움직이는 자들과 싸우겠다는 겁니까. 혼자 고립된 채로?
강요한	그 얘기는……
김가온	(강요한을 본다)
강요한	이따 하지. 집에 좀 들러. (씩 웃는다) 엘리야가 영 안절부절못하는 눈치던데.

S#27. 법무부장관실 (낮)

초조한 표정으로 서성이는 차경희. 비서는 조용히 대기하고 있다.

차경희	나를 완전히 배제한 채 일이 진행되고 있어. 갑자기 서정학이 죽더니, 이번엔 과격파 조직? 잡혔다는 조직원, 신상 파악됐어?
비서	국정원이 자기들 소관이라며 아무것도 공유하지 않고 있습니다.
차경희	대통령 지시만 받는다 이거지. (눈빛 매서워지며) 허중세 개인 비리 수집하던 팀 있지?
비서	네, 장관님.
차경희	그중 일부는 다른 데 붙여야겠어.

비서   어디…… 말씀이십니까?

차경희   사회적책임재단, 신임 이사장 정선아. 아무래도 우리 광대 대통령 각하한테 불여우가 한 마리 달라붙은 거 같아.

S#28. 강요한의 저택, 문 앞 (밤)

들어오는 강요한과 김가온을 2층에서 반가운 기색으로 보는 엘리야. 그런데 김가온과 눈이 마주치자 샐쭉한 표정을 지으며 돌아서 자기 방으로 간다.

S#29. 강요한의 저택, 주방 (밤)

강요한   (커피를 내려 김가온에게 내밀며) 왜 오진주는 끌어들이지 않는지 궁금한 눈치인데, 재판부는 3인 합의체야. 2명이면 과반수지.

김가온   작은 수까지는 필요 없다 이겁니까? 하지만 오판사님은 좋은 분입니다.

강요한   (피식하며) 선의, 소신, 그런 변덕스러운 건 믿질 않아서.

김가온   부장님이 믿는 건 오직 원한, 분노, 그런 거군요.

강요한   그나마?

김가온   스폰서에, 아들에, 첫 재판부터 집요하게 차경희를 타깃으로 삼고 있는 이유도 그겁니까? 엘리야 때문에?

플래시백 >

화재 사건 당시, 쓰러진 엘리야의 다리를 모질게 밟는 차경희.

강요한   (순간 표정 굳었다가) 뭐, 그 여자 팬이라고는 못하겠지만, 그렇다고 그렇게 단순한 이유만은 아니야. 내가 말했잖아. 세상을 지배하는 놈들이 뭉쳐 있기까지 하면 방법이 없다고.

김가온   (생각에 잠기며 혼잣말처럼) 가장 강력한 상대부터 고립시킨다……

강요한   (미소 지으며) 게다가 가장 고립시키기 쉽거든.

김가온   쉽다구요?

강요한   차경희가 왜 강력한지 알아? 모두의 약점을 쥐고 있어서야. 차경희가 궁지에 몰릴수록 해피해질 자들이 많을걸? 그리고, (매서워지는 눈빛으로) 난 차경희가 쥐고 있는 모두의 약점, 그게 아주 탐이 나서 말야.

김가온   (강요한의 큰 그림을 이해하고는) 더 궁지에 몰겠다는 거군요. 차경희가 마지막 카드로 거래하려들 때까지.

강요한   (씩 웃으며 주머니에서 USB를 하나 꺼내 내밀며) 이해했으면 우선 이거부터 좀 검토해봐. 다음 시범재판에 올릴 만한 사건들. 쇼는 계속돼야지. 대중의 지지가 우리의 유일한 무기니까.

김가온   (USB를 받아 주머니에 넣고는 지나가는 말처럼) 그런데 도영춘 일 말인데요, (강요한의 반응을 살핀다) 그건 누구 짓인 겁니까?

강요한   (무표정하다) 글쎄. 아직 알아보는 중이라.

김가온   그게 누구든, 대체 왜 그런 짓을 한 걸까요?

강요한   ……

김가온   정치범도 아니고, 무슨 외국과 거래할 만한 카드도 아닌데 굳이 왜……

강요한   뭐, 특별한 이유를 모르겠다면 보통은 돈이지.

김가온   돈?

강요한   돈이란 굉장히 강력한 동기라구. 누구에게나.

김가온   (생각에 잠긴다)

S#30. 강요한의 저택, 서재 (밤)

K   (불편한 표정으로) 김가온 판사를 꼭 끌어들여야 합니까? 이렇게
         까지 굳이……

강요한   좋든 싫든 내 등 바로 뒤에 적을 둘 수는 없어. 내 편으로 만들든
         지……

K   …아니면?

강요한   (잠시 눈빛이 흔들린다) 제거해야겠지. 위험 요소는. (서서히 얼굴
         표정 차가워진다)

S#31. 강요한의 저택, 엘리야의 방 (밤)

똑똑, 노크 소리가 들린다.

엘리야   들어와.

김가온   (엘리야 책상 위 냉동식품을 보더니 눈살을 찌푸리며) 나만 잠깐 없으
         면 또 냉동식품?

엘리야	무슨 얘길 그리 오래했어? 둘이서.
김가온	뭐, 그냥, 재미없는 일.
엘리야	하긴. 아저씨 둘이서 재밌을 리가 없지.
김가온	(피식 웃더니) 너무하네. 난 아저씨 아니고 오빠 아니었나?
엘리야	됐고, (덤덤한 척하며) 요즘은 왜 집에 안 들어와?
김가온	어…… 그냥. 머리가 좀 복잡한 일이 있어서.
엘리야	(김가온의 안색을 살피다가) 곰곰이 좀 생각해봤어. 니가 저번에 한 얘기.
김가온	무슨 얘기?
엘리야	그 나쁜 사기꾼. 니네 부모님 돌아가시게 만든.
김가온	내가 괜한 얘길 했나보다. 너무 신경쓰지 마.
엘리야	어떻게 신경을 안 써! 몇 번이나 죽을라 그랬대매! 그놈 때문에!
김가온	(격한 반응에 살짝 당황하며) 엘리야?
엘리야	(순간 오버했다 싶어 얼른) 어, 물론 남의 일이지만, 어쨌든 한지붕 아래 살고 있는 사람 일인데! 그렇게 막 무신경하게 모른 척하고 그러면 못 쓰는 거야! 안 그래?
김가온	(졌다는 심정이다) 그래, 사람의 도리가 아니지. 그래서 무슨 생각을 그렇게 했어?
엘리야	(거침없이) 죽여버리자.
김가온	(황당하다) 뭐라고?
엘리야	(나름대로 진지하다) 아무리 생각해봐도 그게 좋겠어. 난 도대체 이해가 안 돼. 왜 국민 세금으로 그런 놈을 재워주고, 입혀주고, 하루 세 끼 멕여주는지. 가온은 잠이 와? 나 같으면 분해서 하루도 편히 못 잘 거 같아.
김가온	(왠지 찡하다. 열심히 얘기하는 엘리야를 가만히 본다)

엘리야	생각해봤는데, 꼭 불가능한 건 아닌 거 같아. 내가 교도소를 해킹해서 외출 날짜를 알아낼 테니까, 그때 숨어 있다가 확 덮쳐서……
김가온	(O.L. 부드럽게) 엘리야.
엘리야	응?
김가온	(미소 지으며) 고맙다. 그렇게까지 생각해줘서.
엘리야	(어색하게) 어? 아니 뭐 난 그냥……
김가온	너무 신경쓰지 마. 난 이제 괜찮으니까.
엘리야	그래? 그럼 뭐. (시큰둥하게 혼자 투덜대며) 재미없어.
김가온	(생각에 잠겼다가) 만약……
엘리야	응?
김가온	이건 그냥 황당한 상상인데 말야, 누군가 그 나쁜 놈을 확 바꿔치기해버렸다면 어떨 거 같아? 엉뚱한 사람으로.
엘리야	(황당해하며) 뭐야? 그런 말도 안 되는 상상까지 하고 있었어? 그러니까 쓸데없는 생각할 시간에 가서 죽여버려……
김가온	(O.L.) 그러게. 말도 안 되는 상상이지?
엘리야	누가 굳이 그런 미친 짓을 하겠어. 굳이 왜?
김가온	그렇지. 정말 이상한 사람이, 이상한 목적이 아니고서야……
엘리야	……?
김가온	(미소를 지으며) 아니야. 잘 자. 굿밤~ (방에서 나간다)
엘리야	뭐야. (째려보더니, 김가온이 나가자 서서히 걱정스러운 표정으로 바뀐다)

엘리야, 골똘히 고민하더니, 내키지 않는 듯 얼굴을 찡그리며 윤수현의 명함을 꺼내들고는 망설인다.

S#32. 명품 매장 (낮)

도도하고 시크한 표정으로 럭셔리한 명품 매장을 자기 집처럼 둘러보고 있는 엘리야. 윤수현, 디스플레이된 백을 집어들었다가 가격표를 보더니 경기를 하며 얼른 내려놓고는 엘리야 옆으로 온다.

윤수현   (미소 지으며) 깜짝 놀랐어요. 그러지 않아도 엘리야씨 생각 많이 났는데 전화 줘서.

엘리야   (옷을 살펴보며 무심한 척) 뭐 그냥, 아저씨하고 와봤자 도움이 안 돼서. (클러치백을 하나 들어 보이며) 이거 어때요?

윤수현   이쁜데요? 잘 어울려.

엘리야   뭐, 모델이 나쁘지 않으니까. 이건요? (옷을 본다)

윤수현   (픽 웃으며) 그건 좀 너무 어른스러…… (엘리야가 홱 째려보니까) 럽다기보다 올드하달까. 이건 어때요? 더 잘 어울리는 거 같은데.

엘리야   흐음, 그런가? (의외로 또 진지하게 옷을 몸에 대본다. 그러다 슬쩍) 그런데, 요즘 무슨 일이라도 있어요? 가온한테?

윤수현   가온이? 어, 글쎄요.

엘리야   뭐야, 단짝 친구라면서요.

윤수현   (피식하며) 걱정돼요?

엘리야   (빽 소리지른다) 걱정은 무슨! 내가 왜. (도도한 표정으로 직원을 쳐다보며) 이거 포장해주세요.

점원   네~ (윤수현이 골라준 옷을 엘리야로부터 받아든다)

엘리야   저것도요. (백이 디스플레이된 쪽을 가리킨다)

점원   네?

엘리야	저거요. 이 아줌마가 아까 보던 거. (블랙카드를 내민다)
윤수현	(어이없다) 아, 줌……? (백 쪽으로 가려는 점원을 가로막으며 미소 짓는다) 전 괜찮아요. 놔두세요.
엘리야	(쑥스러운 듯 외면하며) 거기도 뭐 좀 골라봐요. 나만 쇼핑하면 재미없잖아.
윤수현	(미소 지으며) 그것도 좋은데…… (뭔가 생각난 듯) 딴 데도 한번 가볼까요?
엘리야	딴 데? (갸우뚱한다)

S#33. 한강 시민공원 (낮)

화창한 한낮, 시원스럽게 한강 풍경이 펼쳐진 시민공원 내 편의점. 윤수현, 착착 숙달된 솜씨로 라면 조리대에서 봉지 라면을 맛깔스럽게 끓인다. 호일에 담긴 라면을 파라솔 아래 있는 엘리야 앞에 내려놓는 윤수현. 어이없다는 표정으로 윤수현을 살짝 째려보고는 마지못해 젓가락을 드는 엘리야, 한 젓가락 맛보더니 눈이 휘둥그레진다. 웃는 윤수현.

S#34. 한강 시민공원 (낮)

아름다운 풍경을 보며 아이스크림을 먹고 있는 윤수현과 엘리야.

엘리야	(한입 맛있게 아이스크림을 먹고는 문득) 좋아하죠?
윤수현	아이스크림?

엘리야   (찡그리며) 알면서.

윤수현   가온이? (미소 지으며) 뭐, 싫어한다곤 못하겠네요. 유치원 때부
         터 다섯 번이나 고백한 전과가 있어서.

엘리야   다섯 번?

윤수현   비록 전부 까였지만. (싱긋한다)

엘리야   진짜로? 근데, 왜……

윤수현   왜 자꾸 고백했냐? 글쎄, 왜 그랬을까……

엘리야   (눈을 또랑또랑 뜨고 열심히 윤수현을 바라보고 있다)

윤수현   (미소 지으며) 뭐, 역시 시작은 얼굴, 아니었을까요? 나름 귀여웠
         거든. 옛날에는.

엘리야   그런데요? (귀를 쫑긋한다)

윤수현   …그런데 울더라구.

엘리야   예?

윤수현   걔네 집이 그때 처음으로 거하게 망해서, 유치원도 그만두게 됐
         었어요. (점점 혼잣말처럼) 그래서 울더라구. 펑펑. 그런데 난 그
         게 너무 싫어서, 그 녀석이 우는 게 싫어서, 내가 할 수 있는 게 없
         어서, 나도 모르게 그만 고백을…… (멋쩍게 웃으며) 바보 같죠?

엘리야   (가만 듣고 있다가) 그럼 혹시, 울 때마다?

윤수현   (끄덕인다) 가온이가 우는 걸 다섯 번이나 봐버렸네요. (슬픈 표정
         으로) 난 미안할 만큼 늘 행복한데, 가온이네 집엔 무슨 불행한 구
         름이 드리운 건지…… 멈추지도 않고, 계속해서……

플래시백 >

부모님 영정 앞에서 넋이 나간 채 울고 있던 김가온.

엘리야	(윤수현을 가만히 본다)
윤수현	(눈물이 맺히는데, 얼른 깜박거리더니 미소 짓는다) 아이구, 너무 늦었네. 이제 갈까요? (눈물을 보이지 않으려 얼른 일어선다)
엘리야(E)	…같이 가요.
윤수현	(돌아본다)
엘리야	(우물쭈물, 조심스레 윤수현의 팔을 잡으며) 언니.
윤수현	(괜히 눈물이 핑 돈다. 엘리야를 향해 활짝 웃으며) 그래, 엘리야. (엘리야의 손을 꼭 잡아주고는 뒤로 가서 휠체어를 민다)

자매처럼 다정하게 함께 가는 둘의 뒷모습.

S#35. 길거리 (낮)

바쁘게 걸으며 통화중인 김가온.

김가온	응. 너 중원F&B 취재한 적 있었지? 근래 몇 년간 자금 상황이 어땠는지 좀 알아봐줄 수 있어? 그래, 고맙다. (전화 끊고는 커피숍으로 뛰어들어간다)

S#36. 커피숍 (낮)

정장 차림의 사람 좋아 보이는 남자(김가온의 로스쿨 동기 검사), 들어오는 김가온을 보고는 반갑게 손을 든다.

박검사	가온아!
김가온	(숨을 가쁘게 쉬며 앉는다) 미안, 좀 늦었지? 바쁠 텐데 미안하다. 박검사님.
박검사	(씩 웃으며) 에이, 로스쿨 동기 중에 젤 잘나가는 김판사가 부르는데, 달려와야지.
김가온	(쓸쓸하게) 잘나간다고?
박검사	그럼, 너 스타잖아. (종이를 턱 꺼내며) 사인 좀 해. 조카 갖다주게.
김가온	…어, 그래. 근데 실은 너한테 부탁이 좀 있어.
박검사	뭔데?
김가온	응, 복역중인 재소자가 한 명 있는데 수천억 해먹은 놈이거든? 범죄수익 추징팀이 검찰에 있었을 거야. 성과가 있었는지 좀 알아봐줄래?
박검사	흐음…… 시법재판부에서 뭐 또 하는 거야?
김가온	아니. 개인적인 일이야. 꼭 좀 부탁한다.
박검사	정 그렇다면, (종이를 치우며) 너 사인 좀 많이 해야겠는데? 이 정도론 안 되겠어. (씩 웃는다)
김가온	(쓴웃음을 짓는다)

S#36-1. 김가온의 동네, 골목길 (밤)

골목길을 걷던 김가온, 핸드폰이 울리자 전화를 받는다.

김가온	응, (무심결에) 깡패, (윤수현이 소리를 버럭 질렀는지 찡그리며 핸드

폰을 귀에서 떼었다가) …가 아니라 수현아. 지금? 집 가는 중인데. 거기 말고, 집. 그래. (전화를 끊는다)

김가온, 술에 취한 왜소한 노인이 길바닥에 누워 있는 걸 보더니 부축해 일으킨다.

김가온 할아버지, 여기서 주무시다 큰일나요. 얼른요.

S#36-2. 김가온의 동네, 파출소 (밤)

노인을 부축해서 파출소로 들어가는 김가온.

김가온 수고하십니다~

아기처럼 곱상하고 선량한 인상의 젊은 순경이 얼른 달려와서 노인을 부축한다.

순경   김판사님, 동네에선 오랜만에 뵙는 거 같아요! TV에서만 뵙고.
김가온 네…… 이순경님 수고 많으시죠?
순경   잠시만요. (노인을 소파에 눕힌다)
취객   개새끼들아!
순경   (뒤돌아본다)

곤란한 표정의 여경 앞에서 만취한 오십대 취객이 혀 꼬부라진 소리로 고함을 치고 있다.

취객 이 짭새 새끼들아, 우리 마누라 찾아오라고! 빨리! (여경의 가슴께
    를 팍, 밀친다)

취객 쪽으로 달려간 순경, 망설임 없이 3단 경찰봉을 좍 펴더니 취객을
사정없이 내리친다! 여경도 합세해서 쓰러진 취객을 발로 퍽퍽 걷어찬
다.

김가온 잠깐만요! (놀라 취객 쪽으로 달려간다)

순경, 이미 기절해서 피 흘리는 취객을 수갑으로 책상 다리에 묶는다.

순경 괜찮습니다. 새 직무지침대로 상황 정리했어요. (밝게 웃으며) 아
   유, 속이 다 시원하네. 이제야 좀 나라가 나라다워졌지요?
여경 판사님들 덕분이에요! (생긋 웃는다)
김가온 (머릿속이 복잡해진다)

S#37. 김가온의 집, 옥상 (밤)

화분을 정성스레 돌보고 있는 김가온.

윤수현 (계단 올라오며) 이제 완전히 돌아온 거야?
김가온 (돌아보더니 씩 웃으며) 그건 아니고, (화분을 보며) 이 녀석들 챙겨

야지.

윤수현	들를 게 아니라 아주 와야지! 지 집 놔두고 왜……
김가온	…거기도 챙길 녀석들이 좀 생겨서 말야.
윤수현	너나 좀 챙겨라, 제발.
김가온	(표정 어두워지며) 내가 뭘. (부모 생각에 씁쓸한 미소를 지으며) 속도 없이 편하게 사는 날 뭘 챙겨.
윤수현	(안타까운 눈으로 김가온을 가만히 본다)

플래시백 >

주점에서 울던 김가온의 모습.

김가온	(화분을 돌보다가 윤수현이 아무 말이 없자 쳐다본다) 수현아?
윤수현	(아까 엘리야와 그런 얘기를 나눈 직후라 괜히 마음의 동요가 있다) 어?
김가온	(씩 웃으며) 뭘 그리 골똘히 생각하고 있어.
윤수현	(힘들어하는 김가온을 보는 게 마음 아프다) 아니, 그냥. (깊은 눈으로 김가온을 보다가) 근데 가온아.
김가온	어? (계단을 올라오고 있는 민정호를 보고 놀라 일어선다) 교수님?
민정호	헥, 헥. 하이고, 이놈의 집은 뭔 계단이 이렇게 많아.
윤수현	(멈칫했다가 싱긋 미소 지으며) 오셨어요!
김가온	웬일이세요, 이 밤에……
민정호	(김가온은 무시하고 윤수현에게 반갑게 인사한다) 어, 그래그래. 수현이는 어떻게, 볼 때마다 더 이뻐지는구나.
윤수현	그러게 말입니다. (씩 웃으며) 저도 가끔 제가 무서워요.
민정호	(김가온이 가꾼 정원을 둘러보며 감회가 깊은 듯) 피는 못 속이는구

나. 나랑 니 아버지랑 어렸을 때 과수원에서 일깨나 했는데.

김가온   (아버지 얘기에 움찔하지만 티내지 않으며) 그건 노동이고, 이건 도
시 남자의 취미생활. 완전 다르죠~

민정호   지랄한다.

윤수현   제 말이. (민정호와 쿵짝이 맞게 마주보며 끄덕인다)

김가온   (두 사람을 째려본다)

S#38. 김가온의 집, 방안 (밤)

김가온의 부모 사진을 깊은 눈으로 보던 민정호, 김가온이 라면 냄비를
들고 오자 얼른 고개를 돌린다. 라면에 신김치 종지를 놓고 열심히 젓가
락질을 하는 세 사람.

민정호   (국물을 들이키며) 어, 좋다.

윤수현   (킥 웃으며) 소주 한잔 당기는 표정이신데요?

민정호   그러게 말이다. 센스 없는 놈. (김가온을 노려본다)

김가온   (어이없다) 저기요?

민정호   (표정 서서히 진지해지며) 마침 오랜만에 수현이한테 안부 전화 했
다가 들었다. 니가 온다길래.

김가온   대법원에서 매일 같이 근무하는데요, 뭘 새삼……

민정호   난 우리가 있는 데가 법원인지 뭐하는 덴지도 모르겠다, 요즘.

김가온   ……

민정호   오늘 대법원장을 만났는데, 무슨 군대 사단장 같더라. 전국 법원
이 일사불란하게 움직여야 된대. 내가 젊을 때 길바닥에서 싸운

건, 이런 나라를 만들자는 거 아니었어.

윤수현 교수님, 실은 저도 너무 무서워요. 전 경찰에 실탄 휴대 명령이 떨어졌어요. 시민 가슴에 총 겨누려고 경찰이 된 게 아닌데.

민정호 (끄덕이며) 경찰 폭력이 심각해지고 있어. 취객이 조금만 떠들어도 경찰봉으로……

김가온 (O.L.) 그게 꼭 잘못된 걸까요?

민정호 (놀라며) 가온아.

김가온 그렇다고 경찰이 취객한테 매일 밤 얻어터지는 것도 정상은 아니잖아요. 그건 멀쩡한 나란가요?

윤수현 (말리려는 듯) 가온아.

민정호 그렇지. 하지만 한번 폭주하기 시작한 괴물은 적당한 곳에서 멈추질 않기 마련이다. 그리고 그 괴물을 깨운 건, 너희, 시범재판부야.

김가온 (굳은 표정으로 민정호를 보다가) 그래서 뭘 하시려는 건가요.

민정호 …난 너희 재판부를 해체시킬 거다.

윤수현 (놀라 쳐다본다)

민정호 (단호한 눈빛으로) 법원 내부는 이제 희망이 없어. 시민단체를 통해 문제 제기를 하고, 양심적인 일부 언론이 받으면, 야당이 국정조사를 요구하는 그림이다. 가온아, 니가 이 그림의 핵심이다. 니가 보고, 듣고, 안, 모든 것들. 그 모든 게 필요하다.

김가온 …통보입니까?

민정호 …부탁이다. (간절한 눈빛으로) 그리고 미안하다. 내가 죽일 놈이다. (고개를 떨군다)

괴로운 눈빛으로 민정호를 보는 김가온, 그리고 그런 김가온을 안타깝게 쳐다보는 윤수현.

S#39. 배석판사실 (낮)

창밖을 보고 있는 김가온. 심란한 표정이다. 괴롭다. 그런데 갑자기 사
무실 전화기가 울린다.

김가온   …네.

강요한(F)   잠깐 볼까?

S#40. 강요한 부장판사실 (낮)

강요한   좀 알아봤나?

김가온   (도영춘 관련 뒷조사하는 얘기인가 해서 움찔한다) 뭘 말입니까.

강요한   뭔 생각을 하는 거야. 내가 준 거. 다음 시범재판할 사건들.

김가온   아, 네……

강요한   (가만히 김가온을 보다가) 아직도 생각이 많은 거 같은데, 이따 어
             디 좀 같이 가지.

김가온   어딜…… 말입니까.

강요한   보여주고 싶은 게 좀 있어서. (싱긋 웃는다)

S#41. 일식집 룸 (밤)

강요한과 함께 룸으로 들어오다가 서 있는 K를 보고 멈칫하는 김가온.

강요한   여긴 내 일을 도와주는 친구. 그리고 여긴 김가온 판사.

김가온   …처음 뵙겠습니다. (말에 가시를 담아) 제 뒷조사를 꼼꼼히 하신 분인가보네요. 솜씨가 좋으십니다.

K   (뾰족하게 받는다) 김판사님도 열심히 하시던데요. 강요한 판사님 뒷조사. 죄송하지만 칭찬은 못해드리겠네요. 솜씨가 그다지.

김가온   (발끈한다) 죄송하네요. 제 전공이 그런 짓이 아니라서.

강요한   (씩 웃으며) 분위기 훈훈하고 좋네. 인사는 그 정도 하지?

김가온   제게 보여주고 싶은 게, 이분입니까?

강요한   전에 물었었지. 세상을 움직이는 자들과 어떻게 싸우겠다는 거냐고.

김가온   ……

강요한   뭐, 굳이 말하자면 게임을 시작하기 전에 이미 이길 수밖에 없게 만드는 거?

김가온   그게 어떻게 가능하죠?

강요한   혼자 힘으론 쉽지 않지. 내겐, (K를 힐끗 보며) 이 친구 말고도 날 돕는 사람들이 있어. 여기저기에.

김가온   …조력자들이 있단 말입니까?

강요한   (시계를 보며) 도착할 때가 됐는데. (열리는 문을 보며 반가운 표정으로 싱긋한다) 고변호사님.

중년 신사가 웃으며 들어오고 있다. 그뒤로 따라 들어오는 이십대 여성

(한소윤).

김가온   (순간 소름이 끼친다. 김가온의 머릿속을 스쳐가는 기억들)

플래시백 > 1부 43신.

골목에 숨어 일식집으로 들어가는 차들을 살피는 김가온. 강요한의 차가 주차되어 있다. 새로 도착한 검은 세단에서 고인국 변호사가 내리자 놀라며 핸드폰으로 사진을 찍는 김가온.

김가온   주일도의 변호인?

플래시백 > 공장 폐수 사건 재판, 1부 66신.

고인국, 메모지에 조그맣게 '살인 X, 업무상 과실 O'라고 쓴 채 다급하게 밑줄을 좍좍 그으며 주일도를 올려다본다. 김가온, 이 모습을 지켜본다.

플래시백 > 1부 82신.

교도관들, 무대 위로 올라와 주일도의 팔을 좌우에서 잡고 데리고 내려간다. 넋이 나간 듯 휘청거리며 끌려가는 주일도. 자꾸만 고인국 쪽을 돌아본다. 그런데 고인국, 이상할 정도로 태연하다.

주일도   (넋이 나간 듯 되뇐다) 고변, 5년이랬잖아, 5년……

김가온	(충격받은 표정으로) 장기현만 매수한 게 아니었어?!
강요한	(싱긋 웃으며) 말했잖아. 게임을 시작하기 전에 이미 이길 수밖에 없게 만들어야 된다고.
고인국	(김가온에게 목례하며 미소 띤다) 실례가 많았습니다. 김판사님.
김가온	(충격 속에 되짚어본다) 설마, 이영민 재판도?

플래시백 >

법정 스크린을 가득 메우며 크리스마스트리처럼 반짝이던 수많은 피해자들의 증언 영상들.

김가온	말도 안 돼, 그건 불가능한데……
강요한	맞아. 그건 무리지. 그래도, 불씨 정도는 준비할 수 있지 않을까?
김가온	불씨?
강요한	첫 물꼬 트는 게 어렵잖아. (한소윤을 보며 미소 짓는다)
한소윤	(장난스럽게 브이 포즈 하며 윙크한다)
김가온	……!

플래시백 > 3부 59신.

이영민의 얼굴이 비치는 법정 대형 스크린 중앙의 네모 칸이 열리더니 디케 앱으로 전송된 시청자 영상이 재생된다. 이십대 초반 여성(한소윤)이다.

| 한소윤 | (손에 핸드폰을 들고 셀카 찍듯 자신을 비추며 이리저리 각을 잡아보다 |

가 놀라며) 어? 연결됐네? 어어, 이거 진짜 전국에 나가는 거임?

한소윤 (흥분한 어조로) 알죠! 저 새끼…… 아, 이거 방송이지. 저 인간, 완전 사이코예요! 제가 백화점 주차장 알바를 했거든요? 이거. (두 손으로 이쪽저쪽 안내하는 포즈를 취한다)

한소윤 저 인간이 글쎄, 주차장 안에 차 밀린다고 내려서 지랄을 하더니, 주차요원을 발로 걷어차는 거예요! 놀래서 갔더니 넌 또 뭐냐고 귀싸대기를 때리는데, 우와!

김가온 (놀랍고 황당하다) 세상에……

강요한 배우 지망생. 톤이 좋더라고.

한소윤 (생긋 웃으며) 반갑습니다. 저, 판사님 팬이에요. 팬클럽도 가입했어요.

김가온 (이쯤 되니 화도 난다) 정말 우리 그동안 쇼했던 겁니까?

강요한 날 비난하는 건 상관없는데……

김가온 ……?

강요한 (의외로 깊어지는 눈빛으로) 우리 재판을 가짜라고 하면 안 되지. 그건 용기를 내준 그 많은 분들에 대한 모욕이야. 우리는 첫 말문이 트이도록 도왔을 뿐, 그분들의 용기가 없었으면 아무것도 할 수 없었어.

김가온 (말문이 막힌다)

조민성(E) 늦었습니다!

듬직한 체구의 사십대 사내가 들어와 앉는다.

조민성   (김가온에게 목례하더니) 처음 뵙겠습니다. 저, 광수대에서 일하는 조민성입니다.

김가온   (광수대라는 말에 순간 소름이 끼친다!)

플래시백 > 6부 45신.

윤수현   팀장한테 얘기해봤는데 반응이 영 이상해. 짜증부터 내고……

김가온(F)   전에 강요한 파보겠다니까 펄쩍 뛰었다는 그 사람 맞지?

김가온   (차갑게 조민성을 쳐다보며) 수현이네 팀장님이시군요.

조민성   (어색한 듯 시선을 피하며) 어…… 네. 윤수현 그 친구, 여리여리해도 일은 쫌 하죠. 가끔 의욕이 넘쳐서 그렇지. 하하하.

김가온   …우리 부장님이 두둑이 챙겨주고 계신가요?

조민성   예?

김가온   (강요한을 보며) 돈이란 확실히 강력한 동기네요. 누구한테나.

K   (차갑게 김가온을 보며) 똑똑한 척하지 마시죠.

김가온   (K를 쏘아보며) 제가 말실수라도 했습니까?

고인국   (가만히 보다가) 제가 왜 강판사님을 돕고 있는지 아십니까.

김가온   …왜죠.

고인국   …가정용 살균제 사건 때, 딸애를 잃었습니다.

김가온   (깜짝 놀란다)

고인국   (우는 듯 웃는 듯) 평생 대기업을 변호하며 살았는데 피해자 쪽이 되어보니 아득하더군요.

김가온   ……

고인국   그 사건 결과는 잘 아시지요. 형량이 어땠는지도.

김가온	고변호사님.
고인국	변호사라고 부르지 마십쇼.
김가온	(고인국을 본다)
고인국	(쓸쓸하게) 전 이미 의뢰인을 속였습니다. 변호사가 아니라 범죄 잡니다. 이 모든 일이 끝나면 죗값을 받을 겁니다.
김가온	(착잡한 표정으로 고인국을 본다)
고인국	(한소윤을 보며) 이 친구는 만취한 상태에서 성추행을 당했는데, 가해자가 집행유예로 풀려나는 걸 봐야 했습니다.
한소윤	(울컥하며) 판사님이 그러더라고요. 장래가 촉망되는 의대생이라 선처한다고. 저는요? 제 장래는 별 볼 일 없으니 참고 살라는 건 가요?
김가온	……
강요한	(가만히 듣고 있다가) 조민성 팀장은……
김가온	(조민성을 본다)
강요한	누님이 세림백화점에서 일했어.
김가온	(놀라 조민성을 본다)
조민성	(울분에 찬 표정으로) 누님은 동생을 돌보는 소녀가장이라, 휴가도 없이 일했습니다. 백화점에 금이 가고, 소리가 나고, 결국 무너져 내리는 그 순간까지. (번쩍 김가온을 노려보며) 그 사건 형량은 어 땠습니까, 판사님.
김가온	(참담해진다. 무너지듯 고개를 숙이며) 죄송합니다. …죄송합니다.
강요한	(김가온을 물끄러미 바라본다)

S#42. 호텔 레스토랑 (낮)

통유리창으로 시원스레 바깥 풍경이 보이는 레스토랑. 정선아, 들어오는 오진주를 보며 반갑게 손짓한다.

정선아　오판사님~ 여기요.

오진주　(약간 어색해하며) 네, 안녕하세요. …이제는 이사장님이시죠? 저희 운영지원단도 맡으셨다고 들었어요.

정선아　네…… 능력도 없는데 일만 잔뜩 맡았네요. (생긋 웃으며 망설이는 척하다가) 그동안 저희 재단에 여러 가지로 문제가 많았다는 거, 저도 잘 알고 있어요.

오진주　(김가온에게 들은 이야기를 떠올리며 곤란한 표정으로) 네……

정선아　바꿔볼게요. 제가. 정치, 재벌, 이런 고리는 끊고, 힘든 분들 돕는 곳으로. 초심으로.

오진주　네에, 쉽진 않겠지만, 여하튼, 대단하세요. 이렇게 젊으신 분이 그런 위치까지…… (미소 짓는다)

정선아　지금 대중에게 필요한 건 그런 미소예요.

오진주　네?

정선아　힘든 시기일수록 희망이 필요해요. 미소, 눈물, 친근함. 강판사님은 신비롭고 카리스마 있지만, 다른 세상에 사는 분 같잖아요.

오진주　네에……

정선아　전 오판사님이 더 앞으로 나와주셔야 한다고 생각해요.

오진주　앞으로?

정선아　…강요한 판사의 배경 그림으로 만족하세요?

오진주　……!

정선아	지금 강요한 판사의 행보에 대해선, 우려하는 분들이 많습니다. 솔직히 판사가 할 수 있는 행동들인가요? 증인한테 돈을 주고, 방송을 이용해서 자기를 지지하느냐 묻고. 더 판사다운 분에게 시범재판부를 맡겨야 되는 것 아닌가 하는 목소리들이 있어요.
오진주	(복잡한 심경이다)
정선아	오판사님, 시범재판부 운영에 대해 저와 계속 말씀 나눠요. 누군가는 눈 똑바로 뜨고 지켜봐야죠. (생긋 웃는다)

S#43. 호텔 화장실 (낮)

손을 씻다가 문득 고개를 들어 거울을 보는 오진주. 정선아의 말이 가슴 속에 쌓인 뭔가를 찌른 듯하다. 배경 그림…… 표정이 복잡해진다.

정선아(E)	음, 목이 좀 허전하네?
오진주	(힐끗 돌아본다)

어느새 조용히 다가와서 거울 속에 비친 오진주를 보던 정선아, 자기 목에 걸고 있던 엄청나게 비싸 보이는 진주 목걸이를 망설임 없이 풀더니, 오진주의 목에 걸어준다.

오진주	(놀라서) 아뇨! 이러시면 제가 곤란하고요.
정선아	(고개를 저으며) 이건 그냥 분장이라고 생각하세요.
오진주	분장…… 이요?
정선아	친근하되, 무대에 설 때는 단 한순간도 놓치지 말고 압도적이셔

야 해요. 매력이 권력이니까. (목걸이를 채워주고는 웃는다)

오진주, 최면에 걸린 듯 정선아의 말을 곱씹으며 목걸이를 한 자신의 아름다운 모습을 홀린 듯 본다.

S#44. 대법원, 복도 (낮)

서성이며 착잡한 표정으로 생각에 빠진 김가온. 검은색 양복 차림이다.

민정호   (V.O.) 난 너희 재판부를 해체시킬 거다.

김가온, 핸드폰이 울리자 받는다.

김가온   여보세요.
박검사(F) 어, 가온아. 사인할 준비는 됐지?
김가온   ……!

S#45. 커피숍 (낮)

박검사와 마주앉아 있는 김가온, 박검사가 내민 서류 봉투에서 서류를 꺼내 꼼꼼히 읽고 있다. 점점 굳어가는 표정.

S#46. 강요한의 저택, 엘리야의 방 (낮)

이젤을 세워놓고 그림을 그리다가 전화를 받는 엘리야.

엘리야　(표정 밝아지며) 언니?

S#47. 떡볶이집 (낮)

떡볶이를 먹으며 수다를 떨고 있는 윤수현과 엘리야, 웃음꽃이 핀다.

S#48. 강요한 부장판사실 (낮)

강요한, 들어오다가 놀란다. 강요한의 의자에 앉아 창밖을 보고 있는
김가온.

강요한　뭐하는 거지?

김가온　…알고 있었죠?

강요한　……

김가온　도영춘이 갑자기 이감된 시기, 전산시스템 보수 작업을 실시한
　　　　　시기, 도영춘 범죄수익 추징팀이 해체된 시기, 전부 일치하던데
　　　　　요. 남편이 운영하는 중원F&B가 부도 위기에 몰린 상태에서, 차
　　　　　경희가 법무부장관이 되던 바로 그때. 바로 그때 수천억대 사기
　　　　　범, 범죄수익을 감쪽같이 숨기고 있던 사기범이 사라진 거네요.

강요한	……
김가온	저보다 훨씬 빨리 알아냈을 텐데 왜 알려주지 않았죠?
강요한	스스로 알아내지 않으면 의심할 테니까. 내가 뭔가 했을 거라고.
김가온	(일어서서 강요한을 노려보며) 애초에 왜 갔던 거죠?
강요한	……
김가온	뭐 때문에 굳이 도영춘을 찾아갔다가, 바꿔치기된 사실을 알게 된 겁니까.
강요한	…그것도 이미 알잖아?
김가온	도영춘이 교도소에서도 황제 행세를 하며 편하게 지내는 꼴을 저한테 보여줘서 제 눈이 뒤집어지게 하려고. 그래서 확인차 미리 가봤던 거 아닙니까? 사사건건 시비 걸고 방해나 하는 저를 흔들어놓으려고!
강요한	(김가온을 물끄러미 보다가 무표정하게) 난 니가……
김가온	……
강요한	내 편이 되어주길 바랐다.
김가온	……!
강요한	만약, 필요했다면 그보다 더한 일을 해서라도. 바꿔치기든 뭐든.
김가온	……!
강요한	그게 내 방식이니까. 그건 앞으로도 달라질 게 없어.

단호한 눈빛의 강요한과, 그런 강요한을 쳐다보는 김가온.

S#49. 포장마차 (밤)

혼자 소주잔을 비우고 있는 김가온. 민정호가 들어온다.

민정호   가온아, 연락받고 달려왔다. 결심이 선 거냐?

김가온   (쓸쓸한 미소를 지으며) 흰머리가 느셨네요.

민정호   (씩 웃으며) 색깔이 중요하냐? 머리숱만 많아도 땡큐야. 내 나이
엔.

김가온   (피식 웃는다)

옆자리에서 허중세 목소리가 들린다. 돌아보는 두 사람. 허중세의 유튜
브를 보며 킥킥대고 있는 젊은 커플이 있다.

허중세(E)   자, 우리 애국자 여러분! 안전한 대한민국 만드는 게 남의 일이
야? 경찰만 나선다고 되겠어? 놀면 뭐해! 주인이 되라고! 이 나
라의 주인!

민정호   (표정 굳으며 소주잔을 든다) 나도 한잔 다오.

S#50. 윤수현의 차 안 (밤)

윤수현은 운전하고, 엘리야는 보조석에서 창문을 거울 삼아 새로 산 리
본 머리띠를 이렇게 저렇게 해보고 있다.

엘리야   (윤수현을 홱 돌아보며 과하게 귀여운 포즈를 취한다) 이거 어때?

윤수현 (질색하며) 징그럽지 말입니다.

엘리야 (발끈하며) 죽는다!

S#51. 포장마차 (밤)

민정호 이 미친 흐름을 멈춰야 된다. 분노란 전염되기 마련이야.

김가온 (소주잔을 가만히 쳐다보며) 누가 만든 겁니까.

민정호 뭐?

김가온 (천천히 고개를 들며) 이 미친 흐름, 사람들의 분노, 애초에 그걸 만든 게 누구냐고요.

민정호 ……!

S#52. 윤수현의 차 안 (밤)

윤수현 (웃다 말고 갑자기 눈이 커지며) 어! 엘리야, 미안한데 잠깐만 여기 있어.

엘리야 언니?

윤수현 (차를 길가에 세우며) 절대 나오면 안 돼, 알았지?

S#53. 거리 (밤)

차에서 뛰어내린 윤수현, 길 건너로 뛰어간다. 길 건너편 빌딩 앞 보도 위에는 외국인 노동자들 세 명이 필사적으로 웅크린 채 쇠파이프 세례를 받고 있다. '밀린 월급 좀 주세요' '산재 보상 지급하라' 등의 피켓, 1인시위용 텐트 등이 박살난 채 거리에 널브러져 있다.

죽창   (잔뜩 흥분해서) 쓰레기들에게 태형을! 애국자 여러분, 달립시다!

죽창과 똑같이 빡빡 민 머리에 시커먼 티셔츠, 그리고 마스크를 한 청년 일곱 명이 쇠파이프로 외국인 노동자들을 마구 구타하고 있다.

윤수현   멈춰!

죽창   (윤수현을 힐끗 보고 씩 웃더니 무시하고 계속) 대한민국엔 불순물이 필요 없다! 깨끗한 대한민국! 우리가 권력이다! 대～한민국! (박수 친다. 짝짝짝 짝짝!)

윤수현   (이를 악물며, 권총을 꺼내 죽창의 가슴에 겨눈다) 손들어!

죽창   (눈빛을 잔혹하게 번뜩이며 씩 웃더니, 쇠파이프를 윤수현을 향해 높이 치켜든다!)

엘리야   (차 창문을 내리고는 애타게) 언니!

S#54. 포장마차 (밤)

김가온   사람들이 바보라서, 그저 선동당해서 분노하고 있는 겁니까? 시작은 다른 거였잖아요. 그저 나쁜 놈들, 선량한 사람 눈에 피눈물 나게 만드는 죽일 놈들, 그런 놈들 제대로 벌해달라는 게, 그게 그렇게 무리한 요구였나요?

민정호	가온아!
김가온	잘하셨어야죠!
민정호	……
김가온	교수님 같은 분들이 잘하셨으면, 대법관씩이나 되셔서 제대로 좀 하셨으면, 사람들이 이러지 않아도 되잖아요. 그 일을 맡은 사람들이 잘했으면!
민정호	(한 대 얻어맞은 느낌이다)
김가온	(민정호를 응시한다)
민정호	(굳은 표정으로) 결국 선택을 한 거냐.
김가온	선택을 강요한 건 교수님입니다.
민정호	……
김가온	어차피 현실에 정의 따위는 없고, 게임만 있을 뿐이라면……
민정호	(김가온을 뚫어져라 본다)
김가온	이기는 게임을 하고 싶네요. 저도.

김가온, 자리에서 일어선다. 그때, 포장마차 바로 앞 도로에 고급 세단이 와서 멈춘다. 운전석의 강요한, 민정호를 보며 씩 웃는다. 김가온, 민정호를 뒤로한 채, 불어오는 바람에 검정색 슈트 자락을 날리며, 웃고 있는 강요한에게로 성큼성큼 걸어간다. 그 위로 타이틀, **악. 마. 판. 사.**

악마판사 오리지널 대본집 1

ⓒ 문유석 2021

초판 인쇄 2021년 8월 12일
초판 발행 2021년 8월 25일

지은이 문유석
기획 김소영 | 책임편집 박영신 | 편집 황수진 신기철 임혜지
디자인 이효진 이주영 | 마케팅 정민호 양서연 박지영 안남영
홍보 김희숙 함유지 김현지 이소정 이미희 박지원
제작 강신은 김동욱 임현식 | 제작처 영신사

펴낸곳 (주)문학동네 | 펴낸이 염현숙
출판등록 1993년 10월 22일 제406-2003-000045호
주소 10881 경기도 파주시 회동길 210
전자우편 editor@munhak.com | 대표전화 031) 955-8888 | 팩스 031) 955-8855
문의전화 031) 955-2655(마케팅) 031) 955-2697(편집)
문학동네카페 http://cafe.naver.com/mhdn | 트위터 @munhakdongne
북클럽문학동네 http://bookclubmunhak.com

ISBN 978-89-546-8188-9 04810
      978-89-546-8187-2 (세트)

www.munhak.com